U0114507

一九九七東亞漢學論文集

淡江大學中文系 主編

臺灣學生書局印行

序

　　漢學研究在這個時代，有其特殊的價值與意義。暫且不論漢學本身的價值，單就東亞在世界舞台日漸重要的事實，做爲東亞文化主軸的漢學，就足以具有世界級的分量與地位。尤有進者，這樣的國際發展，也引發了西方對漢學的種種討論。例如美國政治學教授杭廷頓便認爲東西方必將展開在現實角力之外的文化衝突，而強調西方世界應對此趨勢之正視。杭廷頓的觀察實在非常粗糙，但是其對東方文化之注意，卻也提醒了漢學研究之重要性。

　　就漢學而言，東亞諸國的研究仍是重心。淡江中文系在資源有限的前提下，先與日本及韓國的學術同道，舉辦中、日、韓三國的漢學會議，輪流在三國舉辦，以做爲整合世界漢學的奠基工作。第一屆於一九九六年在日本鹿兒島大學舉行，第二屆於一九九七年在台灣淡江大學舉行，第三屆於一九九八年在南韓江原大學舉行。並希望以此種模式永續地舉辦下去。

　　東亞漢學會議的理念非常單純，不過就是聚集中、日、韓三國的漢學研究者一起研討，不對主題做任何之限定，以充分吸納不同的領域與範疇。這一方面是爲了豐富彼此的視野，一方面也是爲了宏觀的整合。從二屆的會議看來，論文的方向非常多元，有文學、哲學、宗教、藝術等不同之範疇，這正是我們所樂見的。學術分工乃是無可逃的必然趨勢，但是這種實然的狀態並不表示就是應然的合理。我們認爲分工後的溝通與整合，將是日後學術發展的重要方向。今天，無論是從人文、環境、經濟、資訊等不同的角度反省，整合的需求都無比強烈。人文固然不必說，環保也將不只是技術問題，而更涉及人的價值觀；經濟也不只是現實的運作，經濟秩序與倫理的建立，在目前東南亞經濟風暴的肆虐下，已經被痛切地提出；至於資訊的大量產生與流通，資訊已不只是資訊問題，而更是社會、經濟等問題的總結。同理，在漢學的研究中，整合的要求也就顯而易見了。由此看來，如果說學術分工乃是人類文化發展的宿命，那麼，隨之而來的整合也將是人類文明必經的歷程。我想，淡江大學中文系在諸多專門學術會議的舉辦外，特別重視東亞漢學會議之召開，也正是回應此整合之世界未來趨勢。

　　此次會議的舉辦，完全是由本系周彥文教授一手負責，我在此要致上最高的敬意與謝意。而日本及南韓方面的學者，不但勇於提出學術成果，而且樂於承辦會議之行政，其情令人敬佩。系上的黃麗卿老師、黃慧鳳助教、吳春枝助教、溫晴玲助教及大會工作

人員的辛勞，更是使此次大會成功的關鍵因素，也應得到高度的肯定與讚嘆。

　　最後，謹以朱子之詩文一首，與諸君子共勉之：

　　　　半畝方塘一鑑開，天光雲影共徘徊，

　　　　問渠那得清如許，爲有源頭活水來。

　　　　　　　　　　　　　　　　　　　　　高柏園　序於

　　　　　　　　　　　　　　　　　　　　　一九九八年一月五日

　　　　　　　　　　　　　　　　　　　　　淡江大學中文系

一九九七東亞漢學論文集

目　　錄

大田錦城的學問

連清吉

提　要

　　大田錦城自述其一家之言，説：「我之家法在漢傳唐疏、宋元註解、明清著錄、不以愛憎爲取舍、務以公平之心折中諸説、猶有不慊於心之處、精思考覈、期至當而止。」（《梧窗漫筆三篇》）無漢唐注疏或宋明義理，甚且乾嘉考證的門户之見，務以合理精當之原則，而以「實事求是」的窮究爲究極。換句話説大田錦城的學問乃是實證主義的文獻考證學。

　　到了大田錦城的晚年，由於當時的考證學成爲趣味性的把玩，附庸風雅的手段。因此反省昔日未必重視宋明理學的偏差，提出儒家的學問可分爲道德（即聖人之道）與經學（即文獻考據）二途。以爲「（義理）切實人事治道之事多、……不可廢棄。」（《梧窗漫筆後編》）乃明白地指出辨明文獻眞僞、精確解釋的考證和闡述聖人著述之眞義的義理之學是異趣殊途的。換句話説，在當時不具實用性的考證學流行之際，作爲手段而以「實事求是」之實證主義爲究極的考據之學固然有基本性的存在必要，但是作爲學問根底以發揮聖人之道的義理之學，更有極盡發揚的必要。亦即考證學並非實學，只是追求科學性的實證性眞實的基礎學問。傳統儒家知識分子的終身職責乃在於道德理想的實踐。這是大田錦城晚年重建道德性儒家思想結構的覺醒。就這一層意義而言，大田錦城是日本江户期的「一代碩儒」。

一、大田錦城的生涯

　　大田錦城，名元貞、字公幹、號錦城。加賀（今石川縣）大聖寺人、明和二年（1765）生，文政八年（1825）沒，享年六十一。幼時有神童之稱。父名玄學、以醫爲業，詳於本草。錦城先隨兄伯恒學醫，然不屑爲方技之術，欲以儒學立身。天明四年（1784）、

遊學江戶。時年二十。

　　根據年譜❶所載，大田錦城的生平大抵如下：

明和二年（1765）　　　　**一歲**
　　　　生於加賀大聖寺。

　　八年（1771）　　　　**七歲**
　　　　隨兄讀《大學》《中庸》、從父學詩文。

天明四年（1784）　　　　**二十歲**
　　　　遊學江戶、入學山本北山的奚疑塾。

　　五年（1785）　　　　**二十一歲**
　　　　於駒込開設私塾。

　　六年（1786）　　　　**二十二歲**
　　　　寄寓於紀桂山的醫學館。
　　　　自號錦城。
　　　　秋、自北山門出、於醫學館講經書。

天明八年（1788）　　　　**二十四歲**
　　　　於塾堂揭示「三義」。

寬政二年（1790）　　　　**二十六歲**
　　　　制定「塾約十五則」。

　　三年（1791）　　　　**二十七歲**
　　　　撰述《中庸考》、《論語大疏》。

　　七年（1795）　　　　**三十一歲**
　　　　撰述《疑問錄》。

享和二年（1802）　　　　**三十八歲**
　　　　《錦城百律》刊行。

文化元年（1804）　　　　**四十歲**
　　　　《九經談》刊行。

　　七年（1810）　　　　**四十六歲**
　　　　講學於吉田藩邸。

　　八年（1811）　　　　**四十七歲**

---

❶　加地伸行編《皆川淇園・大田錦城》（《日本の思想家》、明德出版社、1986年）的附錄。

　　　　仕於吉田侯、俸祿二十五人扶持。

十年（1813）　　　　**四十九歲**

　　　　《梧窗漫筆》刊行。

文政元年（1819）　　　**五十五歲**

　　　　於吉田藩城的時習館講學。

　　　　十二月、至京都。

文政三年（1820）　　　**五十六歲**

　　　　訪賴山陽。

　　　　七月、返江戶。

四年（1821）　　　　**五十七歲**

　　　　撰述《仁說》。

五年（1822）　　　　**五十八歲**

　　　　仕於加賀藩、俸祿二百石。

六年（1824）　　　　**五十九歲**

　　　　《學庸解》刊行。

七年（1825）　　　　**六十歲**

　　　　寫《梧窗漫筆後編》序。

八年（1826）　　　　**六十一歲**

　　　　四月二十三日沒、葬於谷中一乘寺。

　　元明四年（1784）、二十歲的大田錦城遊學江戶，入山本北山的奚疑塾。山本北山是折衷派學者井上金峨的門下，其後，學有專精而成一家之言。其學以孝經的研究為中心，故將書齋命名為〈孝經樓〉。山本北山出身於富裕之家，故輕錢財，以「儒俠」自任。但是，大田錦城以為：

　　　余居數日、竊疑其人狂誕自信、決非君子之人。（〈記悔雜文〉、《春草堂集》卷三）

　　即頗不堪山本北山之言行舉止。雖然如此，一旦寄身其門，自不能立即揮身而去，乃專心於學問之研究。同門中有山中天水、小川泰山。山中天水長錦城五歲，小川泰山小錦城五歲。據小川泰山《經子考證》的錦城序所載，三人晝論經書，夜間則研讀群書。山中天水披閱李白、杜甫、白樂天、袁中郎等集部之書，小川泰山治管子、韓非子、莊子、列子等諸子之學，錦城則攻漢唐史書及資治通鑑。

　　天明五年（1785）、錦城之兄北岸的《瓶花庵集》撰成，錦城為之撰序。也請山本

北山賜序。不料山本北山却竄改錦城的原文。錦城原本就不屑山本北山的人品，再加上有此不愉快的事情，錦城乃決意退出山本北山之門。山中天水也一同離去。錦城的〈書瓶花庵集序後〉❷追記此事，說：

> 戊辰（天明八年）三月晦夜、貞（錦城）與淺草濱中謌詢閱家中舊書、得瓶花集序稿。是貞昔從遊山本喜六（北山）時之所作。喜六更互其起頭一章、改竄其中間數字。彼皆以朱字細書其行間。數年在書簏中、字殆漫滅、挑燈照之、乃纔得讀矣。……乃謂謌詢曰、余昔與足下從彼受役、一時遇然之失、至今噬臍不及。序中所謂命世宏博、卓絕蔚麗、撥亂反治數語、自今觀之、近似諛言。然在當時、爲彼昏迷、以謂彼之才識實然。彼才雖敏俊、概失輕躁、學雖該洽、概失駁雜、識雖卓異、概失偏僻、文雖蔚茂、概失放縱。加之說經紕謬、誣罔聖道也甚。

其激烈批判山本北山學行的態度，雖經過數年，依然不改。

天明五年（1785）、大田錦城築居於駒込吉祥寺，稱爲春草堂。翌年，即寄寓於神田佐久間町的多紀桂山的醫學館。雖然居住在駒込的時間只有一年，對駒込春草堂的詠懷却極深。如〈乙巳文稿〉中，有〈駒込雜詠〉。又天明六年的〈丙午文稿〉（《春草堂集》卷二）也有〈懷駒込舊居〉三首。或記載所住近郊的情景，或記述與寺僧飲茶玄談之樂，或描寫與花爭艷的鄰家女，或暢叙與門下論學之樂。

知遇於多紀桂山，對大田錦城的學術研究而言有甚大的影響。

多紀桂山，名元簡、字廉夫。多紀家世代爲幕府的醫官。特別是元德（藍溪）、元簡（桂山）父子和元簡的兒子元胤、元堅三代更精於醫學而知聞於世。躋壽館爲元德的父親元孝所建，寬政三年（1791）隸屬幕府，改稱爲醫學館。元德以爲傳統古醫學過於偏執，提倡折衷古今諸派醫學的折衷醫學。元簡生於寶曆五年（1755）、長大田錦城十歲。幼時即隨父學醫，又從井上金峨研究中國古典經傳之學。寬政二年受命爲侍醫，同十一年繼承父業。發揭父親的主張，注釋《傷寒論輯義》《金匱要略輯義》等書，而《醫賸》爲其代表作。又校訂出版《醫略抄》《本草和名》等書。文化十七年（1801）沒。元簡與錦城相交甚深，至其晚年，依舊不變。錦城也引爲平生知己。錦城的〈獨醉醫談序〉❸指出。

> 劉桂山（元簡）一代偉人也。博聞強記、驚才絕識、古今醫流、無有其比者。予與之交三十年、常預聞緒論。元簡死後、長男元胤、繼掌醫學館。元胤也精通醫

---

❷ 《春草堂集》（尊經閣叢刊、東京前田家育德財團影印、1936年、下同）卷五。

❸ 《春草堂集》卷十六。

學，著《醫籍考》百卷，解題中國歷代醫書，並加以整理分類。其弟元堅任醫學館教授，撰述《傷寒論述義》《金匱要略述義》等書，又編修刊行《醫心方》《聖濟總錄》等書，頗能祖述其父元簡的遺志。

錦城至江戶的天明四年（1784）足躋壽館全盛期的時候。根據多紀元堅的《時還讀我書》，從這一年開始，正式承認非諸侯、武士子弟也能接受百日的基礎教育。躋壽館除了山田圖南、目黑道琢等人所教授的專門醫學教育外，也加上儒家經典的講授。首任教授是井上金峨、其次是吉田篁墩、龜田鵬齋，其後大田錦城也應聘授課。

多岐元簡的父親元德在明和二年（1765）、敦請井上金峨擔任躋壽館首任教授，同時教授長男元簡的儒學教育。因此，井上金峨的門人吉田篁墩、山本北山、龜田鵬齋等人也與元簡、躋壽館有親密的關係，就在此時。元簡蒐集井上金峨的詩文，而在天明四年（1784）編集刊行《金峨先生焦餘稿》七卷。大田錦城入門山本北山的奚疑塾，也正是這一年。多岐元簡與大田錦城之所以結識，即因為元簡也出入山本北山奚疑塾的緣故。錦城稱「桂山（元簡）素懷奇負氣、不妄屈人。」（多紀桂山墓表）桂山（元簡）也嘉許錦城的學識。故於天明六年、聘請大田錦城為躋壽館的教授，講授中國古典經傳之學。並擔任其子元胤、元堅的儒師。

關於多紀家的學問，在元德一代的時候，只能說是折衷古今學說，並未能進一步地從事考證的工夫。到了元簡的時候，則有詳細的考證。換而言之，元簡的醫學是兼有考證的醫學。察考元簡的《傷寒論輯義》即可明瞭其學問的所在。根據此書序文的記載，元簡反對只根據原文，而不引述後世諸家注釋之說的古醫學派的學問。乃提出「逐條歷考、旁及他書、……開發其隱奧、臨證以辨疑、期得處方精當」的主張。因此，此書引述宋元以下數十家的解釋，以為論證的根據。至於此書的體裁，乃廣搜宋元以下數十家的解釋，隨處點校眉批，標注案語考證，再加上自說而成，因此書名為《輯義》。特別值得一提的是，此書不餘力的校勘《傷寒論》文章的脫衍，更可以證明元簡於考證上所下的工夫。如〈凡例〉所說，《傷寒論》有宋校定本和金注釋本二種，又有《金匱玉函經》別本。因此，輯義《傷寒論》時，乃以宋本為底本，並參考金注釋本、《金匱玉函經》別本，再引用歷來從數家的說法，以校勘通行本而成《傷寒論輯義》。又卷首〈傷寒卒病論集〉的注釋，引用《說文解字》《史記》等經子史書，以為注釋的地方，隨處可見。因此，就《傷寒論輯義》而言，多岐元簡的學問即是博搜實證之考證學。

多紀家的藏書極為豐富。多紀元堅的《時還讀我書》記載著：「其藏書、自古今醫書至經史子集、藏蓄之而借覽生徒。」大田錦城也說「吾友劉君、字廉夫（元簡）、敏治該博、天下無比。……生平常抱奇書之癖、異本怪冊以為甘酥。……酒後、為余開書

篋。」（《春草堂集》）大田錦城得識元簡，因此得閱多紀家珍藏典籍。不但近時出版的清儒著述，宋元珍本也借閱流覽了。錦城於二十二歲作〈宋版晉書歌贈劉桂山〉❹的長篇詩歌，不但特別歌詠多岐家珍藏的宋版《晉書》，也驚歎多岐家汗牛充棟的藏書。錦城之所以能博覽群書，特別是與其學問有極大關連的清人論著，如朱彝尊的《經義考》、毛奇齡的《西河合集》等書的研讀，乃得力於知交元簡與多岐家藏書。換句話說，大田錦城之所以有厚實的考證學的根底，乃拜元簡與多紀家之賜。亦即多紀家，特別是元簡的存在，是大田錦城學術生涯的關鍵。

文化四年（1807），皆川淇園結束其七十四歲的生涯。大田錦城雖然與皆川淇園始終未曾見面，但是錦城自年少時，即敬仰淇園的學識，因此曾幾次寫信給皆川淇園，表示其仰慕之情。如天明五年（1785）〈與皆川淇園書〉❺一信中，即表達雖身在窮鄉僻壤，卻渴望受教於執京師學界牛耳之皆川淇園的心意。即使大田錦城所在的大聖寺離京畿極近，「上自士君子、下逮隸氓、內自都城市井、外至閭閻草莽、家誦詩書、人耽翰墨、未曾有不志學之人也」，即熱心於學問研究，而文化水準也頗高的地方。但是「最志厚者、必西遊上國、而從學其諸先生。以故、諸先生之學、能成一家、能發一識者、其流風餘教、亦未曾不漸被敝邦也。僕亦髫年志學、竊仰諸賢之風、雖未有知其行義之詳、議論之正、然既知平安有淇園先生者。此僕之於先生、聆其聲聞、聽其名譽、然後知者也。」即凡是鄉里之人而有志於學者，皆西遊京師，師事京師的大儒。大田錦城自幼即知聞皆川淇園的名聲，極欲從遊其門下。即是，聽從京都歸來的友人論及對學界大儒的評論，更確信其對淇園的景仰。又在草鹿蓮溪家閱讀皆川淇園所著序記論說數篇，以爲皆川淇園「文辭雅傑而無浮華靡麗之病、議論精穩而無激昂過矯之病」，盛贊淇園「不特文章之士、鬱乎大儒、千歲英特、一世豪雄」。此爲大田錦城於二十二歲時，對皆川淇園的仰慕。

在寬政元年（1789）所作的〈報濱中周人書〉❻中，大田錦城敘述著：知聞濱中遊學京都，受業於淇園，再度牽起昔時的憧憬。然後贊歎淇園的文章說，「渾浩圓活、洗練縝緻、毫不露圭角、藹然有有道之風、是足以見其所造之深、所養之厚矣。」又、同一年的〈報小野文恭書〉、（同上）即致與濱中周人同受業於皆川淇園〈開物學〉的小野文恭書信中也指出，皆川淇園之學「精密微妙、實當世第一人」。因此，依然熱切地希望西遊京都，從學於皆川淇園的門下。但是，重病始癒，由於健康的因素，大田錦城

---

❹ 〈丙午文稿〉（《春草堂集》卷三）

❺ 《春草堂集》卷三。

❻ 《春草堂集》卷六。

並未能逐其夙願。結果失之交臂，到皆川淇園死前，大田錦城終不能親濡皆川淇園「精密微妙」的學問。

文政三年（1820）四月、大田錦城拜訪賴山陽。錦城的弟子海保漁村敘述了二人相會的情況。

> 與賴子成相唱酬。是時賴子成以詩古文雄視一世。遇師彷訪、相得最歡。子成爲設伊丹酒四品、相與痛飲。師劇談竟日以去。當時所得詩古文、合爲一卷、名曰白湯集、三河書肆刻以行世。❼

文政四年（1821）正月二十六日、大田錦城眞除爲五十人扶持，成爲吉田藩的不可或缺的重臣。同年三月十六日、大田錦城至藩邸講授《論語》，由於理順辭明，頗受好評。特別世藩主信順與藩主的世子皆出席，錦城更受到重視。

文政五年（1822）七月十四日、大田錦城改仕加賀藩。關於其間的實情，藤田幽谷所撰的「錦城先生大田才佐墓表」❽有詳細的敘述。

> 加賀金龍公（前田齊廣）惜先生北藩之產、而爲境外賓師。屢遣使于吉田邸請先生。吉田侯不可。乃倍其食祿、禮遇愈渥。然加賀侯之請益切、不能固拒、以命先生。先生亦以其父母之邦、起而應其聘。加賀侯授祿三百石、班上士、不煩以職事。

大田錦城雖無仕二君之意，但是，在固辭不得的情況下，只好告別寵知優渥的吉田藩而燸仕鄉里的加賀藩。

翌年，即文政六年的正月開始，大田錦城不但在加賀藩藩校授課，也擔任藩主前田齊廣的侍講，同時在江戶開設的私塾也於正月二十九日再開。從吉田藩燸返加賀藩後，或許由於心力交疲的緣故，大田錦城一病不起。於文政八年（1826）四月二十三日、結束其六十一歲的生涯。關於大田錦城的儒者生涯，其弟子海保漁村「祭大田錦城先生文」如是記載著。

> 惟文政八年、歲在乙酉四月二十七日、門人海保某謹以清酌庶羞之奠、祭於錦城大田先生之靈。嗚呼哀哉、先生學究古今、識洞天人、其於四子六經之書。孔子孟軻之旨、闡幽發微、無復餘蘊。夫豈獨經義道學然乎、凡古書之盤錯肯綮、世

❼ 〈漁村海保府君年譜〉（《日本儒林叢書》十四卷所收、《日本儒林叢書》乃鳳出版社、1978年出版、下同）。

❽ 《近世名家碑文集》（東京經濟雜誌社、1983年）所收。

儒之聚訟紛紜、難讀難句者、得先生一言，刃迎而解者、不一而足也。夫黨同伐異者、學者之通弊、而古今之同情也、先生說經、於漢宋之學、無所偏黨、可者從之、不可者改焉。平生之言曰、吾於漢儒推鄭玄、而宋儒推朱子矣然而鄭玄朱子之所誤、則亦排詆糾駁、不遺餘力。世之學者黨枯竹、護朽骨、於聖人之道、無所知解。故聽先生之言、遽然驚駭、至於罵爲異學、若在虛氣平心之人、則先生之學實有尸祝奉崇之不暇者焉、是先生理經之精、講道之明、而直道之在人、不可得而磨滅也。先生洽聞博見、不獨於經義有功、國家之治亂興壞之理、以至人事之失得、利害之故、明如觀火。故所著之書、上明經旨、中及人事治道、下正傳注之訛、其言明白正大、實學者之模範也。若文推歐蘇、詩宗晚唐、皆窮其奧妙矣、他及後世細瑣零碎之事、亦莫不一一究其理焉。嗚呼、如先生者、天下其有幾人歟。……先生著書等身、皆天壤間不可少者也。其既刊布者若干卷、其未脫稿藏于家者、亦數十種、行應上梓。嗚呼先生奄忽長逝、無復烯期、而其著書留天地際者、足以啓發來學、興起後人、則比於彼草亡木萃之徒、一逝而泯滅湮盡、不見稱於世者、相距幾何也。……❾

二、大田錦城的著述

　　根據上述年譜的記載，大田錦城的主要著作有：寬政三年（1791）、即二十七歲時，撰述《中庸考》和《論語大疏》。寬政七年、即三十一歲時，完成《疑問錄》。文化元年（1804）、即四十歲時，刊行《九經談》。文化十年、即五十一歲時，《梧窗漫筆》付梓。文政四年（1821）、即五十七歲時，撰述《仁說》。文政六年、即五十九歲時，刊行《學庸解》。翌年、即死前一年、撰寫《梧窗漫筆後編》的序。又根據《梧窗漫筆》卷末附錄門人荒井堯的〈錦城大田先生著述日記〉，錦城的著作尚有文集文《錦城文錄》、詩集《白湯集》和《鳳鳴集》、詩文集《春草堂集》等。其他還有不少有關經書寫本的遺稿。

　　就《論語大疏》的體例而言，條列《論語》的章節，然後引述漢唐古注、宋明新注、伊藤仁齋的《論語古義》和荻生徂徠的《論語徵》等注解。由於盡力網羅中國本土與本邦先賢有關《論語》的主要注釋，《論語》的諸說一目瞭然，於《論語》的研究，提供極爲便利的途徑。而大田錦城爲學以博引旁證爲基礎的主張也可以知悉。不過，《論語大疏》只止於集釋的工夫，因此，只能說是折衷《論語》古注、新注，並權衡前賢所見，

❾　《漁村先生遺稿》（手稿本、1905年印行、國會圖書館藏）所收。

而缺乏自家見解的考證特色。❿

　　《疑問錄》則指摘對宋學存疑的所在，徵引經傳子史，並參考伊藤仁齋《語孟字義》、荻生徂徠《辨名》對程朱批判的論議，作實證性的考證。

　　《九經談》爲大田錦城的代表作，全書共十卷。有總論、及論述有關《孝經》、《大學》、《中庸》、《論語》、《孟子》、《尚書》、《詩經》、《左氏傳》、《周易》等九經的諸說，並陳述自己的見解。關於儒家經典、特別是對五經作博引旁證且展開精密議論的研究，是江戶時代的學界所未有的。因此，此書傳誦一時，大田錦城的名聲也爲當時的學術中人所熟知。門人海保漁村敍述《九經談》出刊的情形，說：「此歲、大田錦城師以所撰九經談十卷付之梨棗、學者喧傳、名盛一時」❶。

　　《梧窗漫筆》有は三編，根據各編的序文所載，正編是〈畏天錄·知命錄·畏聖錄〉合刻，於文政六年刊行的。後編是〈三錄併啓迪錄〉，於文政七年付梓的。第三編是天保十一年刊行的。關於《九經談》的內容，根據後編所附弟子戶谷惟孝的序所述，「錦城先生、往爲門人小子講袁了凡陰騭之學、則筆其意而爲劄記、名曰梧窗漫筆。」是知《梧窗漫筆》是旨在爲門下生講述實踐性的道德。其論述中頗多引證群經諸子與歷史掌故以爲論述的根據。誠足以表現大田錦城以考證爲學問根底的立場。但是《梧窗漫筆》所顯示的大田錦城的思想立場却有所不同。即相對於以考證學爲主的《九經談》，《梧窗漫筆》則率直地敍述其對實踐性道德。就《梧窗漫筆》的成書年代而言，此書頗能說明大田錦城的晚年主張與其心境。換句話說，大田錦城之爲日本江戶時代考證學派的代表，由其撰述有詳於考證的《疑問錄》與《九經談》二書可以知悉。而大田錦城不僅是考證學者，對現實有深刻的反省，進而提出實踐道德之意義的主張，又由其《梧窗漫筆》三編的論著，可以理解其晚年則強調經世的重要。

三、《九經談》

　　大田錦城的代表作《九經談》刊行於文化三年（1804）。此書甫一發行，即爭相傳閱，使大田錦城一躍爲學界的知名之士。雖然如此，也傳聞著《九經談》頗多剽竊清人論說的指摘。對於此一指摘，錦城如此回應。

---

❿　參考金谷治的「日本考證學派的成立」（源了圓編《江戶後期的比較文化研究》頁381頁88、ぺりかん社）。金谷治先生界定〈折衷學〉與〈考證學〉的意義說：「折衷學重漢唐的訓詁而集諸說以折衷，無考證學之以博搜爲實證之證明。」

❶　〈漁村海保府君年譜〉（《日本儒林叢書》十四卷所收）。

余初年著九經談、引用宋元諸儒著述、黃氏日抄、困學記聞、清朝朱彝尊、顧炎武之說、或有出其姓名、或有不出者。本九經之談話、則此體裁可也。近時雖聞余剽掠先儒說之誚、不辨知著書本意之徒、則不足憎、不足答也。（《梧窗漫筆》三編卷下）又有以爲《九經談》的論述不過是抄錄阮元的《學海堂經解》而已。大田錦城唯恐露出破，在《學海堂經解》傳入日本時，即全數購買的傳聞。其實《學海堂經解》的刊行是在大田錦城死後。因此，大田錦城剽掠阮元的《學海堂經解》以撰述《九經談》的指摘，即不攻自破了。

　　與大田錦城同時的學者猪飼敬所以爲《九經談》的論述是「識見正大、援引宏博、竊謂海內無二。」而大加贊賞。《九經談》刊行時，欄外眉批處即附載著猪飼敬所的評語。

　　《九經談》的〈總論〉對中國經學的流衍，作如次說明。

經學、古今之間有三大變焉。而小變不預也。有漢學焉、有宋學焉、有清學焉。漢學長于訓詁、宋學長于義理、清學長于考證。自漢至唐、其學小變、然要皆漢學也。自宋至明、其學小變、然要皆宋學也。清人有爲漢學者、有爲宋學者、有混漢宋之學而自爲一家者焉。然要皆清學。而其所長則考證也。此古今經學之三大變也。（《九經談》卷一）

在大田錦城之前，雖有伊藤東涯的《古今學變》分漢、唐、宋、明四個時期說明中國學術的發展。但是包含清朝考證學而通觀中國經學歷史流衍的論說，大田錦城爲日本學界第一人。因此猪飼敬所推崇大田錦城有「大見識、大議論、非達古今者、不能爲此言。」（同上）

　　大田錦城又說：

程朱之說、浸淫乎佛老者、是其學之所短也。去其所短而取其所長、則未必不粹然也。吾嘗言、漢學小醇而小疵、宋學大醇而大疵。後有明者、或以此語爲知言矣。（同上）

持平地分析漢宋學的長短。蓋漢學之弊在偏重訓詁名物的解釋，而忽略儒學精髓所在之義理的探究。至於宋學之弊則在於引用佛教經義與黃老玄學以注釋儒家經典，故不免於雜而不純的批判。雖然如此，著重於仁義道德的發揚與世道人心的強調，則是宋學的長處。又關於陸象山、王陽明的心學，大田錦城如是論述著：

王陽明之學出于陸象山、是宋學之支流也。以六經爲故紙、全出于象山六經注我。

其實禪家頓悟之機、而達摩不立文字、見性成佛、莊周六經先王之陳跡、書古人之糟粕之意也。唯象山自忌其爲莊禪、而陽明則自言、良智即佛氏本來面目、格物致知即佛氏常惺惺。是不忌其爲佛老。（同上）

繼說明漢宋優劣之後，大田錦城也品評本邦前賢、特別是盛行一時之古義學與古文辭學的得失。其論伊藤仁齋的古義學說：

我邦唱古學者、以伊藤仁齋先生爲祖師矣。先生負英邁之資、抱卓絕之智、生於天下滔滔淪胥濂洛之中、特起麾之、海內靡然。……唯其學半出于吳廷翰吉齋漫錄。所見不博、而乏考證。故疑大學、斥中庸、卑視詩書易、而特尊論語。遂言三代聖人與孔夫子。其道不同、是背於論語述而不作、中庸仲尼祖述堯舜憲章文武。則其學多不可信者矣。（同上）

所謂仁齋之學多半「出自吳廷翰之吉齋漫錄」者，乃大田錦城以爲吳廷翰與伊藤仁齋同主張「理氣合一說」的緣故。

至於荻生徂徠的學問，大田錦城如是批評著：

繼仁齋唱古學者、爲徂徠先生。先生負雄鷙之才、養跌宕之氣。夙唱李王古文辭、主盟文壇、間然雄視一世、氣魄牢籠寰區。年五十始講經義、辨宋學、駁仁齋。其學出于楊用脩、盧驕之氣、頗相肖似。經義道學、固非其所長。欲出新奇以炫耀時目。故其說淺薄無味、其言誇誕近誣。比諸仁齋、行義識見、遠不及之。而學問之博、則稍過之。又頗知考證之學。然而其所考證、往往失當。其以安民爲仁、則至夷齊三仁之仁而窮矣。以制作爲聖、則到夫子之聖而窮矣。以明德爲君上之德、則到正考父之明德而窮矣。……矣仁齋誤駁諸經、然其所見不到異端。而徂徠則奉諸經、然其所見、則異端之魁。雖通觀其書、百中有一二可取者。不可概而廢棄也。（同上）

所謂荻生徂徠曲解經典，是說徂徠雖「博覽多通、於考證考據而奪其精神、毫髮不通天地事理」時，徂徠常「陷入邪見邪道」。⓬亦即大田錦城以爲荻生徂徠失於「事理」的考察，以致考證不清。

大田錦城雖然是考證學派的代表學者，未必苟同林家朱子學的主張，但是綜觀大田錦城於漢學與宋學的論述，錦城並非完全反對程朱的宋學。相反地，錦城以爲「三代以

⓬　《梧窗漫筆》後編（《有朋堂文庫》、有朋堂書店、1913、下同）。

後人物、私服者二人。諸葛孔明之德業與朱晦庵之學問。」⓭即其對朱子學有極大的推崇。換而言之，大田錦城以實證的觀點，指出程朱學的缺點在於引佛老入儒的駁雜。藉以喚醒宋學的盲從者。大田錦城說：「宋儒大意在繼往聖啓來學、排佛老之空妙、擯管商之功利。……然非守一字一句之遺說。」因此，大田錦城自身雖不信宋學，却不排斥學宋學的人。但是對當時宋學者奉宋學者之尊敬朱子等同於孔子、孟子，即使明知朱子學之有誤亦隱蔽之，更不論明言朱子學缺失的態度却不敢苟同。總之，大田錦城是理性的分析宋學的長處與短處，反對當時學界全面盲信宋學的潮流。

大田錦城對伊藤仁齋與荻生徂徠的批評態度也和對宋學的採取相同的態度。大田錦城以爲卑視朱子而拒讀朱子的著述者和宋學的盲信者是一樣愚昧的。又、漢學與宋學皆有優劣，其判定的基準則在於是拒否合於經典的主旨。合於經典的議論，不論是誰說的，都是正確的。不合於經典的論說，即使是大儒前賢的主張也不可信。大田錦城此一學問態度確實是持平而公正的。其所以能有此見解，與其學問以考證爲基本的治學態度不無關連。

《九經談》一書是大田錦城有關考據論述的代表作。其中關於《尚書》、特別是以〈梅本增多小辨〉爲題的考證（卷七）又更爲精密。所謂〈梅本〉是指東晉梅賾所獻漢孔安國《古文尚書》五十八篇。所謂「增多」是說〈梅本〉比在此以前所通行的秦伏生《今文尚書》二十九篇所多出的篇章。大田錦城以爲〈梅本〉所「增多」的篇章和孔安國的傳都是魏王肅等人所僞作的。

就今日而言，雖然有關《古文尚書》與《今文尚書》的問題，由於清代閻若璩等人考據的成果，《古文尚書》增加的部分乃爲後人所僞作的一事，已經成爲定說。但是在江戶末期的日本學界並未留意到此一問題。大田錦城之提出〈梅本增多小辨〉以考證《古文尚書》爲僞作等有關《尚書》的考據，可以說是日本學界的第一人。

大田錦城以爲〈梅本〉所增加的二十五篇的內容和孔安國的傳皆始見於東晉，在此以前的漢魏之間，並未出現。漢儒解釋經傳所引述的資料，也止限於《左傳》、《國語》、《孟子》與《荀子》等書而已。至於後漢的古文《尚書》，有杜林的《漆書古文》，馬融所謂〈逸書十六篇無解說〉，則〈逸書〉所指或爲孔安國的眞古文。

大田錦城在此段議論之後，詳細地考證〈梅本〉增加的篇章與孔安國的傳文皆魏王肅之徒「增多」的篇章和孔安國的傳都是魏王肅等人所僞作的。

大田錦城在此段議論之後，詳細地考證〈梅本〉增加的篇章與孔安國的傳文皆魏王肅之徒的僞作。茲舉其一二論證以說明之。

⓭　《九經談》（《日本儒林叢書》六卷所收）卷一。

(1)王肅注論語云、巧言無質。冏命、巧言令色便辟側媚。僞傳云、巧言無實、巧言無質。是亦全襲王肅之語。然則今之增多及傳、非肅之徒爲之而誰。（《九經談》卷七）

(2)孔穎達曰、至晉魏王肅注諸、始似竊見孔傳。陸德明劉知幾亦曰、王肅注今文尙書、大與古文孔傳相類、或肅私見孔傳而秘之乎。殊不知孔傳出於肅之徒僞造、故多用肅說。是孔傳所以類肅注也。由是益知今之孔傳出肅之徒無疑也。（同上）

由以上所舉的例證可以看出大田錦城的考察與清朝學者所提出的結論極爲相近。就日本儒學界而言、對《尙書》作如此精密地的論證、並論斷《古文尙書》之爲僞作的考察、可以說是劃時代的研究。此爲《九經談》之所以獲得當時學界極高評價的所在。藤田幽谷在〈錦城先生大田才佐墓表〉所敘述的「上自先秦古文、下至後世雜書、苟有關經義、莫不旁引曲暢、審其同異、辨其是非。其漢唐宋明、及近時清人、與我國朝諸儒之說、會萃演繹、必焄諸至當而止。」誠精當地闡述大田錦城學術成就的所在。活躍於明治、大正、昭和時代的漢學者安井小太郎也指出「就我邦考證家而言、宜以錦城爲嚆矢」❹。就今日而言、雖然有關《古文尙書》與《今文尙書》的問題、由於清代閻若璩等人考據的成果、《古文尙書》增加的部分乃爲後人所僞作的一事、已經成爲定說。但是在江戶末期的日本學界並未留意到此一問題。大田錦城之提出〈梅本增多小辨〉以考證《古文尙書》爲僞作等有關《尙書》的考據、可以說是日本學界的第一人。

《九經談》所引用的清人著作有顧炎武《日知錄》、胡渭《大學翼眞》、毛奇齡《西河合集》、朱彝尊《經義考》、余蕭客《古經解鈎沈》、閻若璩《尙書古文疏證》、全祖望《經史問答》、徐乾學《澹園集》、紀曉嵐《四庫全書簡明目錄》、江聲《尙書集注音疏》、王鳴盛《尙書後辨》等。其中徵引最爲頻繁的是毛奇齡的《西河合集》和朱彝尊的《經義考》。換而言之、大田錦城的學問、特別是考證學是在縱橫於清代考證學中而鍛練形成的。而與大田錦城《九經談》關連最深的則是朱彝尊《經義考》和毛奇齡《西河合集》。

就當時的俸給而言、一般武士是無法購買價錢昂貴的商品。大田錦城薪俸不高、又如何取閱而得昂費舶來的清人著作。這乃是得賜於大田錦城與多紀家交誼甚深的緣故。如前所述、多紀家代代爲幕府醫官、且爲了厚實醫學教育而創立躋壽館。不但廣集與醫學有關的古典漢籍與和刻刊本、並從事醫學典籍的注釋校刻。因此、世稱多紀家爲折衷派或考證派的醫學世家。與大田錦城有深交的是著有《傷寒論輯義》《金匱要略輯成》的多紀元簡。由於財力富裕、且致力於書籍的搜集、多紀家收藏有珍貴的宋元版本與近

❹　安井小太郎《日本儒學史》（富山房、1925年、下同）。

時出版的清人論著。大田錦城即從多紀家借覽群書，根植其近似清人爲學宗尙，即以考證、學爲本源的學問基礎。大田錦城說：

> 聖人沒二千年、其遺意唯在言語文辭之間。故不精字句、則不能知聖人之妙意也。字句考證之學是清人之所長也。明學空疏、考據荒廢。……得清人之書一卷、勝得明人之書百卷。（《九經談》卷一）

直言其棄空疎的明學而就實證的清代考證學的立場。大田錦城以爲儒者當然應以聖人之道爲目標，但是考證學則是徹底追求經典眞義客觀的、科學的學問方法。有實證的眞實地探究經典原義的根底，才正確地理解聖人的義理。但是大田錦城接著又說：

> 近世清人考據之學行焉、人好獺祭、學問之博、過絕前古。然不論義理當否、而唯欲援據之多。……予名之曰書肆學焉。夫四書六經、義理之淵藪、而考據則傳注疏釋之學。義理本也、考據末也。考據之精、欲得義理之微也。考據雖博、義理舛乖、則又何用乎。且也考據之學、其所費精、則在瑣義末理、而聖道大原則措而不講。是亦近世學者之弊也。（同上）

學問的宗旨在聖人之道，故義理的發揮，才是爲學的中心，考證之學無非只是治學的方法和手段而已。因此大田錦城以爲考證學雖然「精密纖細、古今所無」，但是其學過於精細，發大見識而以道自任者，無有一人存在。意即考證固然是爲學之所必需的，但是當時的考證學流於一種「書肆之學」，即書目資料的排比並列而已。甚至於成爲商人出身之戲作者遊戲三昧的工具。因此，大田錦城才感慨地指陳「考證學是無用之學」。換而言之，清朝考證學之有其長處是無可否定的，但是考證學只是方法手段，學問的本旨畢竟還是在義理的探究。義理的終極即是聖人之道的存在，而聖人之道實現，才是學問的眞諦。再者，當時的考證流於好事者的趣味性的考證，因此大田錦城主張學問是以精密的考證爲基礎，而發揮經典中的聖人之道。

四、《梧窗漫筆》

《梧窗漫筆》凡三篇，是大田錦城晚年的著作。《九經談》是大田錦城考證學的代表作，而《梧窗漫筆》則爲大田錦城著眼於以道德實踐爲學問究極的論著。加藤善庵的《梧窗漫筆》後編敘之所論，頗能發揮此書的趣旨。

　　方今天下之人，浴升平之化、靡奢輕薄、習以爲常、宴遊逸樂、汩沒其心思。故上焉者、論文評詩、貯書畫玩好之物、以爲傲具焉耳。下焉者、窮烹縟、狎優伶、談骨董、

自以爲高人韻士矣。是雖太平之盛事、風習之使然也。然不無滔滔不返之患也。蓋是書也、空詩浮文、書畫玩好之說、與夫靡奢輕薄之習、一切痛斥其弊、而要皆反本燔原之論。足以挽波瀾而東之。則是一部政論也。若夫前史之得失、古今之成敗。譬猶明鏡照物、妍醜美惡、不能逃形。則是一部唐鑑也。且未必論性命、而性命之邃微者在焉。未必說聖經、而聖經之高妙存焉。是乃政論唐鑑之所曾無、而是書之所獨有也。

又其弟子片倉直的序文也說：

> 先生學窮古今、尤於經義。力闢宋儒之妄、而明聖人之旨。有叩以人事之是非世道之得失者、引援經義、參稽古今、以定其當。辭辨風生、殆若燭照數計而龜卜者也。……是書前編務明報應之理、著殺生之戒、以警覺世人。今刻故此編、以補前書之所不足者、丁寧反覆、以推明天道之不僭差、吉凶禍福之以類相應、以爲天下後世之戒。

可以知悉其《梧窗漫筆》一書的梗概。至於其內容，如

> 即（喪禮）禮文第一父母之喪、或二十五月、或二十七月、難以辨別。三禮之不足信如此。（《梧窗漫筆後編》卷下）

喪禮記載父母居喪的期間，有二十五個月與二十七個月二說，此三禮之不足信的證據之一。再者，宗廟四時祭祠之名亦有不同，致祭屬內或屬外，亦不甚明瞭。故大田錦城以爲三禮所載頗多不足採信之處。至於三禮何以有前後齟齬者，大田錦城以爲：三禮並非孔子之所述，乃「戰國西漢之人各記所傳聞者。」（同上）換而言之，大田錦城認爲三禮所記載的典章制度，其大部分爲後代之人所撰述的，未必能完全傳述孔子的眞意。

此類詳密的論議，乃大田錦城精於考證的證據所在。其中，頗值得玩味的是，不止是《梧窗漫筆》，包含大田錦城的代表作《九經談》在內，並沒有設立一項，專論有關《禮記》《周禮》《儀禮》三禮的文字。此或許三禮的記述甚多彼此矛盾的地方，故大田錦城棄而不論。雖然如此，大田錦城並沒有完全否定三禮的價值。大田錦城說：

> 禮記諸篇多名理之語、足以拳拳服膺。……其論制度者大抵爲僞。若棄其僞、唯信奉其名理之語、亦可謂爲論孟之羽翼。（同上）

即大田錦城以爲三禮所記載之外在的典章制度，以其爲後世之人僞作，未必有其價值，然而內在於禮儀的義理，如「以禮制心」（同上）的道理，則有奉行的必要性。

此考校經典眞僞，辨明經典眞義，進而強調足以付諸實現之所在的論述。換而言之，將學問分別爲文獻考證之基礎研究與道德實踐之現實關懷的道德論。乃大田錦城學問研

究的態度。

至於大田錦城之所以提出三禮之制度論頗不可信的主張，其大部分乃在批判荻生徂徠的論說。因爲荻生徂徠以爲三禮的制度是聖人所制作的。因此，三禮之值得重視的是外在的制度而非內在的禮義。針對徂徠的說法，除了上述的論說以外，大田錦城還指出：

> 今之三禮紛然而無歸一之論。夫以爲孔子之舊、誠爲可笑之事也。（同上）

則以爲三禮所記載的禮儀與制度缺乏統一性，多不可採信。接著又說：因爲「禮非制度而云辭讓」，（同上）即制度隨時代而變，故遵守一定的制度而治理天下，是不可能的事。因此，大田錦城強調：「不拘形跡而聖人之心可知。」（《梧窗漫筆後編》卷上）此所謂的「形跡」，即是禮樂制度。換句話說，如果拘限於既定的制度；就無法窺知禮所表現的聖人的道。大田錦城之所以強調三禮的內在禮義，旨在指摘徂徠學以外在的規範、即制度來說明禮的重要，而將禮從道德規範中抽離出來，是有缺失的。

何以荻生徂徠有此缺失，大田錦城認爲是與徂徠的性格有關。大田錦城說：

> （徂徠）貪博競多、粗脫謬妄、且好立異、故多牽強附會之僻說。（《梧窗漫筆三篇》卷下）

以爲荻生徂徠性喜貪多務博，又好奇僻之說。然缺乏周密的考證，故所論頗多牽強附會。

又荻生徂徠強調「心者無形、不可得以制之也。故先王之道、以禮制心也。」（《辨道》）即以政治的觀點來理解仁的意義。換句話說荻生徂徠主張先王之道或典章制度才是政治的根據所在，如果「以我心治我心、譬如狂者自治其狂。」（同上）即認爲心（禮的內在意義）不足以作爲政治的根據。關於徂徠的這個論議，大田錦城批判說：「以禮制心」固然是經典之言，但是「知任邪心邪欲而爲、則身家滅、國家亡之理。是以己心治心又何非之有」。（《梧窗漫筆後編》卷下）以禮爲政治之具，自然無可厚非，但是由於重視禮的外在的功能，卻割捨了禮的內在的道德意義，就有所偏執了。因爲就儒家經典的意義而言，外在的政治與內在的道德是渾然一體的。故大田錦城以爲徂徠的論述有其缺失所在。

對於程朱的學問，大田錦城以爲：

> 宋學並非一一可信。唯得其大綱而已。（同上）

又

> 天地者形象也。其中有不可思議之神靈、司吉凶禍福。人身亦形氣而已。其中有不可思議之神靈、仁義忠信由是而出。天地萬物、無非氣而已。由氣生出種種理

也。……宋儒理氣之說、……晦庵云先有此理者不宜之說也。事物之法則即道之
事也。（《梧窗漫筆後編》卷上）

即主張天地萬物皆形氣而非由理而出。進而以爲天地間的事物之法則即聖人所謂的道。
換句話說大田錦城以爲道是具存於事物現象的可行之道而非形而上性格的道。因此大田
錦城說：「道與德一致。以其所由而謂之道、以其所得而謂之德。」（《九經談》卷三）
換句話說反對宋儒「理」之哲學而以「氣」之存有現象爲第一義是大田錦城的根本思想
立場。再者主張「氣」的哲學也是大田錦城以考證學的實證主義爲支柱的表現。

　　對徂徠學與宋學的批判，固然與折衷學派的興起及寬政異學之禁的儒學思潮甚有關
聯。然而大田錦城之客觀公正的考證學的學問性格，才是其反宋學、反徂徠學的根本立
場。至於其晚年探究學問的究極，在於義理而不是考證。以爲考證學只純學問的研究，
未有益於世道人心。況且當時的考證流於空泛的趣味追求，更失去考證學旨在探求客觀
學問的根本性格。因此主張考證「無用論」。換句話說，大田錦城之所以有此論說，也
是以客觀學術性格爲基礎的延伸，以爲學問的究極乃在於以嚴謹考證爲基本而正確地發
揮聖人義理之處。大田錦城說：

　　世之愚人、不校讐而以爲有誤字、乃妄意而改之。……昔時亡友吉田篁墩好校合
　　而已、故亡友村田春海笑之。其時予僅三十歲、今已爲垂白之老人矣。（《梧窗漫
　　筆後編》卷下）

批評當時之人不事審愼的文字考證即妄據己意而改經解傳。而立之年未比以爲吉田篁墩
專事校勘之學爲非，故不以村田春海之譏爲是。即至頒白之際，則有昨日爲非之嘆。

　　海保漁村在《春草堂集》的跋文記載吉田篁墩與大田錦城相知的情況。二人相識於
多紀家的躋壽館。吉田篁墩（1745－1798）、名漢官、字學生、江戶人。初爲江戶藩的
侍醫、其後學於井上金峨，主張兼採漢唐宋明之長的折衷之學。以從醫之所得收集珍本，
進而以古抄古版本而校勘古書的異同。故古籍校勘爲其所長，《論語集解考異》爲其代
表的著述。關於吉田篁墩學問，東條琴台的《先哲叢談續編》作如下的敘述。

　　篁墩好合古抄數本而比對校勘經史之異同。聞人儲藏珍卷奇冊而百方求之、手自
　　寫抄。其所校定諸書皆極精核。今按篁墩之所爲、與近世清人盧見曾、畢沅、孫
　　星衍、段玉裁、戴震、阮元等諸家之所言暗合者多。蓋考證之精核雖氣運之使然、
　　而先鞭之見在諸家之前、隔地而相同、眞可謂卓絕。

意謂吉田篁墩的學問詳於經史校勘，其見識之卓絕足與乾嘉諸儒比肩，開啓日本考證學

的先聲。其實日本校勘學之具體著作有先於乾嘉考證者，即山井鼎於享保十六年（1731）刊行的《七經孟子考文》。山井鼎以足利學校所藏之宋版及古抄本校勘五經《論語》《孝經》《孟子》等八書。其後傳入中國，乾隆初年開設四庫館，此書即被收採入全書中，對中國學界的影響甚多。阮元所編纂的《皇清經解》，即頗參採山井鼎的《七經孟子考文》。❺

再者吉田篁墩《論語集解考異》一書的校勘，並非針對《論語》，而是以考校《論語集解》爲主。根據此書〈提要〉之所載，篁墩對《論語集解》的校勘，的確頗有見地。其以爲先於何晏《論語集解》以前的兩漢時代的《論語》，是齊、魯、古三論並行的，於古典的引用甚爲混雜，不易區別。例如八佾篇〈哀公問社〉的「社」，在何晏以前的別本大抵爲「主」，意義全然不同，因此只根據其中之一而校勘異同的話，是有所不足的。再者，吉田篁墩又主張〈經本傳授之異〉之說。譬如學而篇〈貧而樂道〉之「道」字，《史記》《後漢書》的引文與古本皆作「道」。但宋本却無「道」一字。或不免有宋本爲誤的臆測。然而《集解》所引用的鄭玄注亦無「道」字，故吉田篁墩以爲宋本未必爲誤。換句話說吉田篁墩校勘的態度極爲愼重，並非僅依據所收集而來珍本作爲校勘的根據而已，乃是追遡經典之所從出，徹底的探求其原本的面貌。

對於吉田篁墩的學問，大田錦城在寬政三年（1791）、獲贈『論語集解考異』一書的回信中❻，對吉田篁墩篤信古學的態度頗爲讚美。但是大田錦城指出漢儒與後代儒者之學皆各有長短。一味地信古而墨守《論語集解》的殘餘之說，則未必爲正確之言。再者，儒家經典的研究之主要目的乃在於聖人眞義的探究，注疏之學的意義，即在聖人著述旨趣的發揮。因此，研究《論語集解》而止於其書的校勘，則不能究明聖人的眞僞亦不得後儒演繹聖賢著書義蘊的用心。由此可知大田錦城對於相知友朋的學識固然極爲尊重，但是，對於吉田篁墩研究儒家經典而以校勘爲終始的態度，則不敢苟同。換句話說，大田錦城認爲自身的考證學乃超越在吉田篁墩純粹校勘學之上。而當時的學界的評價亦復如此。如其友人藤田幽谷的敘述「天下之奇才、一大之名儒、天下之寶。」〈大田錦城墓表〉即以大田錦城乃一代之碩儒，其於考證學研究的成就乃冠絕一時。再者，在給吉田篁墩的回信中所提到的儒家經典的究極乃在於聖人眞義的闡明之主張，則是大田錦城爲學之晚年心證的伏筆。

大田錦城於晚年提出考證無用論。大田錦城說：「近世清人之漢學、誠無用之學也。余蕭客《古經解鈞沈》至惠棟《九經古義》《易漢學》之類、一無爲用、《尚書集注》

---

❺　安井小太郎《日本儒學史》卷四〈荻生徂徠〉。

❻　〈報吉篁墩〉（《春草堂集》卷七）。

《尚書後案》皆同。……王鳴盛雖爲大家、盡十八年之精力而成《後案》者、愚惑之極也。」（《梧窗漫筆後編》卷下）、考證學者並無大見識的言詞，蓋與以往昔考證學名家的意趣迥異。換句話說，以考證學爲「無用」「愚惑」的主張，可以說是大田錦城晚年治學的心證。爲何大田錦城到了晚年而有此改變。或許與當時學術風尚有極大的關連。

當時的考證學流爲富裕之商人階層的趣味玩賞，進而成爲附庸風雅的手段。再者即使是知識人的研究也僅止於了無生氣的校勘之學，並無益於世道人世。以爲「義理本也、考據末也。考據之精、欲得義理之微也。考據雖博、義理舛乖、則又何用乎。且也考據之學、其所費精、則在瑣義末理、而聖道大原則措而不講。是亦近世學者之弊也。」（《九經談》卷一）於是感嘆地提出當時的考證學乃是「無用」「愚惑」的學問。雖然如此，大田錦城並非完全否定審愼考證學的價值。大田錦城說：「清人之學可感服。否則唯物知而已、於心身無用。」（《梧窗漫筆後編》卷下）暗示以嚴謹的考證爲基礎，正確地闡明聖人的眞義，進而重建儒學的確切理念。大田錦城以爲儒學的內容有「義理之學、辭藻之學、考證之學」，「義理之學」要「精義明理、博辨宏道」，始能發揮儒家精義所在的聖人之道。若以樹木花葉爲譬喻而言，則義理以爲樹幹，而辭藻則爲花葉、考證爲根。樹幹要壯大，花葉要茂密，非固實根本不可。再就事物的本末而言，「義理本也、考據末也。考據之精、欲得義理之微也。考據雖博、義理舛乖、則又何用」（《九經談》卷一）但是「聖人沒二千年、其遺意唯在言語文辭之間。故不精字句、則不能知聖人之妙意也」（同上）。即義理朗暢，辭藻明達的基本要素在於考證的嚴謹精確。只是當時的徂徠學派的學者沈溺於文辭的究極，標榜考證的學者與一般社會人士則迷漫於趣味主義的不實或僅止校勘的無用，以至於眞正的考證學的功能卻不能彰顯。換句話說以考證的基礎以申明的義理也不得闡明。因此大田錦城急呼振興儒學，以考證學爲手段，以義理爲目的，而提出學問的極致乃在於聖人之道的發揚的主張。

五、大田錦城的學問

大田錦城撰述《論語大疏》的要旨，頗能窺知大田錦城學問的性格。大田錦城說

> 予作大疏、以古注爲主、古注所不通、則以朱注補之。朱注所不通、則以明清諸家之說補之。諸家所不通、則以一得之愚補之。（《九經談》卷五）

博引旁搜以精確地闡述聖人著述立說的趣旨乃是大田錦城學問的基本立場。大田錦城又自述其一家之言，說：「我之家法在漢傳唐疏、宋元註解、明清著錄、不以愛憎爲

取舍、務以公平之心折中諸說、猶有不慊於心之處、精思考覈、期至當而止。」⑰無漢唐注疏或宋明義理，甚且乾嘉考證的門戶之見，務以合理精當之原則，而以「實事求是」的窮究爲究極。換句話說大田錦城的學問乃是實證主義的文獻考證學。故大田錦城推崇清人的學問說：「聖人沒二千年、其遺意唯在言語文辭之間。故不精字句、則不能知聖人之妙意也。字句考證之學是清人之所長也。明學空疏、考據荒廢。……得清人之書一卷、勝得明人之書百卷。」（《九經談》卷一）。所謂「不精字句、則不能知聖人之妙意」固然是說明嚴密性文獻考證的重要。再者，「得清人之書一卷、勝得明人之書百卷」的論斷，則在稱揚清人考據的同時，大田錦城也有暗示性的自許。因爲就當時的學界而言，徂徠學派有逐漸步入衰退的氣運，取而代之的是究極實證主義的考據學。因此，繼朱子學、古學（古義學派、古文辭學派）的登場後，立於學界的頂點，主導學術潮流並具有影響力的是考證學。這或許是大田錦城的用意所在。

到了大田錦城的晚年，由於當時所流行的考證成爲趣味性的把玩，附庸風雅的手段。因此反省昔日未必重視宋明理學的偏差，提出「漢學者、……益道義者少、於經學不無功」⑱的主張，以爲儒家經典可分爲道義（即聖人之道）與經學（即清人之考據）二途。而自身傾注平生精力於古典文獻考證的研究，即使爲學態度謹嚴而且成果豐碩，如以〈梅本增多〉之說，證明《古文尚書》爲僞作的考證即是。但是晚年的大田錦城却以爲「（義理）切實人事治道之事多、……不可廢棄。」⑲乃明白地指出辨明文獻眞僞、精確解釋的考證和闡述聖人著述之眞義的義理之學是異趣殊途。換句話說，在當時不具實用性的考證學流行之際，作爲手段而以「實事求是」之實證主義爲究極的考證之學固然有存在必要，但是作爲學問根底以發揮聖人之道的義理之學，更有極盡發揚的必要。亦即考證學並非實學，只是追求科學性的實證性眞實的基礎學問。傳統儒家知識分子的終身職責乃在於道德理想的實踐。這是大田錦城晚年重建道德性儒家思想結構的覺醒。就這一層意義而言，大田錦城確實可以稱是日本江戶期的「一代碩儒」。

---

⑰　《梧窗漫筆三篇》（《有朋堂文庫》、有朋堂書店、1913年）卷下。

⑱　《梧窗漫筆正編》（《有朋堂文庫》、有朋堂書店、1913年）卷下。

⑲　《梧窗漫筆後編》。

江戶時代的歐陽脩評論

東英壽*

一

概觀日本漢文學史的流行，平安時代前期（762～930）與江戶時代（1603～1867）是二大尖峰。平安時代前期的漢學之所以盛行，是因爲遣隋使、遣唐使往來中國，直接受到中國影響的緣故。日本古典、如清少納言著《枕草子》（996前後）中，即有「文則文集、文選」的記述。可知昭明太子的《文選》、白居易的《白氏文集》對當時日本的影響極大與廣爲流行的情形。至於江戶時代的漢學則繼承鎌倉（1192～1333）室町（1336～1573）時代以臨濟宗五大寺院爲中心，即五山文學的學風而發展的。五山的學問又藉著平安時代末期至鎌倉時代，宋朝新的學問、即程朱學傳入日本的契機而展開的。其後，五山的僧侶更航渡中國，研究中國學術，不但所作的詩文與中土文人無異，也將中國當時最新的學問，即程朱理學的精義傳布於日本。義堂周信（1325～1388）、岐陽方秀（1361～1424）、桂菴玄樹（1427～1508）等人皆是知聞一時的學問僧。其中又以桂菴的學術成就，對日本儒學產生極大的影響。其於應仁元年（1467）至文明五年（1473）間留學中國，潛心於明代的朱子學。於文明十三年（1481），在日本的薩摩藩刊行《大學章句》，開啓日本刊行朱子學書籍的先聲。

江戶時代儒學繼承五山文學的成果而開花結果。江戶時代儒學之祖是藤原惺窩（1561～1619），惺窩本來即是五山的僧侶。由此可知江戶時代儒學受五山文學的影響極深。惺窩以後，江戶時代的儒學有了極大的發展。各學派的學術主張各有異同，朱子學派、陽明學派、折衷學派、古文辭學派相繼爭鳴於江戶時代。

本文並非以江戶時代學術流變爲著眼，而是以歐陽脩評價爲基軸，以考察江戶時代對歐陽脩評價的變遷爲主體。

二

探江戶時代前期歐陽脩評價時，不可忽視的人物是伊藤仁齋（1627～1705）。伊藤

＊ 鹿兒島大學

仁齋名維楨、字源佐、別號棠隱。爲古義學（或稱古學派）之祖。所謂「古義」是以文獻的字義解釋儒學的眞理。仁齋的詩文觀是道德的政教的，即學（學問）不離道（道德）而存在的。因此重視明道之文而未必重視言志之詩。

對於歐陽脩的評價，伊藤仁齋說：

> 韓柳各自出一家機軸。在漢之下宋之上。而論本色當行、則班馬之後、當歸于歐陽公。（〈仁齋日札〉）

在唐宋八大家中，仁齋對歐陽脩的評價要高於韓愈與柳宗元。

仁齋於寬文二年（1662）在京都的堀川開設私塾古義堂，講授孔孟之學。仁齋死後，長男伊藤東涯（1670～1736）繼任古義堂第二代塾主。東涯死於元文元年（1736），是時其子伊藤東所（1730～1804）僅七歲，因此由東涯之弟伊藤長堅（1694～1778）擔任古義堂教授，東所亦隨長堅問學。及長，伊藤東所始繼任古義堂第三代塾主。但是此時，古義堂已逐漸衰退，失去學界中心的地位。

伊藤仁齋以後，伊藤家數代的藏書被整理爲古義堂文庫。古義堂文庫於昭和十六年（1941）由京都的堀川遷移至天理圖書館。古義堂文庫中所藏有南宋周必大（1126～1204）於慶元二年（1196）編纂的《歐陽文忠公全集》158卷38冊。宋版的宋人文集幾近完整的形式傳至今日，是極難能可貴的。古義堂文庫所藏的《歐陽文忠公全集》有一部分經過補寫。即〈居士集〉卷35～卷40的第1葉、及〈居士外集〉卷23的第18葉～卷25、〈易童子問〉、〈外制集〉、〈內制集〉卷1～卷4是由伊藤長堅補寫的。「表奏書啓四六集」卷4第1葉～第5葉、〈集古錄跋尾〉卷7第1葉～第18葉也有補寫的痕跡，唯補寫者不詳。雖然如此，就南宋本《歐陽文忠公集》158卷而言，古義堂文庫所藏《歐陽文忠公全集》僅14卷爲後人補寫的情形，在今日是絕無僅有的。以台灣《國立中央圖書館善本書目》蒐集宋版歐陽脩文集的書目來看：

> 廬陵歐陽先生文集42卷17冊　宋刊小字本
>
> 歐陽文忠公集3卷3冊　宋刊本
>
> 歐陽文忠公居士集1卷1冊　宋周必大吉州刊本
>
> 歐陽文忠公居士集4卷目錄1卷3冊　宋周必大吉州刊本

都只是《歐陽文忠公全集》158卷的殘卷而已。日本所藏宋版《歐陽文忠公全集》，除古義堂文庫以外，東京宮內廳書陵部的宋版《歐陽文忠公集》僅存69卷18冊而已。中國大陸亦未見全本。因此，南宋本《歐陽文忠公全集》之以接近全本的形式而流傳至今日的，世界上只有古義堂文庫的藏本而言。所以天理圖書館所藏的古義堂文庫《歐陽文忠

公全集》被指定爲日本的國寶。

古義堂文庫是伊藤仁齋以來伊藤家的藏書。經過伊藤長堅補寫的《歐陽文忠公全集》的末葉記載有「明和八年辛卯三月十七日讀了東所」的文字。即古義堂第三代塾主伊藤東所曾讀破此書。又從伊藤仁齋對歐陽脩評價的情形，更可以窺知江戶時代前期伊藤家極尊崇歐陽脩的文學。

三

考察江戶時代中期的儒學狀況，非涉及徂徠學的影響不可。徂徠學席捲十八世紀初，即享保（1716～1735）至明和（1764～1771）數十年間的日本文壇。徂徠學的開山始祖是荻生徂徠（1666～1728）。徂徠學又稱爲古文辭學派。荻生徂徠受明代主張「文必秦漢、詩必盛唐」的李攀龍（1514～1570）、王世貞（1526～1590）的影響甚大。荻生徂徠排斥宋學，宗尚李攀龍、王世貞的學風，以爲不研究秦漢及其以前的文章，即不能把握經書的眞義。結果，秦漢以後的文章，特別是以歐陽脩爲主的宋人文學完全被徂徠否定了。茲引述徂徠的論說，以理解徂徠的見解。

> 唐唯韓柳、明唯王李。自此以外雖歐蘇諸名家、亦所不屑爲。（與松霞沼）
> 唐稱韓柳、宋稱歐蘇。而今所以不取歐蘇者、以宋調也。宋之失、易而冗。其究必至於註疏而謂之文矣。（四家雋例）

只要是宋代的文章，即使是歐陽脩、蘇軾的文章也不屑一顧而加以排斥。徂徠在〈復安澹泊〉一文中具體的批評歐陽脩的文章。

> 且文章尚體。記者記其事也。……而漫然議論亭所以名、敷衍以爲記者、宋文之弊也。
> 故永叔之畫錦堂記非記也。……皆論也。論而妄命之曰記若賦碑、是謂之不識體。是又不佞平日所黜不取者也。

徂徠以爲歐陽脩的〈畫綿堂記〉並不符合「記」的體裁，故不足取。更進而徹底的否定歐陽脩的文章。徂徠門下才俊輩出，如太宰春台（1680～1748）服部南郭（1683～1759）山縣周南（1687～1752）安藤東野（1683～1719）等皆一時俊秀。所以即使荻生徂徠死後，徂徠學派的勢力依然足以傲視當時的學界。由於徂徠排斥宋代學術文章，徂徠學全盛的江戶時代中期、即18世紀前半的數十年間，歐陽脩的文章完全被忽視，也得不到適確的評價。

四

探討江戶時代歐陽脩評價的問題時，江戶時代中期儒者皆川淇園（1734～1807）的持論是不可忽視的。在以歐陽脩爲主的宋人文章被全面否定的狀況下，皆川淇園開風氣之先，與清田儋叟（1719～1785）共同校勘並標點《歐陽文忠公文集》36卷，對於和刻本的出版產生極大的作用。

皆川淇園於享保十九年（1734）12月8日生於京都，文化四年（1807）5月1日去世，享年74歲。名愿、字伯恭、號淇園。就江戶時代儒學史而言，皆川淇園的學問屬於折衷學派。

淇園的詩文觀由下文可以窺知。

> 嗟乎吾必弗求諸言、求之意、弗求諸辭、求之道。（〈刻歐陽脩文集序〉）

淇園主張「文以載道」，因此極其推崇以載道爲文章主體的韓愈、歐陽脩的古文。

皆川淇園的文集中，敍述其對歐陽脩的見解的有〈刻歐陽脩文集序〉、〈代島靖之跋刻六一居士集後〉等。茲逐一列舉，以考察淇園的歐陽脩論。

首先在〈代島靖之跋刻六一居士集後〉中，皆川淇園指出：

> 余視歐公之文、其溫潤者如美玉、其敷腴者如春華爾。

以「美玉」「春華」比喻歐陽脩的文章，意謂歐陽脩的文章結構巧妙，是文學藝術的結晶而賞譽有加。

對於歐陽脩在古文復興的功績，淇園在〈刻歐陽脩文集序〉中說：

> 至宋有歐陽脩。學韓愈而興古文。初宋爲古文者、有柳開穆修等。當修之時、又有尹洙蘇舜欽等。而及脩後於二子爲古文、卒獨傑然出乎數人之上。……故宋文繼脩而起者有三蘇王安石及曾鞏。文質彬彬並稱後世、亦由脩振之也。

與歐陽脩同時和稍早的傑出古文家輩出於當時的文壇；但是歐陽脩繼唐韓愈之後提倡古文的復興，而且蘇洵、蘇軾、蘇轍、王安石等人都由於歐陽脩的拔擢馳名文壇。因此淇園以爲在唐宋八大家中，歐陽脩的地位是特別崇高的。淇園又說：

> 嗟乎韓歐二子、其才不高、則惡能卓絕數世之上而興既廢之文哉。

淇園將韓愈、歐陽脩二人並稱，歐陽脩是宋代古文復興的代表，韓愈是唐代古文復興的代表，二人不但文才高絕，是學界的泰斗，又致力於古文的提倡，古文復興乃能功

成順遂。亦即淇園極度推崇歐陽脩的文章及其在古文復興的功績。至於淇園的文學論又如何。由〈刻歐陽脩文集序〉的敘述或可窺知淇園的見解。

> 辭者意之表也右。義者言之實也。有裡後有表。有實故有華。無裡無實、辭何由立。舍本而急末、忽內而努外、其於形理不亦戾乎。

文章不僅是外在的修飾而已，非充實內在的義理而流暢的表達不可。淇園接著又說：

> 故其意誠至則其氣必憤。其思誠專則其精必聚。氣積而精聚則其言與辭不待求之而自至。是謂文之至要。夫文處至要而言明大道、不亦贍乎。

淇園以為充實自身內在的「精」與「氣」，文章自然天成。這乃是「文之至要」。換句話說淇園重視文章的內容與義蘊，充實的內容才是創造文章的原動力。充實的內在與通達的外在的融合，才是詩文的上乘之作。此為淇園的文學觀。

淇園的見解與反對墮入形式的騈文、重視內容充實的唐宋古文家的主張一致。歐陽脩〈答祖擇之書〉說：

> 學者當師經。師經必先求其意。意得則心定。心定則道純。道純則充於中者實。中充實則發為文者輝光。

歐陽脩為了安定內心、充實精神而主張以經書為師。又由於內在精神的充實，外在的表達才能高妙。由此可知重視文章的內在性根底，是歐陽脩與皆川淇園的文論的共通基點。

綜上所述，主張「文必秦漢」而完全否定唐宋八大家的徂徠學派在江戶時代中期、即18世紀初時期至中期的數十年間，擁有極大的勢力，支配當時的文壇。18世紀中後期以後，徂徠學派逐漸衰微，恰可反映此一現象似的，皆川淇園為天下先的校勘歐陽脩文集。此為寶曆11年（1761）、淇園二十八歲時的事。皆川淇園校勘歐陽脩文集一事不但是江戶時代歐陽脩論變遷過程的重要關鍵，也是江戶時代文學發展的轉捩點。由於文壇情況的轉變，其所宗尚的所在也有所差異。淇園等人校勘標點而出版和刻本的時期，正是徂徠學派失去其在江戶文壇絕對性影響力的時候。因此，可以說皆川淇園校勘歐陽脩文集的時期與江戶時代歐陽脩評價的轉換期是一致的。

五

皆川淇園校勘《歐陽文忠公文集》的經緯見於〈刻歐陽脩文集序〉。

> 余通家子有島氏名定國、京人也。好學頗知爲古文之説、而每語稱韓歐二家不厭
> 也。而其家舊蓄歐集二本。其一爲元時刻本、比今所有多異同。余嘗暇日與君錦
> 共校讐其二本、頗多所是正。而定國則復獨爲歐集、病我邦未有刊本也。遂捐資
> 募工經二年而刻成。

皆川淇園與其友人清田儋叟校訂大島靖之所藏元刊本第二種歐陽脩文集。大島靖之以日本尚未有歐陽脩文集的刊本而引以爲憾，乃鳩工刊刻經淇園、儋叟校訂完成的《歐陽文忠公文集》三十六卷，於兩年後刊行問世。《歐陽文忠公文集》三十六卷是歐陽脩文集的一部分，是《居士集》五十卷中刪除詩詞以外的文章的部分。

此和刻本刊行於寶曆十三年（1763）。皆川淇園則在兩年前的寶曆十一年校讐完了，是時淇園二十八歲。當時京都文壇的徂徠學的勢力開始式微，反徂徠學的風潮也逐漸興起。因此淇園校勘歐陽脩文集的時期正是文壇開始反徂徠學風潮的前兆。

淇園早歲深受徂徠學的影響，在其三十歲時撰述了〈論學〉一文，敍述了走出徂徠學的藩籬，確立自身學問的方向。若然，淇園校勘歐陽脩文集的二十八歲時，則是其脫離徂徠學而別出蹊徑的摸索時期。淇園藉著歐陽脩文集的校勘，咀嚼歐陽脩古文的精髓，對其文學論的形成產生莫大的影響。由淇園的文學論與歐陽脩的有共通的基點，即可想像淇園在文學論的形成過程中，深受歐陽脩的影響。淇園揭示自身文學論的文章即是〈刻歐陽脩文集序〉一文。因此，此文不但敍述其校勘《歐陽文忠公文集》的過程，也說明了自身文學論形成的經緯。

大島靖之所藏的兩種《歐陽文忠公文集》，固然是引發皆川淇園校勘歐陽脩文集的動機。但是若不是淇園深受的歐陽脩的影響，遠紹歐陽脩的文學觀，皆川淇園豈會從事煩離的校勘與訓點的工作。換句話說淇園之所以校勘《歐陽文忠公文集》，乃是淇園推崇歐陽脩在古文運動的功績，進而取法其對文學的見解，確立自身的文學觀。

六

塩谷宕陰（1809～1867）是幕府官學昌平黌的教授，也是江戶時代後期的代表儒者。〈宕陰塩谷先生行述〉敍述塩谷宕陰的文章說：

> 先生以文章名、每一篇出、人爭傳誦之、天下之士、識與不識、咸曰宕陰我歐陽
> 氏也。

塩谷宕陰的文章馳名海內而被稱譽爲是〈我歐陽氏也〉。即當時以〈歐陽脩〉爲文

章冠絕一世的文章名家的固有名詞。是知幕末的學者文人皆以爲歐陽脩是文章大家,而推崇有至。

　　皆川淇園活躍於學界的18世紀中葉,當時文壇對歐陽脩的評論既已一改徂徠學派的否定批判而轉爲尊尙推崇的態度。再加上寬政二年(1790)松平定信命令大學頭林信敬以朱子學爲官學,嚴禁新奇之說、異學的流行。又任命柴野栗山、岡田寒泉爲博士,徹底實施朱子學的講授與提倡。世稱獨尊朱子學而排除異學的禁令爲「寬政異學之禁」。結果由於徂徠學派流行而式微的宋代文學,藉著幕府的政令而完全復興。換句話說與朱子學表裡一體的宋代文學再度流行於當時的文壇。此一現象也表現於教學方面。幕府昌平黌相繼於文化十一年(1814)刊行《唐宋八家文讀本》、文政元年(1818)刊行《文章規範正編》作爲教科書,各地藩府的學校也競相採用,以故唐宋八大家文流行於全國各地。幕末也刊行《歐陽文忠公文抄》作爲昌平黌的教本。幕末儒者塩谷宕陰被尊稱〈我歐陽氏也〉,也可以考見當時唐宋八大家文風行的學界趨勢。

　　徂徠學開始衰退的18世紀中葉到由於「寬政異學之禁」而宋代文學復興的18世紀末的數十年間是江戶時代歐陽脩評價轉換期。在此期間,皆川淇園校勘訓點歐陽脩文集,可謂是開日本重視以歐陽脩爲主的宋代文學的風氣之先。換句話說以歐陽脩爲主的宋代文學尙被否定的時期,皆川淇園即致力於歐陽脩的研究,更促使和刻本《歐陽文忠公文集》的刊行。因此可以說皆川淇園校勘訓點的工作,是江戶時代肯定歐陽脩的學術地位的重要關鍵。就此意義而言,皆川淇園是探討江戶時代歐陽脩評價的流變時,絕對不可或缺的重要學者。

參考文獻

山岸德平校注《五山文學集　江戶漢詩集》（岩波書店、1966年）

松下忠《江戶時代の詩風詩論》（明治書院、1969年）

清水茂《唐宋八家文》（朝日新聞社、1978年）

東英壽「皆川淇園における歐陽脩」（鹿兒島大學文科報告第28號、1992年）

東英壽「《延德版大學》について」（汲古第31號、1997年）

《古義堂文庫目錄》（天理圖書館、1956年）

馮友蘭論「郭象的哲學」

唐亦男

一、前　言

　　孔子說：「聽訟，吾猶人也；必也使無訟乎！」（《論語・顏淵》）可見「無訟」乃是聖人的理想，現實上既不可能「無訟」，則能「聽訟」進一步還能做出正確的分判就已經不容易了。尤其是學術上的聚訟，或因年代久遠文獻不足，或因資料出處記載不同，再經過歷代學者見仁見智的眾說紛紜，許多原來就無法考證的事件，最後都演變成學術史上懸而未決的公案。像《莊子注》一書就是典型的例子，該書究竟是向秀所注，還是郭象所注？是二人混合的作品，還是郭象從向秀處剽竊抄襲的作品？經過長達一千多年的爭論，于今更愈演愈烈，如馮友蘭替郭象辯護，即被指為「馮友蘭解放前因崇拜河南郭象，就以是非不值深辨為說，輕輕開脫了郭象行薄的勾當。」（見侯外盧等著《中國思想通史》第三卷、第六章）如果以上所說屬實，則學術上的是非受到研究者主觀好惡的影響而模糊了事情的真相，是非常荒謬的。尤其像馮友蘭這樣一個既是哲學家又是哲學史家，對學術上的爭議，不能根據學術良知作客觀公正的判斷，而站在鄉親的立場，由於個人崇拜而歪曲事實，如侯著所指出者，那就更令人無法心安了。侯著不但為向秀抱屈，謂「至今一千四五百年了，除了專家少數人之外，只知郭象其人，而無識向秀為始創者，這是千古的一大冤案。」❶為了更加明白郭象是怎樣地攘善，侯著並據列子張湛所引向秀文，和今存郭象莊子注文作一比對，證明郭象盜竊向注文義，是不容置疑的，弄明白此一疑案後，並作出了判決詞曰：「郭象確犯了盜竊行為，應將其莊子注的版權撤消，並賠償向秀千古的名譽損失，以為後世之鈔書者警戒。」❷

　　我注意到以上這段爭訟的重點，當然不是在版權歸屬的問題上，而是引起我注意馮氏對郭象的辯護是否失去了一個哲學家兼哲學史家的客觀性與公正性，而經由這一番審

---

❶　見侯外盧、趙紀彬、杜國庠、邱漢生著《中國思想通史》第三卷、第六章，頁209，北京人民出版社印
　　行。

❷　同註❶，頁210。

視後發現到問題的癥結，並不完全取決於馮氏主觀的好惡，反而是來自客觀的好惡，即由於客觀環境的改變，影響了主觀意識型態的改變，因此對郭象其人其學的看法與評價，解放前與解放後確有很大的不同。就《莊子注》的作者認定一面言，解放前與解放後的看法並未變，只在考證方面作了更多的補充與修訂；但就郭象思想觀念的分析一面言，解放前與解放後就有很大的不同，其間的改變，從馮著三十年代兩卷本的《中國哲學史》及八十年代七大冊的《中國哲學史新論》中可以明顯看出來。以下即根據這兩本著作中論到郭象的章節作一對照比較，來看馮友蘭對郭象哲學的看法與評價。

二、馮著對郭象注莊子一書的肯定

試看民國十六年馮友蘭論郭象的文章，就用《郭象的哲學》為標題，而且特別申明《莊子注》究竟是郭象的，或是向秀的，事實若何，不必去考辨，只肯定說這是一個很好的哲學系統，他結論說：「至于此哲學系統，是姓郭或姓向，在哲學上不是很大底的問題，因為向、郭之時代相差不甚遠，也都是所謂清談家，無論我們說這個哲學系統姓郭姓向，都不至于錯代表時代。」❸而以上這種不必考辨的態度，可能正是侯著矛頭所針對的缺失，認為「馮氏崇拜河南郭象，就以為是非不值得深辨為說，輕輕開脫了郭象行薄的勾當。」主要原因當然是因為馮友蘭也是河南人。我們先不論這種對馮氏的指控是否屬實，而就馮氏言，他對郭象為莊子一書作注，在學術上的價值與貢獻確是充分予以推崇及肯定的，不知是否受到批判的原故，以後在新舊編的中國哲學史中，對向郭注莊的事件，特別做了一番詳細的考證工作。

㈠肯定郭象的《莊子注》為一種創新，一種進步──馮氏曾批評那些說中國哲學無進步的人，是不懂得中國歷代哲學家講哲學的方式，如董仲舒、何休講孔子；朱熹、王陽明也講孔子；戴東原、焦循還是講孔子。表面看來沒有進步，但實際上董仲舒只是董仲舒，何休只是何休，這就是馮氏特別強調的：「要想了解中國哲學進步之跡，第一要把各時代的材料歸之於各時代，以某人之說法歸之於某人，如此則各種哲學家之真面目可見，而中國哲學進步之跡也就顯然了。」明白這一道理，則何休《公羊注》所說之三統三世，只是何休的政治哲學，郭象的《莊子注》只是郭象的哲學。❹

對於中國哲人這種喜歡藉注解前人的著作來講自己哲學的方式，馮友蘭不但肯定這種引申發揮的注解方式，並指出這就是一種創新，一種進步。他舉《莊子注》為例說：

---

❸　見馮友蘭著《三松堂學術文集》，〈郭象的哲學〉頁81，北京大學出版社印行。

❹　同註❸，頁64－65。

「或者以爲郭象所說底話，在《莊子》中已有其端，郭象不過發揮引申，怎麼能算他自己的哲學呢？推而朱熹、王陽明等，也不過發揮引申《大學》、《中庸》上所說，所以也沒有什麼新貢獻。不過我們即使承認這些哲學家眞不過發揮引申，我們也不要輕視了發揮引申，發揮引申就是進步。小兒長成大人，大人也不過發揮引申小兒所已潛具之官能而已，雞卵變成雞，雞也不過發揮雞卵中所已有之官能而已，難道我們可以說小兒即是大人，雞卵即是雞嗎？用亞里士多德的名詞說，潛能（Potentiality）與現實（actuality）是大有區別的，由潛能到現實便是進步。原來學問由簡趨繁，學問由不明晰進于明晰，乃是實然底，並不是當然底。凡當然者可以有然有不然，實然者則不能有然有不然。」❺基於以上觀點，他推崇並肯定郭象注莊子，「不但能引申發揮莊子的意思，能用抽象底、普通底理論，說出莊子的詩底文竟中所包含底意思，而且實在他自己也有許多新見解。」❻

　　㈡肯定郭象《莊子注》爲郭象的哲學——馮友蘭雖然自信從哲學系統上可以判定《莊子注》爲郭象的哲學，但是無法避免早已存在的歷史底問題，即《莊子注》究竟是郭象的，或是向秀的？根據《晉書・郭象傳》說，向秀注《莊子》未竟而卒，郭象「遂竊以爲己注，乃自注《秋水》、《至樂》二篇，又易《馬蹄》一篇，其餘衆篇，或點定文句而已。」但《向秀傳》說：「莊周著書內外數十篇，……秀乃爲之隱解，……惠帝之世，郭象又述而廣之。」其中「述而廣之」與「或點定文句而已」實大有區別，馮友蘭在〈郭象的哲學〉文章中，對這兩種不同的記載並不願多作考辨。因爲他的著眼點不在歷史事實上，而在哲學思想上，所以只要認定是一個很好的哲學系統，是姓郭或姓向，在哲學上不是多大的問題，而在哲學史上也不是多大的問題。但是當他後來正式寫《中國哲學史》的時候，就無法再避免談到歷史的問題，於是他作了一番考證。不過在介紹南北朝的玄學時，第一節就說：「在此時期中，郭象之《莊子注》爲一極有價值之著作，此注不但能引申發揮莊子書中之思想，且亦自有若干新見解；故此注實乃一獨立的著作，道家哲學中一重要典籍也。」❼

　　雖然馮友蘭仍肯定郭象爲《莊子注》的作者，而《莊子注》即代表郭象的哲學，但他爲了要解釋晉書向郭二傳的不同記載，必需加以分辨，他發現《列子》張湛注可以作爲有力的旁證，但結論卻不得不承認《莊子注》應爲向、郭二人的混合作品，非郭象一人所獨創。證據有兩點：

❺　同註❸。
❻　同註❻。
❼　馮友蘭著《中國哲學史》兩卷本，下篇第六章。

其一：《列子》張湛注，在《列子》引《莊子》的地方，既採用向秀注，也採用郭象注；他所引用的向秀注，固然與現在的郭象注文意相同，但有的地方又只引郭象注而不引向秀注，馮氏推測可能是因為向秀在這一篇沒有注；也可能因為在這一篇向秀注不及郭象注。

其二：張湛所引的郭象注，都不在《秋水》、《至樂》、《馬蹄》三篇之內，可見《晉書·郭象傳》所說，郭象僅「自注秋水、至樂二篇，又易馬蹄一篇，其餘眾篇，或點定文句而已」，是不正確的。但就張湛所引向秀注來看，郭象注莊子時，確有許多地方採用了向秀注，因此，今天流行的《莊子注》應該是向、郭二人混合的作品。❽

但馮友蘭在晚年出版的《中國哲學史新編》中，對原來所作的考證，感覺不足，不但未能證明《莊子注》為郭象所注，即使證明是與向秀二人混合的作品，還是不能避免郭有抄襲之嫌。於是馮氏又作了更詳細的考證，首先他懷疑《晉書》記載的可信度，因為《晉書》是許多人寫的，其中《郭象傳》完全抄《世說新語·文學篇》，而《向秀傳》則是根據另外一種材料。所以他判斷《向秀傳》所說的近乎事實，而《郭象傳》所說則與事實不合，而重要的關鍵就是要證明《向秀傳》所說郭象注是在向秀注的基礎上「述而廣之」，為了證明這一點，除了舊編《中國哲學史》所舉張湛注的兩點理由之外，馮氏又特別引劉孝標的注來證明郭象的《莊子注》同向秀的《莊子注》的關係是「述而廣之」的關係。

如劉孝標在《世說新語·文學》注說，當時解釋《莊子·逍遙游》的，主要有兩派，一派是支遁義，一派是向、郭義。《莊子注》對「逍遙」的解釋，當時稱之為向、郭義。馮友蘭認為這個義是向秀所創始的，所以可以稱為向義；這個義是郭象所發展完成的，所以也可以稱為郭義；合起來就稱為向、郭義，如果郭象僅只是擬寫和重複向義，那就只可稱為向義，而不可稱為向郭義了。❾

以上馮氏引張湛與劉孝標的注，其目的都是為了要證明《晉書·郭象傳》所說《莊子注》原為向秀作品，向死後，由郭象「竊以為己有」，此一記載是錯誤的。而《晉書·向秀傳》所說，向秀作《莊子注》，郭象「述而廣之」。即郭象注是在向秀注的基礎上，加以發展完成的。

除了這些旁證之外，馮氏又從《莊子注》的思想內容上找出所謂「內證」。他將向秀惟一留傳下來的哲學著作，《難養生論》（附在《嵇康集》卷四中）與《莊子注》作一比較，發現兩者的思想並不完全一致；並舉例說明向秀在自己所寫的文章中發表的意見，

---

❽　同註❼。

❾　馮友蘭著《中國哲學史新編》第四冊，頁129。

同《莊子注》的意見有矛盾的地方，如認為「聖人並不是抑富貴而是不以富貴為富貴」此一論點，《莊子注》的看法反而與寫《養生論》的嵇康同而與向秀不同。又如向秀在《難養生論》中認為「人比草木鳥獸高，贊美有生、有智，認為有生比無生好，有智比無智高」這些都不是《莊子注》講逍遙的意思。因為《莊子注》認為這些差別都是出於自然，並無勝負于其間，只有忘記差別，才能得到真正的逍遙。馮氏發現司馬彪注逍遙曰：「言逍遙無為者，能遊大道也。」（《文選》李善注引）反而與《莊子注》言逍遙一義相合。從以上例證看來，馮友蘭說：「若說抄的話，郭象不僅抄向秀，而且抄嵇康，還抄司馬彪。總的看起來，郭象的《莊子注》用後來的說法，應該稱為『莊子集註』」。❿

當然馮友蘭一再強調「郭象並不是亂抄，他有他自己的見解，有他自己的哲學體系。他注莊子，並不是為注而注，而是借《莊子》這部書發揮他自己的哲學見解，建立他自己的哲學體系。」結論說：「他的《莊子注》廣泛地吸收了當時各家《莊子注》的成果，綜合各家，集其大成。他的《莊子注》在當時成為玄學發展的頂峰，後來取代了各家的《莊子注》一直傳下來。」⓫

三、馮著新舊編中國哲學史對郭象哲學的不同看法

馮友蘭在三十年代初所寫的兩卷本中國哲學史，至今早已超過了半個世紀，由於時代不同，隨著政治社會環境的變遷，他也早已否定並修正了該書中所持的立場與觀點，而不得不重新改寫中國哲學史。例如他在《新編》自序中所說：「《詩經》上有句詩說『周雖舊邦，其命維新』。舊邦新命，是現代中國的特點，我要把這個特點發揚起來。我所希望的就是用馬克思主義的立場、觀點和方法，重寫一部《中國哲學史》。」並且強調是身為一個哲學家的責任，他說：「我生在舊邦新命之際，體會到一個哲學家的政治社會環境對於他的哲學思想的發展、變化，有很大的影響。我本人就是一個例子，因此在《新編》裡邊，除了說明一個哲學家的哲學體系外，也講了一些他所處的政治社會環境。」

首先是在《中國哲學史新編》中的路線和觀點，發生了一百八十度的轉變，即從哲學家的觀點，變成了歷史家的觀點，他說：「哲學史也是歷史學的一種。」而且「只有根據充分的史料，才可以認識歷史的發展的曲折複雜的過程，歷史唯物主義的理論和原則，永遠是我們的方法和指南。」換言之，就是用馬克思列寧主義和毛澤東思想作為他

❿　同註❾，頁130－133。

⓫　同註❾，頁133－134。

寫《新編》的唯一指南。他套用馬列教條解釋哲學史的發展說：「在哲學史的發展過程中，唯物主義與唯心主義這兩個對立面必然互相鬥爭，也必然互相轉化。……簡單地說，哲學史所講的是哲學戰線上的唯物主義與唯心主義的鬥爭，辯證法觀和形而上學觀的鬥爭。根據這個標準，這部書爲自己立了一些清規戒律。」⓬而他所指的「清規戒律」，即五十年代以來，受到大陸學者高度肯定的蘇聯日丹諾夫對研究哲學所下的定義：需恪守哲學史中的階級分析法以唯心主義和唯物主義鬥爭作爲哲學史中的一條貫穿線。馮友蘭根據這一條線的指示，在《新編》中作了嚴格的歸類，將各哲學家分爲唯物主義與唯心主義兩大陣營，然後指出該哲學家的階級背景與階級立場，再套上馬列教條，將該哲學家的哲學思想判定是「唯物」或「唯心」，貼上標籤，成爲被批判或被認同的對象。⓭

今從郭象的哲學爲例，可以明顯地看出，兩卷本哲學史所講與新編哲學史中講的郭象哲學是有根本差異的。照馮氏《新編》第六冊自序中所說：「我的《中國哲學史》兩卷本在三十年代發表以後，我總覺得其中的玄學和佛學部份比較弱，篇幅不夠長，材料不夠多，分析不夠深。」於是《新編》的第四冊，改寫了玄學和佛學的部份，他認爲「經過改寫的篇章與兩卷本的有關內容比較起來，材料沒有加多，篇幅沒有加長，但是分析加深了。其所以能夠如此，因爲我抓住了玄學和佛學的主題，順著它們的主題，說明它們發展的線索。」而他所抓住的「主題」，當然就是根據他所服膺的「歷史唯物主義的理論和原則」，發現中國哲學發展中的任何階段，任何環節都不是唯心主義所能單獨佔有，即使是中國哲學史中的所謂「玄學」，其中也有唯心主義和唯物主義的鬥爭，而爲了突顯出這一主題，不但如他自己所說新編的哲學史「分析加深了」，其實整個寫作的方式及觀念內容都不同了。

像馮友蘭的兩卷本《中國哲學史》因爲單純從《莊子注》的思想著眼，所以在寫作方式上是以《莊子》書原文爲主，而附上郭象的莊子注解；內容分析也是以莊子書中的重要觀念爲主，而用郭象注解作爲詮釋，如「逍遙」、「無爲」、「獨化」、「齊物」等標題，都是根據莊子原著的觀念來論述的。原因是兩卷本視《莊子》爲先秦道家的重要哲學著作，而魏晉時期的《莊子注》不但能引申發揮莊子書中的思想，而且有自己的創見，所以推崇說：「此注實乃一獨立的著作，道家哲學中的一重要典籍也。」

至於《新編》則是從整個魏晉思潮著眼，馮氏首先肯定郭象最大的著作是《莊子注》，這部書一直流傳下來，爲《莊子》書的標準注解，同時又強調它不是《莊子》這部書的注解，而是一部哲學著作，它是代表玄學發展第三階段的最後體系。而這一觀點的轉變，

⓬　同註⓭，《新編》第一冊，自序。

⓭　拙文〈從中國哲學史新舊編——看馮友蘭先生哲學思想的辨證發展〉，台北：鵝湖月刊252期。

主要是他寫作的方法改變了，馮氏在《新編》第四冊的「自序」中所說：「自從開始寫《新編》以來，我逐漸摸索出來了一個寫哲學史的方法：要抓時代思潮，要抓思潮的主題，要說明這個主題是一個什麼樣的哲學問題。能做到這幾點，一部哲學史就可以一目了然。」⑭而他第四冊論魏晉玄學部份，就是用的這種方法，而且他認爲是成功的。也就是說，他抓住了「玄學」這一時代思潮，又抓住了玄學的主題是論「有無的關係」。而有無的不同又正是唯物主義與唯心主義不同之點。他論郭象的哲學，當然也就照著這樣的方法，重新改寫了兩卷本中對郭象哲學所採取的觀點，以下我們就將新舊編兩種版本來作一比對，指出它根本的差異在什麼地方。

　　㈠唯心主義和唯物主義的不同——《新編》論道家哲學時，肯定老莊同派，屬於唯心主義哲學體系，馮友蘭說：「有人認爲《老子》還出在莊周以後。我覺得這就太晚一些，事實上《莊子》中許多思想是老子體系的一個發展，而且其中有些篇也引用了《老子》的文句。所以本書認爲，莊周一派，是老聃的思想向唯心主義的發展。」⑮

　　莊子繼承老子的思想，兩卷本中即明白指出：「莊子論『道』『德』的觀念與老子同；老子云：『泰初有旡』，旡即道也。老子云：「道生一」。莊子亦以道爲「一之所起，有一而未形。」德者，得也；「物得以生謂之德」。由此而言，則天地萬物所以生之總原理，即名曰道；各物個體所以生之原理，即名曰德。故曰：「形非道不生；生非德不明。」〈莊子天地篇〉唯道德同是物之所以生之原理，所以老莊書中，道德二字並稱列舉。⑯

　　以上新舊編都說明老莊同派，兩人的著作同爲先秦道家哲學的重要典籍。至魏晉時期道家之學再度盛行，兩卷本哲學史特別講到這一時期代表道家哲學的重要著作爲郭象的《莊子注》，「不但能引申發揮莊子書中之思想，且亦自有若干新見解。」如果就《新編》哲學史中認定老子哲學爲唯心主義，莊子是老子哲學體系向唯心主義的進一步發展。那麼，「引申發揮莊子書中思想」的郭象哲學，應該是莊子的唯心主義，在魏晉時期的進一步發展。

　　當然，馮友蘭寫兩卷本哲學史的時間是在解放以前，在論老莊哲學時，也並未提到唯心主義的思想，他在兩卷本《緒論》中說到當時寫作哲學史的方法，是採取敘述式的哲學史與選擇式的哲學史兩種體裁，也就是綜合中西方寫作哲學史的方法，同時他也經常用比較哲學的方法，將中西方哲學家的人格形態或思想觀念加以比較，看出其中某種

---

⑭　同註❾，第四冊，自序。

⑮　同註❾，第二冊，第十一章，頁29。

⑯　同註❼，第一篇，第十章，頁281－282。

類似的地方。如寫到「南北朝之玄學」介紹郭象《莊子注》的前面，特別有一段提示說：「《莊子》書中又有神秘主義之成分。合自然主義與神秘主義成爲一一貫之哲學，如西方哲學史上之斯賓諾沙（Spinoza）然，乃莊學之特色也。」❻按斯氏在西方爲一理智清明，靈魂高貴的理性主義者，其全部哲學受上帝一觀念之支配，上帝是唯一的實體（Substance）而心與物乃上帝的屬性，即上帝內在於心、物中而爲其實體。而他所謂上帝就是自然（God or Nature），此點與莊子論自然義相同，都是「內在論」或「泛神論」。而馮友蘭發現這種思想觀念正是莊學的特色。他說：「莊學尤可異者，即其神秘主義，不需要唯心論的宇宙，此點莊學亦與斯賓諾沙之哲學合。」❽

郭象《莊子注》既是「引申發揮莊子書中之思想」，馮友蘭也將郭象與斯氏哲學作一比較，得到的結論是：「我們看斯賓諾沙的《倫理學》，我們開首覺得他的哲學是個實在主義；看到最後，他的實在主義竟爲神秘主義所掩了。他能把實在主義與神秘主義合一，郭象的主義也是如此，我以爲這是他們的價值之一。」❾

故從兩卷本論郭象的哲學來看：1.他的《莊子注》爲道家哲學中的重要典籍，他的思想屬於老莊一脈相承的道家學派；2.他的哲學在合自然主義與神秘主義一面與莊子同，在合實在主義與神秘主義一面與斯賓諾莎同。總之，他一定不是唯物主義。

(二)貴無論與無無論的不同——馮氏改寫的《新編》哲學史，因爲有馬列思想爲指南，而找到一種新的寫作哲學史的方法，即抓住時代思潮，抓出思潮主題。像他講郭象的哲學時，標題就抓出這兩點：「無無論」是郭象哲學的主題，「玄學發展的第三階段」是魏晉時期的思潮。同時爲了要說明「無無論」主要因爲先有了王弼何晏的「貴無論」及裴頠的「崇有論」然後才有「無無論」；此一主題思想是在魏晉思潮下發生的，與他所注解的莊子書無關，所以在介紹《莊子注》這部書時，特別申明說：「實際上這不是《莊子》這部書的注解，這是一部哲學著作，它是代表玄學發展第三階段的最後體系。」❿同時把郭象與老莊道家學派的繼承關係切斷，找到另外一條線索，即東漢的王充。因爲他提出了「自生」這個觀念，說：「天地不欲生物而物自生，此則自然也，施氣不欲爲物而物自爲，此則無爲也。」（《論衡‧自然篇》），馮友蘭說：「這是一個唯物主義的傳統，裴頠和郭象都把它接了過來。」⓫

---

❻　同註❼，第二篇，第六章，頁632。

❽　同註❼，頁304。

❾　同註❸，頁80。

❿　同註❾，頁128。

⓫　同註❾，頁135。

接下來我們就要探討究竟在《新編》中,馮友蘭是如何將郭象哲學從唯心主義的傳統扭轉到唯物主義的傳統?而在兩卷本完全沒有提到過的裴頠,在《新編》裡不但成為最重要的思想家,擔負著玄學發展第二階段的任務,他著的〈崇有論〉文章,更是成為與唯心主義陣容鬥爭的強有力的理論根據,並直接影響了郭象的觀點,掀起了玄學的第三波浪潮。以下即從「貴無論」、「崇有論」及「無無論」三個不同的論點切入:

(a)就「貴無論」與「崇有論」的主要差別言:《新編》哲學史中把玄學分為三派,都是圍繞有無問題立論的;一派是王弼、何晏的「貴無論」,一派是裴頠的「崇有論」,一派是郭象的「無無論」。馮氏指出,「群有」「有」「無」是玄學中的三個主要概念。從人類的認識過程說,認識是從「群有」抽象出來「有」,又從「有」分析出來「無」。即自天地萬物──→有──→無的過程。這是認識論的方法,也是邏輯和本體論的方法,因為本體論只對事物作邏輯的分析,而不講發生問題。馮友蘭認為從老子開始就把這種認識顛倒了。《老子》四十章說:「天下萬物生於有,有生於無。」王弼也說:「凡有皆始於無。」(《老子注》),即從無──→有──→天地萬物。經過這一顛倒,「無」就成了一個實體,稱之為「道」,是天地萬物的造物主。而持這種理解的玄學家,就是「貴無派」,王弼、何晏都屬於此派。馮友蘭認為他們的錯誤是把認識上的最後一個觀點,當成宇宙發生的最高實體,沒有劃清本體論與宇宙形成論的界線。❷

反對貴無派的崇有派,反對這種理解,把貴無派的這種顛倒又顛倒過來,這就是裴頠崇有論的主要論點。〈崇有論〉曰:「觀老子之書,雖博有所經,而云:「有生於無」,以虛為主,偏立一家之辭,豈有以而然哉。」裴頠即抓住「有生於無」這一說法,作為他批判貴無論的重點。他說:「夫至無者,無以能生,故始生者自生也。」意謂「至無」就是什麼都沒有,等於零。既然等於零,說它能生事物,就等於說,事物是自然生出來的,「無能生有」根本是一句廢話。於是他從反面提出了自己的主張,貴無論認為「無」是宗極之道(即根本原理),裴頠卻認為「有」才是宗極之道,而這個「有」是具體的有,不是抽象的「有」,抽象的有就是「無」。這就是〈崇有論〉所說:「是以生而可尋,所謂理也。理之所體,所謂有也。」因理不能單獨存在,只能存在於事物之中,理必須體現於形象著明的事物,才可以成為「有」。換言之,「有」就是個體事物及其形象。這就是馮友蘭指出的「唯物主義的思想最後必須以具體的事物為根據」。❷

(b)就「貴無論」與「無無論」的主要差別言:《新編》講郭象的哲學時,特別提到:自從裴頠的《崇有論》出來以後,「崇有」和「貴無」的辯論即針鋒相對。而郭象是站

---

❷　同註❾,頁40。

❷　同註❾,頁113,117。

在裴頠這一派的，因爲他是在「崇有」的理論上建立起的自己的觀點。反觀兩卷本的哲學史，馮氏只說：「何晏、王弼，以道爲「無」，但所謂「無」之意義，二人均未詳細言及。「莊子注」則直謂「無」即是數學上的零。萬物之所以如此如此，正因其自然即是這般這般。」❷顯然《莊子注》直謂「無」即是數學上之零，乃是郭象注莊時自己的新見解。

但《新編》則明白指出郭象是通過裴頠的崇有論思想，在崇有論的基礎上發明了自己的看法，並提出了三點證明。

第一：老、莊和王、何所說的「無」，本來是用本體論的方法推論出來的，在推論出來以後，他們又把它用在宇宙形成論上，作爲一切物的根本，因此就說「有生於無」。而裴頠抓住這一弱點，開始對「貴無論」進行批判。他說：「至無者無以能生，生生者自生耳。」就是說「至無」是什麼都沒有，就是零。零不能生任何東西，所以萬物都是「自生」。郭象更明確地說：「無既無矣，則不能生有；有之未生，又不能爲生。然則生生者誰哉？塊然而自生耳。」（《莊子·齊物論》：「夫吹萬不同……」注）就是說「無」既然是「無」，那就是沒有，既然是沒有，怎麼會產生出來有呢？有還沒有產生出來，它也不能產生。那麼，萬物究竟是誰生的呢？只能說，它是「自生的」，「自生」就是「獨化」。「獨化」就用不著「無」了，這就是「無無」。這一說法使郭象通過裴頠而與王充的唯物主義傳統銜接上。❷

第二：「貴無論」的宇宙形成論把「無」說成是宇宙形成的一個環節，這樣一說，「無」就成爲超乎萬物之上創造萬物的造物主了。關於這一點，當然裴頠與郭象都是極力反對的。而這也正符合辨證唯物主義的觀點，即就一個事物的生長變化說，其本身的內容矛盾是內因，外界的影響或條件是外因。而就整個自然界的運動說，根本無所謂外因，因爲不可能在整個自然界之外，還有什麼別的東西在推動。這種主張就叫「內因論」。反之，認爲自然界的發展運動的原因，不是在自然界之內，而是在自然界之外，如西方哲學家講的上帝，老子講的道和無，都是郭象所要反對的，他說：「造物無主，物各自造。」這就叫「獨化」，每一個物都是自己造自己，自己發展，自己變化，不依賴自己以外的事物。馮友蘭說郭象的「獨化論」是繼續裴頠的崇有論，反對貴無論。因爲貴無論的宇宙形成論，正是一種「外因論」。❷

第三：崇有論與貴無論的對立，也是辨證法與形而上思想的對立，《新編》中即利

---

❷　同註❼，頁634。

❷　同註❾，頁135。

❷　同註❾，頁141。

用運動和靜止的不同來作解釋，辨證法認為動是絕對的，無條件的，經常的；靜是相對的，有條件的，暫時的。形而上學的思想正好相反，如王弼、何晏就認為靜是絕對的，無條件的，經常的；動是相對的，有條件的，暫時的。因為王、何貴無論所看重的是一般、是共相，它們是不變的，也不可能變的。所以在動靜的問題上，貴無論認為動是靜的變態。反之，崇有論注重特殊，特殊是變的，也不可能不是變的。❷馮友蘭在此特別指出說：「崇有論關於動靜的說法，裴頠沒有說，郭象替他說了。」因為這一說法非常重要，可以用來區隔唯物辨證法與唯心主義形上思想的不同。並引郭象注解來說明，《莊子‧大宗師》；「然而夜半有力者負之而走。……」注曰：「夫無力之力，莫大於變化者也。故乃揭天地以趨新，負山岳以捨故。故不暫停，忽已涉新，則天地萬物，無時而不移也。……」可見郭象肯定一切事物都在經常變化之中，天地萬物沒有一時一刻不在運動之中。❷

但是在兩卷本哲學史中，馮友蘭卻認為郭象既主張變也主張不變。他曾拿西方哲學家巴門尼底斯與海拉克利塔斯的哲學作比喻。Parmenides的理論是主張不變的；而Heraclitus是主張變的，馮氏說：「莊子注所以對於二人之哲學，有皆似之處者。蓋《莊子注》言有只是有，乃就宇宙之全體言，言萬物是常變的，乃就宇宙間之各事物言。例如長江之水，時刻變遷，而長江之為長江則自若也。」❷以上所說，正是全體與部分的不同，共相與殊相的不同。而在《新編》中為了要證明郭象哲學屬於唯物辨證法，所以不得不在理論上做一修改。

四、結　論

以上分別比較了郭象的哲學在新舊編哲學史中所呈現的矛盾差異，不禁為馮友蘭殫精竭力，費盡苦心，所做的這番改造工程感到不解；同樣是站在唯物論的立場，很多大陸學者不是批評郭象《莊子注》為神秘主義，或主觀唯心主義；就是批評它是一種愚民思想，或為西晉王朝門閥士族地主階級統治秩序服務的哲學。而馮友蘭卻力排眾議，不但肯定了郭象注莊子是一種「創造的詮釋」，並肯定郭象的哲學為玄學發展的第三階段，將玄學思潮帶到了最高峰。推崇郭象說：「他的哲學體系是廣泛的，玄學中的主要問題在其中得到解決。他對於貴無論或崇有論都有所揚棄，但他的體系不是二者的調和論，

---

❷　同註❾，頁66。

❷　同註❼，頁640。

❷　同註❼，頁640。

也不是拼盤式的雜家。它是用「辨名析理」的方法建立起來的一個完整的體系。它是玄學發展的高峰，在這個發展的階段中，他處於否定之否定的地位。」❸這樣高度的評價是否客觀呢？試看金岳霖在兩卷本哲學史的審查報告中指出他的兩大優點，一是「馮先生的態度是以中國哲學史為在中國的哲學史，但他沒有以一種哲學的成見來寫中國哲學史。」二是「馮先生這本書，確是一本哲學史，而不是一種主義的宣傳。」如果金岳霖先生再為《新編》哲學史寫審查報告，還會堅持以上兩點看法嗎？難怪韓非子要慨嘆「孔墨不可復生，將誰使定後世之學乎？」（《韓非子·顯學》）如今向郭金馮都不可能復生，學術上的爭議與是非對錯，也只有訴之於讀者是否有足夠的學識與智慧去作正確的理解與判斷了。

---

❸　同註❾，頁184－185。

高麗、朝鮮的宋詞

李京奎*

一、序 言

　　『高麗史・樂志』所載的北宋詞人及其作品頗多，如歐陽修、柳永、晏殊、蘇軾、晁端禮等等，不過宋詞流傳於高麗的情況尚未明白。

　　高麗的詞無論其作品數量和風格遠不如當時的詩。今看當時詩人之詩文集，我們可以舉李奎報（1168～1241）和李齊賢（1287～1367）爲高麗的代表詞人。

　　朝鮮詩人的塡詞情況與高麗相同。

　　朝鮮的代表詞人是金時習（1435～1493），他們都是中國宋朝到明朝之間的人物。

　　我想藉此三人的詞，研究高麗朝鮮的宋詞塡詞情況。

二、本 論

(1) 高麗的詞

　　據文獻調查，車柱環先生主張韓國最初的詞人是高麗宣宗（1049～1094），次者爲睿宗（1079～1122），今看『高麗史』卷10宣宗條收錄賀聖朝詞1首，又同書卷14睿宗條，只見詞牌名——臨江仙，萬年詞。其餘詩人並無塡詞，至麗末李奎報才塡詞，李奎報之塡詞作品，未有詞集名，也散見於他的詩文集裏，一共有6調11首。

　　麗末，李齊賢（1287～1367）留學於元朝大都，住萬卷堂，他與當地中國學者有學術的交流，朱祖謀的『彊邨叢書』在元朝詞人之末，收錄李齊賢的『益齋詞』15調53首。

　　現在我們看他們二位的作品：

　　** 李奎報詞 **

　　他的詩文集叫做『李相國集』，一共有6調11首的詞。

＊　韓國國立江原大學

在此引用的詞作品，都以高麗名賢集『李相國集』爲底本。

① 臨江仙

希禪師方丈觀碁

> 夜靜紅燈香落炧，蛇頭兔勢縱橫，但聞玉子響紋枰，誰饒誰勝，山月漸西傾。
>
> 十九條中千萬態，世間興廢分明，箇中一換幾人生，仙柯欲爛，回首忽相驚。

此詞雙調58字前後段各5句3平韻。

此調張泌詞爲初體，李奎報此詞與張詞之句法相同，參看張泌之詞。

臨江仙 *張泌*

> 煙消湘渚秋江靜，蕉花露泣愁紅，五雲雙鶴去無蹤，幾回魂斷，凝望向長空。
>
> 翠竹暗流珠淚怨，閒調寶瑟波中，花鬢月鬢綠雲重，古祠深處，香冷雨和風。

② 望江南令

籠中鳥詞

> 籠中鳥，竟日幾千廻，縱有一鳴脣舌在，那堪四觸羽毛催，餒食益哀哀。
>
> 天上路，回首夢悠哉，再浴鳳池有意，新栖烏府豈無媒，且復待時來。

望江南是憶江南之異名，此詞雙調54字前後段各5句3平韻。

『詞譜』卷一說 "此即單調詞加一疊，其可平可仄，與單調同。"

此詞句法與歐陽修詞同。

③ 漁家傲

登家園遙聽樂聲即作詞

> 鱗錯萬家遙可按，玉樓高處褰羅幔，應是筵開紅錦爛，方望斷，唯聞風送金絲慢。
>
> 緬想倡兒擅露腕，嬌顏捧洒流盼，日腳垂歆人不散，遮老漢，灰心煽起那堪亂。

此詞雙調62字前後段各5句5仄韻，此詞句法與晏殊詞相同。

漁家傲 *晏殊*

> 畫鼓聲中昏又晚，時光只解催人老，求得淺歡風日好，齊揭調，神仙一曲漁家傲。

綠水悠悠天杳杳，浮生豈得長年少，莫惜醉來開口笑，須信道，人間萬事何時了。

④ 浪淘沙

重九無聊有空空上人盧同年來訪小酌泛菊因有感作詞一首

黃菊趁前期，已滿東籬，無人也與泛金卮，賴有詩朋來見訪，小酌開眉。

伊昔少年時，醉插芳枝，狂歌亂舞任人欺，往事追思祇自忉悵，似夢亦非。

此調平韻者，李煜詞爲正體。

此詞雙調54字前後段各5句4平韻，此詞句法與李煜詞相同。

兩君見和又作

何處赴佳期，步繞園籬，欣逢二老始傾卮，一曲俚歌猶未聽，何況娥眉。

人壽幾多時，有似花枝，紅潮借臉洒全欺，豈必秋來悲逝景，莫是朝非。

⑤ 桂枝香慢5首

丙申年門生及第等設宴慰宗工朴尙書予於筵上作詞一首并序

五月十七日，丙申年門生及第等，大設華筵，慰座主朴尚書（延禊）致政，以予其年亦預試席，故并邀參赴，友迎朴樞院（据）朴學士（仁著）朴侍郎（暉）同宴，予酒酣，即席作詞一首奉呈云，桂枝香慢。

光華慶席，正玉笋參羅，迎致嘉客，還有嬌花，解語近前堪摘，殷勤好倒千金酒，幸相逢·不妨歡劇，兩翁俱老，門生獻壽，古今難得。

念往日，貪遊好樂，恨枯瘦如今，何處浮白，多喜開筵，別占洞天仙宅，莫教舞妓停飄袖，顧看看·紅日西側，笑哉殘叟，搔肩兼將手雙拍。

此詞雙調100字前後段各10句5仄韻·此詞句法與王安石詞相同·車柱環先生亦考證之。

是日三學士見和復次韻

笙歌簇席，更綿繡裝熏，瓊弁賓客，門擁桃華李艷，往年覛摘，仙香暗動金杯酒，興飛揚·飲酣談劇，紅粧慢唱，爭前祝壽，不教歸得。

記昔日，曾經此樂，俱重到歡場雙鬢添白，侵夕將廻更坐忘還家宅，有時裕起遭牽袖，任蹉跎·烏帽倚側，笑哉殘叟，連呼倡兒促檀拍。

** 李齊賢詞　*益齋詞* **

他的詩文集叫做『益齋亂藁』，一共有15調53首的詞。

在此引用的詞作品，都以高麗名賢集『益齋亂藁』爲底本。

① 沁園春

將之成都

堪笑書生，謬算狂謀，所就幾何。謂一朝遭遇，雲龍風虎，五湖歸去，月艇烟衰。
人事多乖，君恩難報，爭奈光陰隨逝波。緣何事，背鄉關萬里，又向岷峨。

幸今天下如家·顧去日無多來日多。好經裘快馬，窮探壯觀，馳山走海，揔入清
哦。安用平生，墢黔席暖，空使毛群斯臥駝。休腸斷，聽陽關第四，倒捲金荷。

此詞雙調114字前段13句4平韻後段12句5平韻，或後段13句6平韻爲正體。作家從後
者句法。

此體前段第4·5·6·7句爲對句，今看此詞，前段第4·5·6·7句爲四句互對。

② 江神子

七夕冒雨到九店

銀河秋畔鵲橋仙，每年年，好因緣，倦客胡爲·此日却離筵，千里故鄉今更遠，
腸正斷，眼空穿。

夜寒茅店不成眠，一燈前，雨聲邊，寄語天孫·新巧欲誰傳，懶拙只（宜）閒處
著，尋舊路，臥林泉。

此詞雙調70字各7句5平韻，此調本爲單調，以韋莊詞爲初體。至宋爲雙調70字前後
段各7句5平韻，黃庭堅有仄韻江城子詞，其字句與蘇詞同，惟韻腳改爲仄聲。但此詞爲
平聲爲正體。作家此詞與蘇詞之句法相同。

③ 鷓鴣天5首

此詞雙調55字前段4句3平韻，後段5句3平韻。

此調句法與平仄皆近似七言律詩。

◑◐◐◑◐◑◐ ◐◑◑◐●◐◎. ◑◐◑◐◑◐◑. ◑◐◐◐●◐◎.

◑◐◑ ◐◑●◐◎. ◑◐◑◑◐●◐◎. ◑◐◑◐◑◐◑. ◑◐◑◐●◐◎.

今看上片第三第四句，皆爲對句，又下片第一第二句皆作對句。可見熟練於律詩者較容易填此調。

『詞譜』卷11說「宋人填此調者，字句韻悉同（晏幾道詞）。」

過新樂縣

宿雨連明半未晴，跨鞍聊復問前程，野田立鶴何山意，駟柳鳴蜩是處聲。

千古事，百年情，浮雲起滅月虧盈，詩成却對青山笑，畢竟功名怎麼生。

揚州平山堂・今爲八哈師所居。

樂府曾知有此堂，路人猶解說歐陽，堂前楊柳經搖落，壁上龍蛇逸杳茫。

雲澹佇，月荒涼，感今懷古欲沾裳，胡僧可是無情物，毳衲蒙頭入睡鄉。

④ **太常引**
暮行

棲鴉去盡遠山青，看暝色・入林坰，燈火小於螢，人不見・苔扉半扃。

照鞍涼月，滿衣白露，繫馬睡寒廳，今夜候明星，又何處・長亭短亭。

此詞有49字50字二體，作者用雙調50字前段4句後段5句3平韻。

⑤ **浣溪沙2首**
早 行

旅枕生寒夜慘悽，半庭明月露淒迷，疲僮夢語馬頻嘶。

人生幾時能小壯，宦遊何處計東西，起來聊欲舞荒鷄。

此調以韓握詞爲正格。雙調42字前段3句3平韻後段3句2平韻，平韻體後段首句不押韻。作家此詞與韓握詞之句法相同。

⑥ **大江東去**
過華陰

三峰奇絕，儘披露，一搦天慳風物。聞說翰林，曾過此・長嘯蒼松翠壁。八表游神，三盃痛道，驢背鬈如雪。塵埃俗眼，豈知天上人傑。

猶想居士胸中，倚天千丈氣，星虹間發。縹杳仙蹤何處問，箬笭天光明滅。安得

聯翩，雲裾霞佩，共散騏驎髮。花間玉井，一樽轟醉秋月。

大江東去是念奴嬌之別名，又說百字令。

『詞譜』卷28說：＂此調仄韻詞，以此詞（蘇軾憑空眺遠）爲正體。

『詞律』卷16說：＂此（辛棄疾野棠花落）爲念奴嬌正格，兩者皆爲雙調100字前後段各10句4仄韻。

⑦ 蝶戀花

漢虎帝茂陵

石室天壇封禪了，青鳥含書，細報長生道，寶鼎光沉仙掌倒，茂陵斜日空秋草。

百歲眞同昏與曉，羽化何人，一見蓬萊島，海上安期今亦老，從教喫盡如瓜棗。

此詞雙調60字前後段各5句，憑延巳（六曲闌干偎碧樹）仄韻一韻到底詞爲正體。
此詞與馮延巳之句法相同。

⑧ 人月圓

馬嵬效吳彥高

五雲繡嶺明珠殿，飛燕倚新粧。小輦中有，漁陽胡馬，驚破霓裳。

海棠正好，東風無賴，狼籍春光。明眸皓齒，如今何在，空斷人腸。

此詞雙調48字前段5句2平韻，後段6句2平韻爲正格。
按吳彥高是吳激的字，號爲東山，有東山集。

人月圓　　吳彥高

宴張侍御家有感

南朝千古傷心事，還唱後庭花。舊時王謝，堂前燕子，飛入人家。

洮然在遇，天姿勝雪，宮鬢堆鴉。江州司馬，青衫淚濕，同是天涯。（見『詞綜』）

⑨ 水調歌頭2首

過大散關

行盡碧溪曲，漸到亂山中。山中白日無色，虎嘯谷生風。萬仞崩崖疊嶂，千歲枯藤怪樹，嵐翠自濛濛。我馬汗如雨，脩逕轉層空。

登絕頂，覽元化，竟難窮。群峰半落天外，滅沒度秋鴻。男子平生大志，造物當年眞巧，相對孰爲雄。老去臥丘壑，説此詑兒童。

此調雙調95字前段9句4平韻後段10句4平韻爲正體。

⑩ 玉漏遲

蜀中中秋値雨

一年唯一日，遊人共惜，今宵明月。露洗霜磨，無限金派洋溢。幸有瑤玉笛，更是處·江樓清絕。邀俊逸，登臨一醉，將酬佳節。

豈料數陣頑雲，忽掩却天涯，廣寒宮闕。失意初筵，唯聽秋蟲鳴咽，莫恨恒娥薄相，且吸盡·盃中之物，圓又缺。空使早生華髮。

此調雙調94字前段10句6仄韻後段9句5仄韻爲正體。

⑪ 菩薩蠻2首

舟中夜宿

西風吹雨鳴江樹，一邊殘照青山暮，繁纜近漁家，船頭人語譁。

白魚兼白酒，徑到無何有，自喜臥滄州，那知是宦遊。

此調雙調44字前後段各4句2仄韻2平韻，李白詞爲正體。此詞與李白詞之句法相同。

⑫ 洞仙歌

杜子美草堂

百花潭上，但荒烟秋草，猶想君家屋烏好。記當年·遠道華髮歸來。妻子冷，短褐天吳顚倒。

卜居少塵事，留得囊錢，買酒尋花被春惱。造物亦何心·枉了賢才，長羈旅·浪生虛老。却不解·消磨盡詩名，百代下·令人暗傷懷抱。

宋人塡洞仙歌者，句讀韻脚，互有異同，共有10體。惟蘇辛兩體，塡者最多。今以蘇辛二詞雙調83字爲初體，其餘添字減字，各以類聚，庶不蒙混。

蘇軾此詞雙調83字前段6句3仄韻後段7句3仄韻。作家此詞與蘇詞之句法相同。

⑬ 滿江紅

相如駟馬橋

> 漢代文章,誰獨步・上林詞客。遊曾捲・家徒四壁,氣吞七澤。華表留言朝禁闥,
> 使星動彩歸鄉國。笑向來・父老到如今,知豪傑。
> 人世事,眞難測。君亦爾,將誰責。顧金多祿厚,頓忘疇昔。琴上早期心共赤,
> 鏡中忍使頭光白。能不改・只有蜀江邊,青山色。

此調有仄韻平韻兩體・押仄聲韻者,以柳永詞體爲正格。
雙調93字前段8句4仄韻後段10句5仄韻。作家此詞與柳永詞之句法相同。

⑭ 木蘭花慢2首

長安懷古

> 騷人多感慨,況古國・遇秋風,望千里金城,一區天府,氣勢清雄。繁華事無處
> 問,但山川景物古今同。鶴去蒼雲太白,雁嘶紅樹新豐。
> 夕陽西下水流東,興廢夢魂中,笑弱吐強吞,縱成橫硫,鳥沒長空。爭如似遲首
> 飲,向蝸牛角上任窮通。看取麟臺圖畫,維餘馬戲蒿蓬。

此調雙調101字前段10句5平韻後段10句7平韻,以柳永詞體爲正格。雙調101字前段
10句5平韻後段11句7平韻,以蔣捷詞體爲變格。蔣捷此詞後段第一第二句,俱作五言句。
作家此詞與蔣捷詞之句法相同。

⑮ 巫山一段雲:瀟湘八景16首

此詞雙調44字前後段各4句3平韻。但巫山一段雲本爲雙調46字前段4句3平韻後段4
句兩仄韻兩平韻。『詞譜』卷6說「此詞(46字體)後段第一二句,間入仄韻,結處又
另換平韻,宋柳永詞五首與此同。」又說「此詞(44字體)全押平韻,換頭兩句,又各
減去一字,與(唐)昭宗詞異。唐歐陽炯李珣詞,元趙孟頫詞,俱與此同。」
此調平仄也近似五言律詩。

◐●○○● ○○●●◎. ◑○○●●◎. ●○●●○◎.
◐●○○● ○○●●◎. ◑●○○●◎. ◐●○●○◎.

今看下片第一第二句皆爲對句,可見熟練於律詩者較容易塡此調。所以作家作此調
有32首之多,除了他以外,高麗的鄭誧・李穀,朝鮮的權近・權遇・崔演,都用巫山一

段雲作詞。

1 平沙落雁

玉塞多繒繳，金河缺稻粱，兄兄弟弟各成行，萬里到瀟湘。
遠水澄施練，平沙白耀霜，渡頭入散近斜陽，欲下更悠揚。

2 遠浦歸帆

南浦寒潮急，西岑落日催，雲帆片片趁風開，遠暎碧山來。
出沒輕鷗舞，奔騰陣馬回，船頭浪吐雲花堆，畫鼓殷春雷。

3 瀟湘夜雨

潮落蒹葭浦，烟沉橘柚洲，黃陵祠下雨聲秋，無限古今愁。
漠漠迷漁火，蕭蕭滯客舟，箇中誰與共清幽，唯有一沙鷗。

4 洞庭秋月

萬里天浮水，三秋露洗空，氷輪輾上海門東，弄影碧波中。
蕩蕩開銀闕，亭亭插玉虹，雲帆便欲掛西風，直到廣漢宮。

5 江川暮雪

風緊雲容慘，天寒雪勢嚴，篩寒酒白弄纖纖，萬屋盡堆鹽。
遠浦回漁棹，孤村落酒帘，三更霽色妬銀蟾，更約掛疎簾。

6 烟寺暮鐘

楚甸秋霖捲，湘岑暮靄濃，一春容罷一春容，何許日沉鐘。
搖月傳空谷，隨風度遠峯，溪橋有客倚寒筇，一逕入雲松。

7 山市晴嵐

遠岫螺千點，長溪玉一圍，日高山店未開扉，嵐翠落殘霏。
隱隱樓臺遠，濛濛草樹微，市橋曾記買魚歸，一望却疑非。

8 漁村落照

遠岫留殘照，微波暎斷霞，竹籬茅舍是漁家，一逕傍林斜。
綠岸雙雙鷺，青山點點雅，時聞笑語隔蘆花，白酒換魚蝦。

⑮－1　　巫山一段雲：

松都八景16首
松都八景16首
*松都是現在的開城，過去高麗之首都。

1 紫洞尋僧

　　傍石過清淺，穿林上翠微，逢人何更問僧扉，午梵出煙霏。
　　草露霑芒屩，松花點葛衣，鬢絲禪榻坐忘機，山鳥讀催歸。

2 青郊送客

　　芳草城東路，疎松野外坡，春風是處別離多，祖帳簇鳴珂。
　　村暖鷄呼屋，沙晴燕掠波，臨分立馬更婆娑，一曲渭城歌。

3 北山烟雨

　　萬壑烟光動，千林雨氣通，五冠西畔九龍東，水墨古屏風。
　　巖樹濃凝翠，溪花亂泛紅，斷虹殘照有無中，一鳥沒長空。

4 西江風雨

　　過海風凄緊，連雲雪杳茫，落花飄絮滿江鄉，偸放一春狂。
　　漁市開門早，征帆入浦忙，酒樓何處咽絲篁，愁殺孟襄陽。

5 白岳晴雲

　　菖杏春風後，茅茨野水頭，晴雲弄色靄林丘，雨意未能休。
　　京縣民無賦，郊田歲有秋，明朝去學種瓜侯，身事寄菟裘。

6 黃橋晚照

　　隱見溪流轉，縱橫野壠分，隔林人語遠堪聞，村逕綠如裙。
　　鳶集蜈山樹，鴉投鵠嶺雲，來牛去馬更紛紛，城郭日初曛。

7 長湍石壁

　　插水雲根聳，橫空黛壁開，魚龍吹浪轉隅隈，百里綠徘徊。
　　月浸玻瓈色，花分綿繡堆，畫船載酒管絃催，一日繞千廻。

8 朴淵瀑布

日照羣峯秀，雲蒸一洞深，人言玉輦昔登臨，盤石在潭心。

白練飛千尺，青銅徹萬尋，月明笙鶴下遙岑，吹送水龍吟。

(2)朝鮮的詞

** 梅月堂　金時習之詞 **

金時習之詩文集叫做『梅月堂集』，一共有14調14首。

在此引用的詞作品，都以『梅月堂集』為底本。

① 念奴嬌

山中看月

小窗靜倚，看青山遠碧，蛾眉新畫。煙淡雲收光欲滴，更看冰輪倒掛。篆香初熏，
茶煙欲起，景致多蕭洒。幽人多愛，好山佳境心快。

人世風波須臾，推遷如夢，使人多勞憊。錯了千般那箇悟，些子風流閑話。百尺
塵埃，難逢□□，如此清凉界。須知這裏，幾般伎倆催敗。

『詞譜』卷28說："此調仄韻詞，以此詞（蘇軾　憑空眺遠）為正體。

『詞律』卷16說："此（辛棄疾　野棠花落）為念奴嬌正格，兩者皆為雙調100字
前後段各10句4仄韻。

按梅月堂此詞才98字，『詞律』『詞譜』都沒收錄98字體念奴嬌，此詞詞句可能有
出入。

② 滿江紅

春興

草暖花香，春山寂，鳥啼巖樹。溪雲起，藤蘿蔓處，澗聲作雨。石逕高伍苔蘚古，
竹房深鎖清香炷。也不管，浮世乍悲歡，令他苦。

朝霞覷，入庭戶，山月掛，穿廊廡，獨行狂歌發，倚筇看圖。松下棲遲意自適，
葛巾蕭散衣緇縷。須記取，待漏五更寒，人無數。

此調有仄韻平韻兩體，押仄聲韻者以柳永詞體為正格，雙調93字前段8句4仄韻後段
10句5仄韻，梅月堂此詞與柳永詞之句法相同。

③ 天仙子

燈下

　　山室無人春夜永，銷盡蘭膏花吐影，銀屏紙帳自無風。心至惺，人初靜，紅艷剪
　　來還耿耿。
　　睡覺漏聲全未省，月在西峯星斗冷，整衣撞却四更鍾。沈短綆，汲寒井，爐火試
　　剪龍鳳餅。

　　天仙子爲教坊曲名，本爲單調。和凝塡雙調，而和詞第四句不用韻，張先天仙子詞
第四句用韻，雙調68字前後段各6句5仄韻。『詞律』卷2說：「張三影·影晚影，傷流
景，後用風不定，人初靜，皆上句平仄仄，下句平平仄，最爲起調，宜從之。」梅月堂
此詞與張先詞之句法相同。

④ 如夢令

秋思

　　庭畔黃葉交墜，只有澗邊松翠，寂寞倚欄干，獨捻紫簫橫吹，無語，無語，月落
　　參橫不寐。

　　此調以韋莊詞爲正格，第五六句例用疊句，單調33字7句5仄韻1疊韻。
　　梅月堂此詞與韋莊詞之句法相同。

⑤ 浣溪沙

有感

　　天上雙輪似擲梭，倚欄情緒奈然何，知心唯有碧江波。
　　人事一年歡意少，風光百歲苦心多，不如孤嘯一長歌。

　　此調以韓握詞爲正格，雙調42字前段3句3平韻後段3句2平韻。
　　此詞與韓握詞之句法相同。

⑥ 菩薩蠻

秋江

　　白蘋紅蓼映江渚，洞庭木落情如許，漁艇背斜陽，短歌歸興長。
　　下瀧水清淺，別浦烟初卷，最好泛扁舟，沿流復沂流。

此調以李白詞爲正格，雙調44字前後段各4句2平韻2平韻。

此詞與李白詞之句法相同。

⑦ 憶王孫

騷騷風竹響西軒，天外斜陽獨閉門，宿鳥爭枝相與喧，已黃昏，月上山城似玉盆。

此調以秦觀詞爲正格，單調31字5句5平韻。按梅月堂此詞與秦觀詞之句法相同，此詞與秦觀詞之兩個韻腳相同。作家此調不用詞題。

憶王孫 *秦觀*

萋萋芳草憶王孫，柳外樓高空斷魂，杜宇聲聲不忍聞，欲黃昏，雨打梨花深閉門。

⑧ 更漏子
燈下

斗杓橫，銀河淡，淅淅風簾相憶，孤枕冷，素屏寒，夜深更漏殘。

剔燈花，挑玉蕊，靜裏閑敲碁子，松摵摵，竹蕭蕭，博山香霧消。

此調以溫韋二詞爲正體，雙調46字前後段各6句2仄韻2平韻。

⑨ 隔浦蓮

明星三五瞱瞱，暝色雲初霽，曙氣露已綴，烟垂柳帶腰褭，殘月微淡嫩，鶯聲慧，露竹眠荒砌。

薰風細，欄干曲曲，薔薇牧丹麗，重門十二，翠鳥一雙流睇，那介高唐其忼儷，弄到，心見無語流睇。

隔浦蓮就是隔浦蓮近拍。此調以周邦彥詞及趙彥端詞爲正體，宋元人俱照此塡。趙詞雙調73字前後段各8句6仄韻。按在隔浦蓮下片的韻字中，作家“睇”字用了兩次。

陸游此詞雙調73字前段7句5仄韻後段8句6仄韻，陸游詞與趙詞同，惟前段第六句，不押韻耳。彭元孫此詞雙調73字前段7句6仄韻後段8句5仄韻。梅月堂此詞之上片從陸游詞，下片從彭元孫詞。

⑩ 石州慢

寒松亭

十里寒聲，蕭颯高底，吹我耳側。疑聞帝居紅雲，奏彼鈞天廣樂。生平豪氣，如
今添却遨遊，滄波萬頃何遼廓。都是一胸襟，儘教伊吞吐。

舒縮。窪尊斷石團圓，都是舊時蹤跡。萬古相傳，一任風磨苔剝。流年如許，跳
丸歲月蹉跎，前人視我今猶昔。慷慨發長歌·滿沙汀飛鴨。

此調以賀鑄詞為正格，雙調102字前段10句4仄韻後段11句5仄韻。蔡松年此詞雙調
102字前段10句4仄韻後段10句5仄韻。梅月堂此詞從蔡松年詞，但上片末韻字出韻。

⑪ 洞仙歌

鏡浦

青樽白髮，畫舸汀洲遠，嫌却皇華負年少。記前朝舊事·一段風流，都是夢，輸
與人間一笑。

琉璃千頃碧，極浦孤山，□□□□閑坐釣。更玉輦金輿·法駕東巡。絲管鬧·羽
葆旖前導。作千古閑談·付漁樵，問亭畔雲霞，為誰繚繞。

宋人填洞仙歌令詞者，句讀韻腳，互有異同。惟蘇辛兩體，填者最多。今以蘇辛二
詞為初體，其餘添字減字，各以類聚，庶不蒙混。蘇軾此詞雙調83字前段6句3仄韻後段
7句3仄韻。梅月堂此詞雙調81字。但『詞律』『詞譜』都未收81字體洞仙歌。細看梅月
堂此詞，下片可能有脫落字句，此調下片第三句均為七言句，今看釣繞同韻，因此在“
閑坐釣”句前加四個字成為85字體。車柱環先生將此詞作為85字體洞仙歌。『詞譜』卷
20收錄京鏜之85字體洞仙歌。梅月堂此詞，今從京鏜詞句讀。

⑫ 滿庭芳

華表柱

人世繁華，倏如星轉，暫時笑語悲歡。千年城郭，民物遞凋殘。常見紅塵萬丈，
令人老·苦樂千般。唯華表，撐空獨立，長閱古今顏。

縱橫城裏道，榆柳蔭傍，行旅盤桓。逢鄉人指點，何代幡竿。牛礪角·樵童擊火，
苔花暈·碧點成斑。遼東客，何年化鶴，來語歎人間。

此調有平韻仄韻兩體，平韻詞以晏幾道詞及周邦彥詞為正體。晏幾道詞，雙調95字

前後段各10句4平韻。周邦彥詞，雙調95字前段10句4平韻後段11句5平韻。但梅月堂詞雙調96字前後段各10句4平韻。『詞譜』卷24收錄四首96字體。梅月堂詞上片之句法與元好問詞相同，又下片之句法與趙長卿詞類似。趙長鄉詞下片爲47字，其句讀是544443·43·4345。梅月堂詞下片爲48字，其句讀是544543·43·4345。今看第四句"逢鄉人指點"，就是多了一個字，前三字皆平聲，略一字義可通，我想梅月堂塡詞時，可能參考此二人詞，又作出又一體。

⑬ 八聲甘州

白沙汀

海無垠沙汀白晴光，濛濛射殘輝。見雙雙白鷗，浮沈波際，咬嘎爭飛。何處漁舟未返，長笛一聲歸。不管人間世，心事相違。

我本風流宕客，謝浮生毀譽，得失幾微。探江湖風月，到處更依依。望那邊·滄波萬頃，顧這般，身影淚沾衣。韶光暮，底心獻賦，獨侍丹墀。

此調以柳永八聲甘州爲正體，雙調97字前後段各9句4平韻。此詞後段第六句，作上三下四句法（想佳人·妝樓長望），宋詞俱照此塡。梅月堂此詞亦從柳詞句法（望那邊·滄波萬頃）。

⑭ 江城子

洞山館

海濱孤館接滄溟。倚風欞，望蓬瀛，浩渺滄波，數點白鷗輕。物外浮沈渠似我，渠不競，我忘形。

異鄉千里影伶俜。鬢星星，眼青青，怔底乾坤，身世一長亭。若見安期煩寄語，千日酒，與君傾。

此調本爲單調，以韋莊詞爲主，至宋爲雙調70字前後段各7句5平韻，黃庭堅有仄韻江城子詞，其字句與蘇詞同。惟韻腳改爲仄聲，但此詞爲平聲爲正體。梅月堂此詞與蘇詞之句法相同。

三、小　結

高麗·朝鮮的詩人接觸宋詞的時代比較晚，所以他們知道的詞是文人詞，因此他們用小序和詞題表示作詞的目的和內容。

以上看三位詞人的作品，有如下的幾點特徵：

(1)三位詞人填詞時，尊重詞體的正格。

(2)三位詞人填詞時，在詞牌下，皆用詞題，但並不表明宮調。金時習之憶王孫。隔浦蓮更不用詞題，按高麗、朝鮮的詩人填詞是多用詞題和小序。

(3)三位詞人填詞時，並沒有「詞爲小道」之觀點。

(4)三位詞人填詞時，用作詩之法填詞，因此詞的內容及題材，並不限於兒女之情。

按在高麗史、朝鮮實錄，未見詞樂，當代詩人填詞，多參考前人作品作詞。

主要參考書目

1.高麗史　上中下　延世大學校　東方學研究所
2.高麗名賢集　李相國集　　成均館大學校　大同文化研究所
3.高麗名賢集　益齋亂藁　　成均館大學校　大同文化研究所
4.梅月堂集　金時習　　　亞細亞文化社
5.詞譜　上下　　　　　中華書局
6.詞律　　　　　　　廣文書局
7.中國詞文學論考　車柱環　漢城大學校出版部

聖人旨意的探討
——伊藤仁齋《論語古義》的意圖

金培懿*

一、前　言

　　本稿擬針對以下諸問題予以探究、解析。亦即《論語古義》以前，日本的《論語》注釋工作，是在何種注釋經書的認識水平上完成的？在此種認識上所完成的《論語》解釋工作，是用何種方法來解讀《論語》一書？又從《論語》中所解讀出的內容究竟如何？進而探討《論語古義》是在何種契機下成書？書中是以何種注釋方法來超越既存的《論語》注釋水平？又此種超越為當時的《論語》注釋帶來了何種革新？再者，此種嶄新的《論語》解釋工作，到底是以什麼方法開拓出來的？

　　關於上述幾項課題，本文首先對江戶時代前期的《論語》注釋書之性質加以分類，接著就伊藤仁齋提議該如何閱讀《論語》之建議予以說明，最後為了了解伊藤仁齋是如何來進行其嶄新的《論語》注釋工作，乃對《論語古義》中仁齋所采的四大注釋方法進行分類說明。以便探究耗盡仁齋畢生精力的《論語古義》，究竟是以何種注釋方法來發明千載不傳的聖人之學。

二、江戶時代前期《論語》注釋書性質的分類

　　江戶時代前期所完成的《論語》注釋書，基本上可分為三大類型。第一類型的《論語》注釋書，即是簡單地說明朱子的《論語集注》，使時人可順利閱讀《論語》的注釋書。此種類型的注釋書，起初在江戶初期，或稱為「抄物」，或稱為「諺解」，爾後改稱為「國字解」，標以日文假名的「四書」假名解說書中的《論語》注釋書。最早刊行問世的「四書」假名解說書，乃是元和（1615～1623）、寬永（1624～1643）年間，以活字版印刷而成，大抵繼承了日本中世假名抄物性格的博士清原家的〈大學抄〉、〈中

＊　日本九州大學中國哲學史研究室

庸抄〉、〈論語抄〉。❶根據阿部隆一所著〈本邦における大學中庸の講誦傳流――學庸の古抄本に並邦人撰述注釋書より見たる〉❷,〈室町以前邦人撰述論語孟子注釋書考（上）（下）〉❸二文;以及大江文城於《本邦四書訓點並に注解の史的研究》一書中的記載看來❹,元和、寬永年間活字印刷出版的清原家〈四書〉假名解說書中,《大學抄》與《中庸抄》乃是根據朱子新注而成;至於《論語抄》和《孟子抄》則仍是本於舊注,但同時也有不少取自新注者。❺

　　一般而言,清原家的〈四書〉假名解說書,多被認爲:不出博士家家學之範圍、守舊而無有新意。然而,就如同阿部隆一所說:「截至寬文初期爲止,江戶前期的學庸注釋書中,特別是當時流行的國字解這樣的啓蒙性注釋書,亦即所謂的諺解本之類的注釋書,直接或間接地全都免不了受到此書（清原家《大學抄》）的影響」❻,清原家的《大學抄》,在江戶時代的《大學》假名解說書中,有著先導性的地位,其意義實不容忽視。而由《大學抄》所具有的意義來看,吾人也可以這樣說:江戶時代前期,清原家的《論語抄》,對後來的《論語》假名解說書而言,應該也具有和《大學抄》一樣的先導地位。

　　博士家墨守家學的同時,另一方面令人耳目一新的程朱學注解也相繼出現。首先是於承應二年（1653）刊行問世的《四書集注抄》❼,此書可說是日本經學史上,舊時代過渡到新時代的產物。接著有藤原惺窩自稱其加訓點的〈四書〉爲日本宋學〈四書〉之嚆矢❽,再有由所謂「四書者以新注爲本」（見於《大學章句序抄》）的立場出發,而來

---

❶　《四書集注抄》之前,有古活字版的《大學抄》一冊,今藏於久原文庫。同樣是活字版的《論語抄》十冊,今藏於宮內省圖書寮和久原文庫。寬永七年重刊本《大學抄》一冊,藏於京都大學等。以及同樣是寬永七年重刊本的《中庸抄》二冊,同藏於京都大學等地。

❷　見《斯道文庫論集第一輯》（東京:慶應義塾大學附屬研究所斯道文庫,昭和37年3月）,頁3～84。

❸　同❷,第二輯,（昭和38年3月）,頁31～98。以及第三輯,（昭和39年3月）,頁1～90。

❹　大江文城《本邦四書訓點並に注解の史的研究》（東京:關書院,昭和10年9月）,頁96～140。

❺　在江戶初期所刊行的《四書》,不論是朝廷敕版的《四書》,或是民間今關本的《四書》,基本上《學》《庸》是依據朱子《章句》,《論語》仍是依據《何解》,《孟子》也仍是依據《趙注》,承襲了室町初期以來,明經博士家所立的方針。詳見❹,第二編〈江戶前期〉,第一章〈初期的四書研究〉,頁126～127。第二章〈四書の假名抄〉,頁137～140。

❻　同❷,頁65。

❼　《四書集注》共三十八卷,自江戶初期以來,即說此書爲林羅山所作,然而此書實爲一作者不明之著作。關於此事,石田一良收於《江戶思想家》上冊（東京:研究社出版,1979年）中的〈林羅山〉一文,頁37～38的補注中有詳細的論述。

❽　日本諸家言儒者,自古至今,唯傳漢儒之學,而未知宋儒之理,四百年來,不能改其舊習之弊,……故赤松公,今新書四書五經之經文,請予欲以宋儒之意,加倭訓於字傍,以便後學,日本唱宋儒之義者,從此冊爲原本。（《惺窩文集》十,〈問姜沆〉）

解明〈四書〉的林羅山的出現❾，蓋《四書集注抄》的問世可視為是一契機，往後陸續問世的〈四書〉假名解釋書，皆轉以新注為依據❿，爾後學界幾乎盡為程朱之學所籠罩。於此，《論語》的假名解釋書也轉而步上依於新注來加以解說的道路。但是，是否因為《四書集注抄》具有開先鋒之意義，此書也成為最廣泛被利用的〈四書〉假名解說書呢？

針對此點，宇野東山於《四書國字弁》一書的〈序文〉中說道：「中村毛利二先生，既為之弁也。此書也述二子之言而從簡易而已」。在〈附言〉中又說：「《示蒙句解》《俚諺鈔》之行於世既久，而教示人之丁寧，其意味至深切也，今復何解。只初學之兒童，卻倦於長語者亦有之，故省其繁冗而采要語，使便於得大意」。⓫如是看來，即便林羅山有一連串名為某某「諺解」的著作⓬，宇都宮遯庵也著有一繫列的假名標注書⓭，然而有可能因為彼等之〈四書〉假名解說書皆未刊行問世之故，以是，中村惕齋的《四書示蒙句解》與毛利貞齋的《四書集注俚諺鈔》反而取而代之，成為江戶時代廣為流傳的〈四書〉假名解說書，並因此成為江戶時代〈四書〉假名解說書的代表。以此之故，筆者以為在論及江戶前期《論語》注釋書中的第一類型性質的《論語》注釋書之代表時，中村惕齋的《論語示蒙句解》與毛利貞齋的《論語集注俚諺鈔》，可視為簡單明白地解釋朱注以使人看懂《論語》的代表著作。

---

❾ 林羅山依據新注來注解《四書》的立場，尚可由「讀論語者舍集注，其何以哉」（四書跋，論語）「此諺解本章句並或問尊程朱也」（大學解跋）「中庸諺解一部三卷，據朱子集注並摭大全分注諸說，便於易見，添以國字……」（中庸諺解跋）得知。以上諸文見於《林羅山文集下卷》（東京：ぺりかん社，昭和54年9月），第53卷，頁617。第56卷，頁652、653。

❿ 自惺窩與羅山依據朱注來注解《四書》，朱子《四書集注》遂日漸普及一事，亦可由羅山之徒──和田靜觀窩──的著作《四書集注序諺解》〈論孟序發題〉中「允嘗聞之羅浮先生，曰：本朝古來讀四書者，桃華坊兼良、環翠軒常忠、宣賢、南都鹽瀨宗二也，學庸則據朱子章句，論孟則用何氏趙氏注解……」是以四百年來之學者，唯據漢儒之訓詁，未知宋儒之實學，最可憐笑，始讀集注，改其舊習之弊，為之訓點者惺窩與吾也。又曰：近時關東鎮西之間，讀集注者，大機、勝雄、文志之徒……」的描述，得知朱注日漸普及的情形。

⓫ 筆者係參考九州大學圖書館所藏，有寬政六年（1794）宇野東山自題序文，由皇都書林弘簡堂須磨刊兵衛手寫而成的抄本。

⓬ 林羅山有關《四書》的假名解說書，有《四書要語抄》一卷、《論語解》四卷、《大學解》二卷、《大學抄》一卷、《大學要略抄》一卷、《中庸解》三卷等。除了全未刊行問世以外，其中《四書要語抄》以及《大學要略抄》還遭明歷大火燒亡。《四書》以外，尚有《古文孝經抄》、《老子經抄》《吳子諺解》《孫子諺解》等書。

⓭ 宇都宮遯庵著有《鰲頭四書集注》十卷、《孝經大義詳解》二卷、《小學句讀口譯詳解》十四卷、《錦繡段詳注》三卷、《千家詩俚諺抄》五卷、《首書朱文公童蒙須知》一卷。其有關《四書》的作品，亦未刊行。

　　第二類型的《論語》注釋書，主要是透過對朱子所開示出的《論語》之本義，亦即透過對朱子《論語集注》的再解釋，根據朱子學的思維構造來詮釋《論語》的注釋書。此類注釋書可以崎門派弟子門人筆錄而成的《論語》講義之類注釋書爲代表。因爲崎門派向來標榜其學爲純粹的朱子學，除此之外，崎門派殘留下來爲數不少的講義類書籍中，又以《論語》講義數量最多。例如山崎闇齋以及其門下三傑的直方、絅齋、尙齋三家有關《四書》的編錄中，有《大學啓發集》七冊、《中和集說》一冊、《仁說問答》一冊、《性論明備錄》一冊、（以上爲絅齋所講說）《講學鞭策錄》一冊、《神鬼集說》一冊、（以上爲直方所講說）《大學物說》一冊、《大學明德說》一冊、《三綱八目》一冊、《中庸精一集說》一冊、《中庸已發未發說》一冊、《中庸一誠而已說》一冊、《仁義禮智說》一冊、（以上爲絅齋所講說）《論語筆記》十五冊、《爲貧說》一冊（以上爲尙齋所講說），其中有關《論語》的講義爲數最多。甚至不管絅齋門下，或是崎門派末流等所作的《四書》假名抄中，也以《論語》的假名抄爲數最多。❶，所以筆者以之爲江戶前期《論語》注釋書中第二類型的代表，實在再適合不過了。譬如，山崎闇齋門下，被稱爲崎門三傑的佐藤直方、淺見絅齋、三宅尙齋等三大弟子，都著有《論語講義》。而即便是在淺見絅齋《論語》講義問世的八十五年後，同是崎門學派門下的稻葉默齋於天明六年（1786）開講，默齋門人筆錄之，享和二年（1802）時花澤秀直編輯而成的《默齋先生論語講義》❶，也是屬於這類的《論語》注釋書。成於崎門派之手的《論語》講義，基本上與《論語》假名解說書一樣，都是混夾著漢字和假名的注釋書，然而兩者的性質則決不可說是一致。因爲寬文（1661～1672）以降，與崎門同於京都的中村惕齋，乃另外倡導穩健著實之朱子學，而崎門三傑佐藤直方、淺見絅齋、三宅尙齋等人的學風，與同門篤信派的植田玄節不同，雖亦重師承，然卻是屬於取舍派。特別是在《四書》學方面，反復玩味精要之處，練就思索，致力於充養，崇尙志氣，主張正義名分。《大學》方面，重視「物」、「明德」、「知止」、「三綱」、「八目」的探討；《中庸》方面則重視「精一」、「人心道心」、「已發未發」；對《論語》則選「一貫」、「弘毅」、「克己」、「管仲召忽」、「三省」、「川上」、「顏淵」、「曾點」等章；《孟子》則選「浩然盡心」、「放心」、「性善」等章，盡心研究。其師弟間討論的內容，便以名爲〈師說〉、〈口義〉、〈講義〉、〈講說〉、〈筆記〉之抄本流傳下來。故本文

---

❶　稻葉墨齋（1732～1799）是佐藤直方高弟稻葉迂齋之次子，從其父，受家學，信奉崎門派之朱子學，初仕唐津藩主土井利里，後隨土井利里移封古河，講學於古河藩校「盈科堂」。除了《論語講義》以外，默齋所著一系列約四十種的講義類書籍，如《家禮抄略講義》、《白鹿洞揭示集注講義》、《排釋錄講義》、《拘幽操講義》、《三子傳心錄講義》等，皆未刊行問世。

⓮ 崎門派『四書』假名抄統計表

講 義 書 名	冊 數	講 說 者
大學假名筆記	二	佐藤直方
大學傳首章筆記	一	淺見絅齋
大學傳五章講義	一	同
大學序口義		三宅尚齋
大學或問講義	一	同
三綱領誠意口義	一	同
大學知止師說		若林強齋（絅齋門）
大學經文講義	一	同
大學師說	四	西依成齋（強齋門）
大學講義	三	留守希齋（尚齋門）
以上為『大學』相關書		
鳶飛魚躍筆記	一	佐藤直方
中庸筆記	一	淺見絅齋
中庸師說	二	同
中庸講義	一	三宅尚齋
中庸師說	一	若林強齋
人心道心講義	一	合原窗南（絅齋門）
人心道心講義	一	川嶋栗齋（成齋之徒奧野寧齋門）
以上為『中庸』相關書		
一貫章講義	一	佐藤直方
曾子弘毅章講義	一	同
一貫泰伯啓手足章講義	一	三宅尚齋
管仲召忽章講義	一	同
克己章講義	一	同
喟然章講義	一	同

曾子三省章講義	一	同
仲弓問仁章講義	一	同
禮和章講義	一	同
川上章講義	一	同
有子曰其爲人也章講義	一	同
性相近章講義	一	同
我未見好仁者章講義	一	同
君子博學於文章講義	一	同
顏樂章講義	一	同
子謂韶章講義	一	同
十有五章講義	一	同
如博施於民章講義	一	同
學而章講義	一	谷 重 遠（闇齋門）
克己章講義	一	同
顏淵子路篇講義	一	稻葉迂齋（直方門）
管仲召忽章講義	一	味池修居（尚齋門）
顏淵子路憲問章口義	一	天木時中（尚齋門）
曾點章講義	一	留守希齋（尚齋門）
以上爲『論語』相關書		
浩然章講義	二	淺見絧齋
求放心章筆記	一	三宅尚齋
求放心章講義	一	合原窗南（絧齋門）
盡心下講義	一	留守希齋
浩然章講義	一	稻葉迂齋
性善章講義	一	村士玉水（迂齋門）
以上爲『孟子』相關書		

於比較三宅尚齋《論語講義》與中村惕齋《論語示蒙句解》時，乃采〈子在川上〉章來
進行說明。爲求便於了解，在此並舉朱子《論語集注》、中村惕齋《論語示蒙句解》、
三宅尚齋《論語講義》三書對〈子在川上〉章的注釋，來進行比較說明。

《論語集注》

天地之化，往者過，來者續，無一息之停，乃道體之本然也。然其可指而易見者，
莫如川流。故於此發以示人，欲學者時時省察而無毫髮之間斷也。

《論語示蒙句解》

逝者とは，天地の運行，ゆく者すぎ，来る者つぐことを，すべて云，川
流も亦その中にあり，如斯夫，不舍昼夜とは，昼夜の時をすてをかずし
て，一息のとどまることなきこと，かくの如くなるかなとぞ，一説には
，昼夜にやまずとよむ，蓋し逝者かくの如くに，やまざること，これ即
この道の体段にして，本来自然にかくの如し，中にもさしあてて，これ
を見やすき者は，川流にしくことなし，よりて此歎を発して，学者をし
て，天道にのつとり，時時に省察して，存養の功夫毫発の間断，なから
しめまく欲してなり，これより篇の終に至るまで，みな人に学をつとめ
て，やまざることをすすむるの詞なり。

《論語講義》

朱説に，此逝の字は殊外力，一向に向ふへ行きて，少もあとへふりかへ
る意のない文字となり。此逝の字をきひしふ見いては，此処の意かすま
ぬと云也。逝者と云になりては，天地の間を見るに，春がいつともなし
に夏になるかと思へは，そろりそろりと秋となり，冬かと思へは春とう
つりて行くやうに，しばらくも其処にとどまる暇なしに立過て行。……
如斯とは流るる水をさして仰らるるなり。水の流れが暫くもとどまるこ
となし。流れ行てあとへとてはもとると云ことなり。今日も明日もと，
あとからひたと流れて行，又其あとにつつきつつき流て行なり。天地造
化のなりが，まつ如此と云ことを見せたものなり。如の字を，常は何の
やうなと云語意に見る処が多けれども，此処は以の外きひしうて，何の
やうにゆるやかなることてはないぞ。不舍昼夜，夜は流れて昼は流れぬ
と云ことなれは，舍昼夜と云ものなれども，昼の夜の朝の夕のと云差別
なしに，しばらくもやます流れ去，天地のなりが如此てしばらくも間断
ないぞ。こうしたことを見て学者に勉行せよと示したものなり。此一章
が二段に切れるぞ。逝者と云が造化如斯をさいて云。不舍昼夜がまた造

化をさいて云たものなり。こう仰られた意は，天地の間にあるとあらゆ
る物は間断なしに行れて，道と体を同しうなして居る。其造化から生れ
出た人故に，人も其造化ととも流行，実人間……。

至於第三種《論語》注釋書的性質，基本上是以否定朱子《論語集注》的解釋爲前提，繼而由對《論語》的解釋來建構出自己獨自的古代世界。伊藤仁齋的《論語古義》和荻生徂徠的《論語徵》，是這類《論語》注釋書的典型代表。那麼，伊藤仁齋又是如何來從事其自身獨特的《論語》注釋工作的呢？對於這個問題，首先我們可以由其子伊藤東涯於《論語古義》〈序文〉中的敘述❶，略窺一二。東涯說：「昔吾先人夙志聖學，衽席經典，恍然自得，始覺後世之學，與古人異，齒未強仕，已草此解，杜門卻掃，日授生徒，不復知世有聲利榮華之可羨。改竄補緝，向五十霜，稿凡五易，白首紛如。冀傳聖訓於後昆，託微志於汗青，瑣義末說，時有出入，則蓋亦不暇校矣」（頁4上～下）。❶上文中所謂的「始覺後世之學，與古人異」，可以說是伊藤仁齋從事嶄新《論語》注釋作業的主要原因及契機。蓋初習朱子學的仁齋，約自三十五、六歲開始，即轉而否定朱子學，爾後並以宋儒以後的諸家注解多屬「意見」之故，遂由否定之立場出發，批判向來的儒者於注解經書時，全依據後人之注解以解經的錯誤態度，主張注解經典時，其先決條件乃在依於經文說話，故大力提倡「回歸原典」。

伊藤仁齋先是對朱子，接著由朱子到宋儒，進而連宋以後的諸儒也都予以否定。這一連串的批判，可以由下列的諸文得到證明。

苟集注章句既通之後，悉棄去注腳，特就正文，熟讀詳味，優遊佩服，則其於孔孟之本旨，猶大寐之頓寤，自瞭然於心目之間矣。（《童子問》第二章）❶

---

❶ 本文所引《論語古義》之文，以及附錄中的表一至表五（含表五之一至表五之五），和各統計圖等，其原始資料，繫就天理大學圖書館「古義堂文庫」所藏，由京都文泉堂於文政十二年時再刻的和刻本《論語古義》，所整理而成。

❶ 《論語古義》之初稿乃成於寬文（1661～1672）初年仁齋自開門戶之時，二稿成於天和（1681～1683）年間，或說是更早以前，接著有元祿初年（1688）、元祿九年（1696）、元祿十六年（1703）的三次校稿，加上寶永年間（1701～1710）的最後校定。仁齋沒後，經東涯及諸弟，並仁齋門人北村篤所、林景范、辻必大、中島義方等人，共同討議校定後，以之爲「古義堂」藏版。於正德二年（1712）由京都文會堂奎文館發行，共十卷五冊。

❶ 本文所引《童子問》之文，係據井上哲次郎、蟹江義丸共編的《日本論理彙編》（東京：育成會，明治41年6月，二版）〈古學派の部（中）〉，頁74～167中所收的《童子問》一文而來。

悉廢語錄注腳，直求之於語孟二書。（《同志會筆記》，頁288）⓳

緣思蠻貊之間，有獨有語孟正文，未有宋儒注腳之國，而得大聰明之人，與之講
學，則直自得孔孟意思，而無後來許多說話。（《同志會筆記》，頁287）

宋儒說論語，專以仁義爲理，而不知爲德之名，以忠信爲用，而不爲緊要之功，
甚者至於以論語爲未足，而旁求之他書，或假釋老之說，以資其言說，其不得罪
於孔門者，殆鮮矣。（《論語古義》〈總論、綱領〉，頁4下～5上）

自宋興以來，說論語者，蓋數百家，然而多出其意見，淆以佛老之說，則不可據
以爲信。（《論語古義》〈總論、敘由〉）

　　由上面所列舉的諸文看來，我們可以說伊藤仁齋乃是以與《論語集注》之對決爲契
機，而完成了《論語古義》一書。然而由自己的經書注解立場出發所作的《論語》解釋
工作，又是以何種異於當時既存的解經方法，來進行聖人旨意的追索呢？以下筆者試圖
先就伊藤仁齋的經書注解態度來進行說明。

三、仁齋的《論語》閱讀法

　　首先，在關於該如何閱讀經書這一點上，伊藤仁齋於《語孟字義》〈總論四經〉說：
「六經之學，當先得其大義，苟得其大義，則猶順流而下，循途而行，無甚難解者」
（頁150）。⓴由此文看來，解讀經典時首先必須知道經典中既存的本來精神，此即是伊
藤仁齋所提出的閱讀經書之第一前提。然而在了解經書之根本精神以前，尚有一必要條
件，那就是明判經書之性質。也就是能明白各經書性質上的基本差異，則可以針對其性
質，以適當的解經方法，適切地來掌握其根本精神。伊藤仁齋接著說：「讀六經與讀論
孟，其法自別，論語孟子，說義理者也。詩書易春秋，不說義理而義理自有者也。說義
理者，可學而知之也。義理自有者，須思而得之也。可學而知之者，顯而示之也。須思
而得之者，含蓄不露者也。四經猶天生之物，不煩雕琢，自然可觀焉。語孟猶設權衡尺
度，以待天下之輕重長短也。六經猶畫也。語孟猶畫法也。知畫法而後可通畫理，不知
畫法而能曉畫理者，未之有也。六經猶直描畫天地萬物之態，纖悉不遺。語孟猶指點天
地萬物之理，而示之人。故通語孟二書，而後可以讀六經。否則雖讀六經，茫無津涯，
瑣瑣訓詁，不足以發明六經也」（《語孟字義》〈總論四經〉，頁160）。

⓳　本文所引《同志會筆記》之文，係據吉川幸次郎、清水茂《伊藤仁齋・伊藤東涯》（東京：岩波書店，
　　1971年10月，《日本思想大系》33）中，頁284～290中所收的《同志會筆記》而來。

⓴　本文所引《語孟字義》之文，係同（注⓳），頁114～168中所收的《語孟字義》而來。

　　這段文字，伊藤仁齋除了明白指出《六經》、《論語》、《孟子》在性質上的差異之外，且由於其性質不同，因此在閱讀六經、論孟時，方法自然也就有別。亦即在論及其性質時，六經的特徵既是「不說義理而義理自有者」、「含蓄不露者」，同時又是「天生之物，不煩雕琢」。以物作比方，仁齋以爲六經「如畫」，至於說是什麼樣的畫，仁齋則說「直描畫天地萬物之態，纖悉不遺」。相對於六經，就語孟而言，其性質乃是「說義理者」、「顯而示之」，並且是「設權衡尺度，以待天下之輕重長短也」。而若將六經比作是「畫」，語孟便可說是「畫法」，且是「指點天地萬物之理，而示之人」。也就是說：六經與語孟雖同爲經書，然以其性質各有所差異，在閱讀六經與語孟時，宜取不同之閱讀法一事，本自不待言。所以仁齋認爲要解讀六經之根本精神，當採取「思考」的閱讀方法；相對於此，閱讀語孟的方法，則是在於「受教學習」。而若進一步談到閱讀經書之先後順序的話，仁齋則斷言語孟的閱讀必要先於六經，此即所謂的「通語孟二書，而後可以讀六經」，這也就是仁齋定下的讀經順序。

　　閱讀經書的順序確定之後，就理解經書的根本精神及義理這一問題，伊藤仁齋乃由「意味」、「血脈」、「文勢」、「字義」四個方面來加以考慮，而定下了注解經書的方針。伊藤仁齋說：「論道者，當先論其血脈，而後其意味。讀書者，當先觀其文勢，而後其義理。蓋意味無形，不知其合否如何，義理亦然。但血脈與文勢，猶一條路子，不容一毫差錯。故合血脈，而後意味可知，得文勢，而後義理可辨」（《仁齋日札》，頁174）。[21]

　　然而仁齋所謂注解經書時不可欠缺的「意味」、「血脈」、「文勢」、「字義」四大要素，究竟所指爲何？針對此一疑問，我們可以由《語孟字義》〈學〉之項目中找到解答。「學問之法，餘岐而爲二，曰血脈，曰意味。血脈者，謂聖賢道統之旨，若孟子所謂仁義之說，是也。意味者，即聖賢書中意味，是也。蓋意味本自血脈中來，故學者當先理會血脈，若不理會血脈，則猶船之無柁，宵之無燭，茫乎不知其所底止。然論先後，則血脈爲先，論難易，則意味爲難。何者，血脈猶一條路，既得其路程，則千萬里之遠，亦可從此而至矣。若意味，則廣大周遍，平易從容，自非具眼者，不得識焉」（頁148）。這裡所說的「意味」，指的就是文章的內容，而所謂的「血脈」，指的則是孔孟一貫、源遠流長的根本思想。又所謂的「文勢」，說的則是文章的結構，以及流貫於文章中的微妙文章語調。至於所謂的「義理」，指的則是概念的定義，也可將之等同視爲字義來加以考慮。而由於「意味」或「義理」乃屬「無形」之物，所以針對於此所下的規定，其正確與否之判斷遂因人而異。相對於此，「血脈」和「文脈」則屬於同一

---

[21]　本文所引《仁齋日札》之文，同（注[18]），頁168～181中所收的《仁齋日札》而來。

道路，是不容些許差錯，再明白不過之物。以是，就作爲學問之方法而言，能夠開始了解「血脈」「文勢」以後，「意味」與「義理」也纔能當作問題來加以考慮。因爲任何事情都比不上能夠掌握孔孟一脈相傳的根本思想，熟讀精思語孟二書，並觀其文勢，要來得重要。何況「意味」本不容易解讀，故實宜先行對血脈進行理解。所以仁齋纔說「學者之先務，莫急於知孔孟眞血脈，又莫難於知孔孟眞血脈。故學者先以理會孔孟眞旨爲要。若不知孔孟血脈，則懵然無所響方」（《同志會筆記》，頁289）。

但是，理解「血脈」的困難度，與理解「意味」的困難度，兩者在性質上是有差異的。因爲「意味」的難解，其困難主要是存在於「意味」本身，但相對於此，「血脈」在被理解時，其困難並不在於「血脈」本身，而是在於讀者主體方面的問題。亦即，以「好奇好高，好深好難，學者之通患」（《同志會筆記》，頁289）、「蓋人不識孔孟學脈，而爲援佛入儒之說所惑」（《同志會筆記》，頁289）、「孔孟之學，阨於注家久矣」（《同志會筆記》，頁287）等之故，導致「血脈」之難解。若能廢除此一切邪說暴行，直本於孔孟本文，則血脈自可理解。所以仁齋纔又說道「苟能識得孔孟眞血脈，而無所疑焉，則於儒釋之說，猶薰蕕冰炭，日夜黑白，不容辨說於其間，何難辨之有」（《同志會筆記》，頁289）。否則「天下無不讀語孟二書者，而能知其意味血脈者，天下鮮矣」（《同志會筆記》，頁289）。因此，仁齋乃大力倡導「餘每教學者，以文義既通之後，盡廢宋儒注腳，特將語孟正文，熟讀翫味二三年，庶乎當有所自得焉」（《同志會筆記》，頁287）此種「回歸原典」的方法，並以之掌握孔孟教義之眞旨。

雖是如此，但是《論語》與《孟子》二書中的「血脈」和「意味」，又非以同種形態呈現出來。所以在《語孟字義》卷下〈學〉之項目中，仁齋纔會說：「予嘗謂讀語孟二書，其法自不同。讀孟子者，當先知血脈，而意味自在其中矣。讀論語者，當先知其意味，而血脈自在其中矣」（頁148）。亦即，讀《論語》當先解其文章思想意涵；讀《孟子》則可直接讀取其血脈，因爲兩者說聖賢教義之法，本自有不同。而雖然仁齋強調要自《論語》書中讀取聖賢意味，但他同時也指出了理解意味的困難，所以纔說「若意味，則廣大周遍，平易從容，自非具眼者，不得識焉」。無論如何都必先要能夠知道何爲「血脈」纔是。而「血脈」基本上可依據《孟子》而得知，若不依據《孟子》來理解聖賢「血脈」，並就此閱讀《論語》的話，則除了淪爲「則雖字解句釋，精若蠶絲，密若牛毛，實侮論孟者也」（《童子問》卷上、第五章）之境地以外，若「設欲去孟子，而特據論語字面解之」（《童子問》卷上、第七章），甚至還會「不惟不得其義，必至於大錯道」（《童子問》卷上、第七章）。所以仁齋下結論道「孟子之書，又亞論語，而發明孔子之旨

者也。蓋論語之義疏也」（《童子問》卷上、第五章）。㉒

然而，我們若由《論語古義》一書中仁齋所采的注釋方法來看的話，仁齋於《論語古義》一書中所下的注解，則絕非僅只是依據《孟子》而來。

四、所謂《論語古義》之注釋工作

伊藤仁齋於《論語古義》〈總論·敘由〉中說：「自宋興以來，說論語者蓋數百家，然而多出其意見，淆以佛老之說，則不可據以爲信」（頁2下），此外，《同志會筆記》中也說：「孔孟之學，陌於注家久矣。漢晉之間，多以老莊解之，宋元以來，又以禪學混之，學者習之既久，講之既熟，日化月遷，其卒全爲禪學見解，而於孔孟之旨，茫乎不知其爲何物」（頁287）。由此二文看來，仁齋認爲宋以後的《論語》注釋書，若不是出於主觀性的「意見」判斷，要不然就是屬於夾以佛老禪學的邪說。但以「唯漢儒之說，猶爲近古，蓋不失傳受之意」（《論語古義》〈總論·敘由〉，頁2下）之故，因此在注解《論語》時，「於諸家之說，獨取其所長，並加裁定，其意味血脈，則竊附意見」（《論語古義》〈總論·敘由〉，頁2下）。

然而仁齋一面謙虛地說自己是「竊附意見」的同時，一面卻又自信盎然地說：「愚賴天之靈，得發明千載不傳之學於語孟二書」（《論語古義》〈總論·綱領〉，頁6上）。也就是說，仁齋自信其對《論語》的解釋，是「發明」而非「意見」，而雖然仁齋自稱其是仰賴「天之靈」，但我們若由本稿第二節的論述來看，便可以知道，仁齋的這份自信，乃來自他確信：只要返回經典原文，則古義自在那裡。亦即，只要讀者們願意棄後人之注解，回歸到血脈線上，聖人的旨意其實始終都在那兒——經典原文中。但是，我們接著想問的是：回歸到經典本身以後，仁齋又是以何種注解經文的方法，就原文來理解、發明聖人旨意的呢？

蓋《論語古義》一書，基本上乃是由「論語本文」、「小注」、「大注」、「論注」四個層次，循序漸進，逐章注解而成，然而並非每章都具備這四個層次。「小注」是處理「語彙」及每章「大意」，「大注」是解說理解各章時應該注意的事項，至於「論注」，則是仁齋論述自己的獨到見解。也就是說，「論注」原則上即可視爲是仁齋的「發明」處。而由表一的統計來看，除了〈鄉黨〉篇以外，其他各篇，仁齋或多或少都有自己的看法，總計共對九十二章下過論斷。其中，對〈述而篇〉所下的論述最多，次爲〈憲問

㉒ 依據《孟子》來理解《論語》的觀念，在《論語古義》一書中，仁齋也重覆叮嚀。如「故得孟子之意，而後可以曉論語之義」（卷二，頁3上）「非孟子則不知孔子之聖，生民以來，未嘗有也」（卷一，頁16上）「故欲求爲仁之方者，當本之論語，而欲明其義者，參之孟子可以」（卷六，頁21上）。

篇〉。而值得我們注意的是：雖然仁齋於〈鄉黨篇〉的開頭即說道「其一言一動，固雖不足以盡聖人之德，然即此可以觀其動容周旋從容中道之妙」（頁20上），卻唯獨對此篇未作任何論斷。

再由圖四的顯示看來，九十二個論斷中，其中批評到後儒、宋儒、佛老、老莊或禪學，甚至明白批判朱熹、集注的，就占了65%。這數字表示了：如果「論注」處是仁齋斷定古義為何的最主要部分，則其中有三分之二的部份，是將比重放在指責前人之不是。至於其批評情形和分類，則可由表五之一到表五之五，看出其分布於各篇章的情形，以及為數的多寡。而恰與《論語古義》成書的動機——與《論語集注》相對決——相呼應，所有的批判中，對宋儒、後儒的批判最多，其次便是對朱注的批判，雖然〈述而篇〉「子曰，天生予」章中，仁齋也明白稱贊朱子道「可謂善論孔子者」，然而這也是絕無僅有之處。若想知道各項批判有多少比例分布在「論注」中，則參照圖五便可以明白。

實際上，除了「論注」處約占19%，引漢代諸家注說者約占47%以外，由圖一中我們也可以發現：尚有占22%的「引朱子曰」、8%的「引孟子曰」、以及4%的「推測編論語者之意圖、目的、動機」（以下一律簡稱為：推測編者）等三種注釋方法，此三種注釋方法再加上「論注」，便可說是《論語古義》一書中，仁齋所使用的四大注釋方法。而由表一到表五的統計中，可看出各種注釋方法被使用於何篇、何章的情形。並且除卻「論注」部份，又可看出另外三種方法是分布在「小注」「大注」或是「論注」中的情形。

再由「各篇注釋方法分類統計表」我們又可以看出：雖然仁齋以《孟子》為《論語》之義疏，然而「引孟子曰」者總共纔四十一處，尚不及「引朱氏曰」者的一百零八處來得多。其中〈鄉黨篇〉中援引朱子之言，次數之多，列前三名之一，但本章中其他注釋方法，如仁齋陳述己見的「論注」、或是「引孟子曰」及「推測編者」等，卻全部未予引用。至於各注釋方法被用於《論語》各篇的情形，「引朱子曰」最多的是〈顏淵篇〉，次為〈陽貨篇〉；「引孟子曰」最多者是〈述而篇〉；至於「推測編者」的注釋方法，在〈公冶長篇〉中最為多見。假設再配合圖二來看的話，那麼我們可以看出：以〈鄉黨篇〉為一分界篇，四大注釋方法在上論中，比重偏重，由此可知仁齋顯然較重視《論語》一書中的上論，或恐正因如此，「引朱子曰」的注釋方法，在下論中比重明顯增大。

而實際上如果我們再配合圖三來參考的話，我們就可以發現：雖然朱注被援引最多，但是有80%皆分布在解釋「字義」的「小注」中，分布於發明「古義」的「論注」處者，則不到1%，何況其中多是批評之言。而其實由《語孟字義》卷頭的序文中「則非惟能識孔孟之意味血脈，又能理會其字義，而不至於大謬焉。夫字義於學問固小矣」之文，便可知道仁齋於其所定的注釋經書之依據——「意味」「血脈」「文勢」「字義」——中，是比較不重視「字義」的，因此即使援引朱子之言再多，恐怕仁齋求的是字義訓詁

上的便利,何況在注釋經典時,訓詁上本來就比較沒有大變動,也比較不具可議性。而爲求了解《論語》一書整體文章之結構組合,所使用的「推測編者」之注解方法,則全部分布在解說理解各章時,應該注意些什麼地方的「大注」中。而作爲《論語》注腳,有助於義理之發明的「引孟子曰」者,較少分布在「小注」中,而是多分布在「大注」和「論注」中一事,也就不足爲奇了。

五、《論語古義》之策略

伊藤仁齋雖然否定批判宋儒,但在《論語古義》中,我們除了由上述之文得知書中有爲數不少的明白援引「朱子曰」之文以外,未明白標示引自朱子者,亦有之。如〈學而〉篇中第七章「子曰,賢賢易色」的小注中(頁8上),雖然「變易顏色」以下異於朱注,但其他地方則與朱注相同。這使得讀者若只從表面上看的話,會以爲仁齋此種做法,與其在《同志會筆記》中所說的「直自得孔孟之意思」(頁287)相衝突,更有異於荻生徂徠在《論語徵》中,爲批判宋學而一律不引用集注的一貫態度,大相逕庭。

但是,仁齋引用朱注並不表示仁齋完全支持朱注的說法,毋寧說:仁齋乃是引朱注以明朱注之誤。譬如《童子問》卷上・第三十章中,仁齋即說:「自宋人理性之學起,諸儒自居太高,雖孔門弟子子夏子張有若樊遲之徒,皆有蔑視之意,從晦翁取吳說入之集注,其論愈堅,其說愈定,卒爲後來學者之深害」。也就是,朱注中仁齋以爲不適切者,自然不以引用,故〈學而篇〉第七章之大注中,只採游薦山之注,而不採吳棫之說。由此可以得知,其實《論語古義》與《童子問》的態度基本上是一致的。

仁齋將朱注重新建構以成己注,尚有一最大的目的,即在讓早先已學習過朱子學的讀者,閱讀《論語古義》時不會有排拒感,而只要閱讀了《論語古義》,就有機會理解仁齋所要說的古義爲何,如此一來,本來熟習宋學的讀者就會有反省宋學的可能,只要在反省過程中,讀者對宋學產生了質疑,當然,讀者不見得就立刻肯定《論語古義》的說法,那麼讀者可能就不得不選擇回到經典本身,再次去究明、理解聖人的旨意,如果他們準備追根究柢的話。於是每個讀者都會由一個閱讀者轉爲質疑者,然後再轉爲說話者,依據經典重新說話。此可說是仁齋採用朱注的最主要企圖。

《論語古義》中對朱注的取擇,基本上有兩種方式:一種是仁齋先取其所須者,然後重新編成,讀者遂先進入一種順理的情境,但當其發現《古義》與《集注》的微妙差異時,如果他反對《論語古義》,他須要有根據來證明朱注的正確,而即便他可以從朱注得到滿意的答案,或是足以反駁《論語古義》的證據,其實他已再次檢證了朱注。假設他不滿意、或是朱注不足以構成反對《論語古義》的條件,筆者以爲朱學的信徒也不

會馬上相信仁齋，他們應該是會選擇再次檢視《論語》原文的途徑，來考量《論語古義》中仁齋說法的可信度，但不管是何種情況，原則上他們都作了回歸原典的動作。另一種方法是，仁齋採用的乃是明顯對比，也就是開門見山地指出朱注之誤。當然，我們可以想見一個熟習朱注讀者的錯愕程度，則他們若不直接檢視經典原文去一探究竟，至少也會有前述的辯證掙扎過程，但恐怕他們終究掩不了求諸原典的企圖。這樣說來，《論語古義》既是仁齋以外的江戶儒學者們閱讀的依據，同時又是後來這些閱讀者理解聖人旨意後所要詮釋的內容。因為只要回歸原典去質詢的前提成立，則仁齋確信就原典所理解出來的古義，應該是一致的。

六、結　語

安井小太郎評伊藤仁齋之古義學時，說：「仁齋雖自稱其學為古義，然亦只是異於程朱之說而已，非眞之古義，蓋屬明學一派。若舉其近孔子學者，不得不推徂徠」。❷❸然而筆者以為：在進入討論仁齋所探究出來的是否為眞古義這一問題以前，我們首先應該要注意仁齋所定義的古義，到底是用什麼方法解讀出來的。至於其理由，筆者以為首先可以由武內義雄〈日本の經學〉❷❹一文中之描述來說。武內義雄首先指出日本經學之特色有二，一是古代典籍多數都被保存下來，二是長於文獻的批判。而在討論第二個特色時，武內以為可以伊藤仁齋當代表。蓋仁齋文獻批判的具體成果乃在於：一、舉出十條證據證明《大學》非孔子之遺書。❷❺二、分《中庸》為本文、非本文和附益三部分。❷❻三、分《易經》為儒家之易、卜筮之易兩種。❷❼四、以《古文尚書》為僞書，故只取與伏生之今文篇目相同者。❷❽五、對於《春秋》則去《公羊》《穀梁》而從《左傳》，

❷❸　《日本儒學史》（東京：富山房，昭和14年4月），卷四，頁139。

❷❹　《武內義雄全集》（東京：角川書店，昭和54年10月），第十卷，雜著篇，頁99～104。

❷❺　詳見《日本思想大系33》《伊藤仁齋・伊藤東涯》（東京：岩波書店，1971年10月），頁，〈大學非孔氏之遺書弁〉。

❷❻　仁齋舉出十證，證明《中庸》首章自「喜怒哀樂」到「萬物育焉」四十七字，乃為《古樂經》之脫簡。第十六章與二十四章中，言及鬼神者，與《論語》「子不語怪力亂神」不符，仁齋因此斷定此兩章言鬼神的部份以及首章，乃非《中庸》本文。第十七章至二十章為《孝經》之解釋，第二十一章以後到第三十三章，則如同宋儒王柏所斷定的一樣，乃是《誠明書》之文，而非《中庸》之文，此皆附益之文。扣除前兩部分之文，仁齋斷定由第二章至第十五章總是《中庸》之本文。

❷❼　詳見關儀一郎編《日本儒林叢書》（東京：鳳出版，昭和46年11月）第五卷，解說部（1），〈易經古義〉，頁4～7。

❷❽　詳見關儀一郎編《日本名家四書注釋全書》（東京：東洋圖書刊行會，大正15年4月，再版），學庸部一，《中庸發揮》〈綱領〉，頁7～8。

並斷定「獲麟」以下之經文爲孔子所作。六、《禮記》有後儒附會之處，不可盡信。七、《論語》、《孟子》二書之結構，皆由上論、下論兩部分構成。至於《詩經》，仁齋則只言《詩經》之作用，並未言及經文本身。㉙

經由這樣一連串對經書文獻上的批判，確定了經書的眞僞及可信度以後，仁齋乃進一步對經典加以取擇。而由於《大學》《中庸》既以喪失其身爲經典的可信度、權威性，結果《四書》中自然就只剩《論語》《孟子》爲眞經典，應該要被重視纔是。仁齋也就依據此二書來闡明聖人之教，成就自己的學問體系。在此，我們要注意的是：即便安井小太郎批評仁齋的學問並不是眞正的古義，但從其對經典的文獻批判成果來看，仁齋至少已經達到經學研究的第一步水平——校勘——。並因其將《學》《庸》由《四書》中去除，主要只依據《論》《孟》來成立嶄新的儒學研究，乃使得向來偏重於研究朱子《四書》學、義理學的江戶儒學界，有機會意識到朱學與聖人經典的齟齬處，遂重新返回原始經典本身去尋求聖人教義。也正因爲有仁齋開風氣在先，爾後纔有荻生徂徠指責仁齋不宜依據孔子之私的《論語》，來解釋公衆性的聖王之道的《六經》，乃反以《六經》來注解《論語》。㉚徂徠並一反江戶前期儒者僅止於讀《四書大全》、《五經大全》，宋、元、明人語類、語錄、文集、隨筆的閱讀習慣，修李攀龍、王文元之古文辭，用力於先秦古書，故亦著有《談荀子》《讀韓非子》《讀呂氏春秋》等著作。爾後徂徠門人山井鼎乃從事校勘學之研究，著有《七經孟子考文》，太宰春臺和根本武夷則分別覆刻《古文孝經》、以及足利學校的皇侃《論語義疏》。徂徠門下校勘人材輩出之餘，吉田篁墩、大田錦城、岡本保孝等考證學者亦陸續問世，日本的經學研究，盛況空前。如此看來，若說江戶時代經學的研究成果，前期是在對《四書》進行哲學性思辨研究；後期乃在對經典的文獻批判和考證上的話，伊藤仁齋除了扮演著由《四書》學過渡到全盤性經書研究的轉型期儒者之角色以外，更因其對《論語》的重視及研究，使得之後的江戶儒學界，興起一股《論語》研究熱潮，研究數量之多達三百多種。

而說到經學研究的第二個必要步驟，即在校勘完典籍以後，如何透過對經典進行正確的文字解釋，使能善於把握經典所要傳達給我們的精神。而要達到這種水平，就是必須在研判擇取完經典以後，以適當的解讀方法來讀取經文的意義。而誠如先前所敘述的一般，仁齋在對經典進行文獻批判之後，即對其所認定的典籍進行詮釋。所以有《大學

㉙　同㉗，伊藤東涯〈讀詩要領〉，頁3。

㉚　同㉗，頁43～80，荻生徂徠〈蘐園三筆〉，頁46，第二十四條「論語孔子之私也，其公諸天下後世者，則六經在焉。孔子謂顏淵曰，退省其私，亦足以發。故以六經求諸論語，其言足相發者，讀論語之道也。不然而謂其高出於六經之上者，非吾所知也」。

定本》、《中庸發揮》、《論語古義》、《孟子古義》一系列對聖人旨意進行探究的著作問世。而由現在所能夠閱讀到的資料看來,仁齋所從事的文獻批判之證據,或許不如後來的考證學派學者那般縝密及詳細,但由其後半生傾全力於發明古義一事,我們亦可得知仁齋就是將其學問重點置於古義的追索。然而令人遺憾的是:後人對仁齋學的評價,固然肯定其在日本儒學史上的地位,乃在其能別開生面,使儒學可就江戶當時的政治、社會、文化、學術、經濟等各項主、客觀因素,發展出屬於日本本土之儒學。但卻未必認同仁齋所詮釋出的古義,就是正確的聖人意旨。有鑒於此,筆者以爲當吾人在對仁齋古義學進行研究時,在討論仁齋的古義究竟是否爲眞古義之前,有必要對仁齋用來閱讀經典的解讀方法,加以分析了解。筆者於是對仁齋在《論語古義》中所採的注釋方法,進行量化統計和種類區分。

　　而經由本文的分析結果看來,仁齋於《論語古義》中所採的「論曰」「朱子曰」「孟子曰」「推測編者」等四大注釋方法,既與兼采程、朱的林家之《論語》注解、或是駁採程、朱、陸、王的木下順庵一派之《論語》注解不同,也有別於博士家的折衷新舊之《論語》注解,更異於專主朱子《論語集注》的崎門派、或是專主陽明學的中江藤樹江西學派之《論語》注解❸,當然也不僅只是以假名來翻譯《論語》而已。就如本文第四部分所分析的,《論語古義》中採用的四大方法中,「論曰」其實就可視爲是仁齋就《論語》所解讀出的「意味」,而爲了求出此「意味」,乃有必要依靠同屬聖人「血脈」的「孟子曰」之文來判斷,並輔以可看出《論語》行文語氣脈絡之「文勢」的「推測編者」來決定古義爲何。而四大要素中較不受仁齋重視的「字意」,則多靠《論語集注》中的「朱子曰」之文來界定,因而也多將此置於構成《論語古義》一書之「論語本文」「小注」「大注」「論注」四個層次中,處理每章之語彙、大意的「小注」裡。至於「孟子曰」則大部分被引用在叮嚀讀者於閱讀《論語》時該注意什麼事項的「大注」中,另一部分則被用於發明聖人旨意的「論注」上。由此可知,仁齋乃是基於其自身所謂注解經典時不可欠缺的「意味」、「血脈」、「文勢」、「字意」四大要素,來成就其經典詮釋之理念,並發展出一套他自己的經典注解方法。所以即便仁齋的古義被評爲非眞古義,但從本文的分析看來,仁齋於《論語古義》中所使用的注釋方法,基本上是相當符合其自身的經典詮釋理念的。

---

❸　中江藤樹之學,歷經三大變遷。初信奉程朱,後又雜神仙浮屠,專倡「愛敬」二字,至三十七歲正保元年(1644),以讀《陽明全集》而開悟,遂專志於王學。其著作之《鄉黨翼傳》與《學庸論語解》,前者爲其中年時之作品,後者則爲晚年之作。其中《論語解》只對〈學而時習〉、〈子絕四〉、〈君子之於天下也〉、〈逸民伯夷叔齊〉、〈回也其庶乎〉、〈君子坦蕩蕩〉、〈參乎吾道一以貫之〉、〈君子不重則不威〉、〈顏淵問仁〉等九章加以注解。

附錄：各篇注釋方法分類統計表

解釋方法 篇名	論　日	引朱氏曰	引孟子曰	推測編者
學而	6	2	2	1
爲政	3	3	4	1
八佾	4	4	1	1
里仁	5	6	4	1
公治長	5	4	4	4
雍也	6	4	2	3
述而	13	8	6	2
泰伯	1	5	1	1
子罕	8	5	4	1
鄉黨	0	7	0	0
先進	6	7	2	1
顏淵	1	9	1	0
子路	5	6	2	1
憲問	11	8	3	0
衛靈公	3	5	1	0
季氏	3	1	1	1
陽貨	4	9	3	1
微子	3	5	1	0
子張	3	6	0	0
堯曰	2	4	0	0
總計	92	108	41	19
未採者	鄉黨	無	鄉黨 子張 堯曰	堯曰 微子・子張 衛靈公 憲問・微子 鄉黨・顏淵

1. 《論語古義》中、四大注釋方法所占比例圖

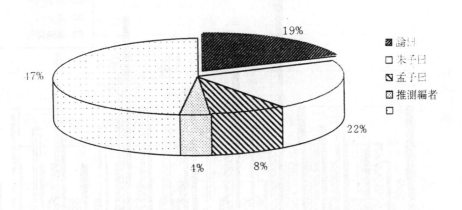

4. 「論注」中、仁齋對先儒、後儒、後學、舊註、宋儒、朱熹、佛老、老莊、禪學等各項批判所占比例圖

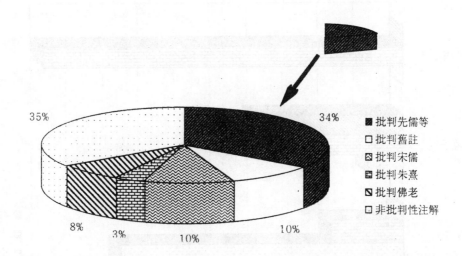

2.四大注釋方法於《論語》各篇中之分配比例圖

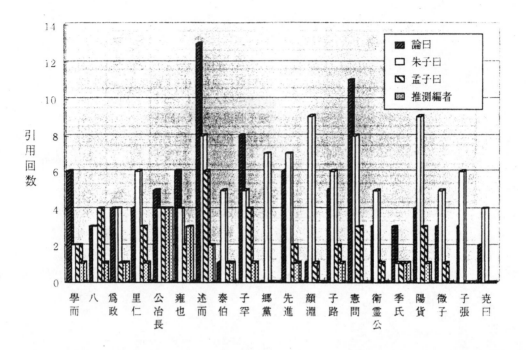

3.「小注」「大注」「論注」中、「朱子曰」「孟子曰」「推測編者」三大注釋方法之
分配比例圖

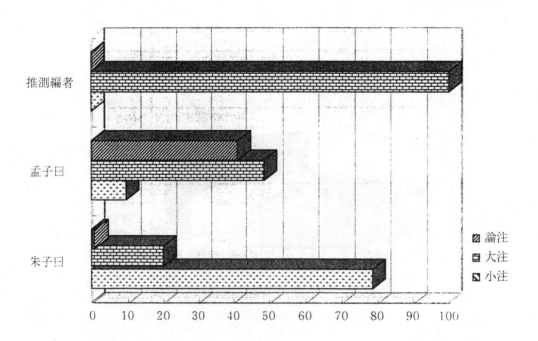

表　　一

論				曰
卷	｜	篇　名	章	名
一	3	學　而	有子曰，其為人也。	
	5		曾子曰，吾日三省吾身。	
	7		子曰，弟子入則孝。	
	9		子曰，君子不重則不威。	
	12		有子曰，禮之用和為貴	
	15		子貢曰，貧而無諂。	
				6
	17	為　政	子曰，詩三百一言以蔽之。	
	20		子曰，吾十又五而志于學	
	27		子曰，攻乎異端。	
				3
二	3	八　佾	子曰，人而不仁如禮何。	
	3		林放問禮之本。	
	6		子夏問曰，巧笑倩兮。	
	10		祭如在，祭神如神在。	
				4
	21	里　仁	子曰，惟仁者能好人能惡人。	
	22		子曰，苟志於仁矣。	
	25		子曰，人之過也。	
	29		子曰，參乎，吾道一以貫之。	
				4
三	6	公冶長	孟武伯問子路仁乎。	
	9		子貢曰，夫子之文章。	
	12		子謂子產，有君子之道四焉。	
	12		子曰，晏平仲善與人交。	
	20		子曰，十室之邑，必有忠信如丘者。	
				5
	21	雍　也	哀公問，弟子孰為好學。	
	24		子曰，回也其心三月不違仁。	

卷	丁	篇　名	章　　　　　名
			論　　　　　曰
三	27	雍　也	季氏使閔子騫爲費宰。
	29		冉求曰，非不說子之道。
	35		子曰，齊一變至於魯。
	37		子曰，君子博學於文。
			6
四	1	述　而	子曰，述而不作
	4		子曰，甚矣。吾哀也久矣。
	5		子曰，志於道。
	9		子在齊聞韶。
	12		子曰，加我數年。
	14		子所雅言詩書。
	16		子不語怪力亂神。
	17		子曰，二三子以我爲隱乎
	18		子以四教，文行忠信。
	20		子釣而不綱。
	22		子曰，仁遠乎哉
	23		陳司敗問，昭公知禮乎。
	27		子曰，奢則不孫。
			13
	34	泰　伯	子曰，興於詩
			1
五	2	子　罕	子曰，麻冕禮也。
	6		子曰，吾有知乎哉
	7		子曰，鳳鳥不至。
	9		子貢曰，有美玉於斯。
	10		子欲居九夷。
	11		子曰，吾自衛反魯。
	13		子在川上曰，逝者如斯夫。
	17		子曰，知者不惑。
	18		子曰，可與共學。
			8

卷	丁	篇 名	章 名	
六	1	先 進	子曰，先進於禮樂。	
	2		子曰，從我於陳蔡者。	
	5		顏淵死，子哭之慟。	
	7		季路問事鬼神。	
	15		子路使子羔爲費宰。	
	17		子路曾晳冉有公西華侍坐。	
				6
	20	顏 淵	仲弓問仁。	
				1
七	2	子 路	仲弓爲季氏宰。	
	4		子路曰，衛君待子而爲政。	
	5		樊遲請學稼。	
	13		葉公語孔子曰，吾黨有直躬者。	
	15		子貢問曰，何如斯可謂之士矣。	
				5
	21	憲 問	克伐怨欲不行焉	
	24		子曰爲命，裨諶草創之。	
	28		子曰，晉文公譎而不正。	
	31		子貢曰，管仲非仁者與。	
	36		蘧伯玉使人於孔子。	
	37		子貢方人。	
	40		或曰，以德報怨。	
	41		子曰，莫我知也夫	
	46		子曰，上好禮則民易使也。	
	47		子路問君子。	
	48		闕黨童子將命。	
				11

論　　　　　　　　　　　曰

卷	丁	篇　名	章	名
			論	**曰**
八	2	衛靈公	子曰，由，知德者鮮矣。	
	4	衛靈公	子張問行	
	9		子曰，君子義以爲質。	
				3
	21	季　氏	孔子曰，天下有道。	
	26		孔子曰，君子有九思。	
	27		孔子曰，見善如不及。	
				3
九	2	陽　貨	陽貨欲見孔子。	
	2		子曰，性相近也。	
	4		公山弗擾以費畔。	
	7		子曰，由也，女聞六言六蔽矣乎。	
				4
	19	微　子	齊人歸女樂。	
	19		長沮桀溺耦而耕。	
	23		子路從而後，遇丈人以杖荷蓧。	
				3
十	3	子　張	子夏曰，日知其所亡。	
	6		子游曰，子夏之門人小子。	
	11		衛公孫朝問於子貢，曰仲尼焉學。	
				3
	14	堯　曰	堯曰，咨爾舜。	
	17		寬則德衆。	
				2
全　無　論　注　者			**總　計　章　數**	
鄉　黨　篇			92	

表　　二

			孟子曰・孟子所謂・孟子以・孟子之時・孟子稱・孟子亦曰 孟子亦論・孟子解・若孟子・見孟子者			
卷	丁	篇　名	章　　　　名	小　注	大注	論注
一	2	學　而	有子曰，其爲人也。			●
	6		子曰，道千乘之國。		●	
			2			
	18	爲　政	子曰，道之以政也。	●		
	26		子曰，攻乎異端。			●
	28		子曰，由，誨汝知之乎。		●	
	30		或謂孔子曰，子奚不爲政。		●	
			4			
二	16	八　佾	哀公問社於宰我。		●	
			1			
	23	里　仁	子曰，富與貴是人之所欲也。	●		
	24		子曰，人之過也。		●	
	28		子曰，參乎，吾道一以貫之。			●
			3			
三	8	公冶長	子曰，吾未見剛者。		●	
	14		季文子三思而後行。		●	
	16		子曰，伯夷叔齊不念舊惡。	●	●	
			4			
	25	雍　也	子曰，回也其心三月不違仁。			●●
			2			
四	2	述　而	子曰，述而不作。			●
	12		子曰，飯疏食飲水。			●
	13		子曰，加我數年以學易。			●
	21		互鄉難與言。		●	
	24		子與人歌而善。		●	
	25		子曰，若聖與仁，則吾豈敢	●		
			6			
四	34	泰　伯	子曰，興於詩。			●
			1			
五	12	子　罕	子曰，吾自衛反魯。			●
	13		子在川上曰，逝者如斯夫。			●

孟子曰・孟子所謂・孟子以・孟子之時・孟子稱・孟子亦曰
孟子亦論・孟子解・若孟子・見孟子者

卷	丁	篇　名	章　　　名	小　注	大注	論注
	18	子　罕	子曰，可與共學，未可與適道。			●●
			4			
六	2	先　進	子曰，從我於陳蔡者。			●
	10		季氏富於周公。		●	
			2			
	21	顏　淵	仲弓問仁。			●
			1			
七	7	子　路	子曰，其身正不令而行。		●	
	19		子曰，善人教民七年。		●	
			2			
	25	憲　問	或問子產，子曰，惠人也。		●	
	30		子路曰，桓公殺公子糾。		●	
	47		原壤夷俟。		●	
			3			
八	10	衛靈公	子曰，君子求諸己。		●	
			1			
	27	季　氏	孔子曰，見善如不及。			●
			1			
九	2	陽　貨	子曰，性相近也。			●
	15		子曰，飽食終日，無所用心。		●	
	17		子曰，年四十而見惡焉。		●	
					3	
	18	微　子	微子去之，箕子爲之奴。		●	
					1	

無無引用者	總　計　引　用　章　數	各　類　總　計		
鄉黨・子張 堯曰	41	4	20	17

表 三

卷	丁	篇 名	章 名	小 注	大注	論注
一	8	學 而	子曰，君子不重則不威。	●		
	13		有子曰，信近於義。	●		
			2			
	24	爲 政	子曰，視其所以。	●		
	28		子張學干祿。	●		
	31		子張問，十世可知也。	●		
			3			
二	9	八 佾	祭如在，祭神如神在。	●		
	11		王孫賈問曰，與其媚於奧。	●		
	18		儀封人請見曰，君子之至於斯也。	●●		
			4			
	26	里 仁	子曰，士志於道。	●		
	26		子曰，君子之於天下也。	●		
	28		子曰，不患無位。	●		
	30		子曰，見賢思齊焉。	●		
	32		子曰，古者言之不出。	●		
	32		子曰，德不孤必有鄰。	●		
			6			
三	2	公治長	子貢問曰，賜也何如。		●	
	12		子曰，臧文仲居蔡。	●		
	17		子曰，巧言令色足恭。	●		
	19		子曰，已矣乎。吾未見能見其過而內自訟者也。	●		
			4			
	27	雍 也	伯牛有疾。	●		
	28		冉求曰，非不說子之道。	●		
	31		子曰，誰能出不由戶。	●		
	36		宰我問曰，仁者雖告之曰井有仁焉。	●		
			4			

			朱　氏　曰			
卷	丁	篇　名	章　　名	小　注	大注	論注
四	6	述　而	子曰，不憤不啓，不悱不發。	●	●	
	16		子曰，天生德於予。		●	●
	19		子曰，聖人吾不得而見之矣。	●●		
	24		子與人歌而善。	●		
	24		子曰，文莫吾猶人也。		●	
			8			
	28	泰　伯	子曰，恭而無禮則勞。	●		
	35		子曰，如有周公之才之美。	●		
	39		子曰，大哉，堯之爲君也。	●●		
	40		子曰，禹吾無間然矣。	●		
			5			
五	3	子　罕	子畏於匡。	●		
	4		大宰問於子貢曰。	●		
	9		子貢曰，有美玉於斯。	●		
	13		子曰，譬如爲山。		●	
	14		子謂顏淵曰，惜乎。吾未見其進也。	●		
			5			
	21	鄉　黨	入公門，鞠躬如也。	●		
	23		君子不以紺緅飾。	●●●		
	24		齊必有明衣，布。	●		
	25		祭於公，不宿肉。	●		
	26		君賜食，必正席先嘗之。	●		
			7			
六	9	先　進	子貢問，師與商也，孰賢。	●		
	11		柴也愚。	●●		
	12		子曰，論篤是與。		●	
	13		子畏於匡。	●		
	14		季子然問，仲由冉求，可謂大臣與。		●	
	17		子路曾晳冉有公西華侍坐。	●		
			7			

朱 氏 曰							
卷	丁	篇 名	章 名	小 注	大 注	論注
六	19	顏 淵	顏淵問仁。	●		
	21		司馬牛問仁。		●	
	22		司馬牛問君子。		●	
	23		子張問明。		●	
	26		齊景公問政於孔子。		●	
	27		子路吾宿諾。	●		
	28		子張問政。	●		
	32		樊遲問仁。			
	33		子貢問友。		●	
			10			
七	7	子 路	子謂衛公子荊。	●	●	
	11		定公問，一言而可以興邦。	●		
	14		子貢問曰，何如斯，可謂之士矣。	●		
	15		子曰，不得中行而與之。	●		
	16		子曰，君子和而不同。		●	
			6			
	20	憲 問	憲問恥，子曰，邦有道穀。		●	
	27		子問公叔文子於公門賈曰，信乎。		●	
	35		蘧伯玉使人於孔子。	●		
	36		曾子曰，君子思不出其位。	●		
	38		子曰，不患人之不知己。		●	
	40		或曰，以德報怨如何。		●	
	41		子曰，莫我之也夫。		●	
	44		子擊磬於衛。	●		
			8			
八	3	衛靈公	子張問行。	●		
	8		子曰，不曰如之何，如之何者。	●		
	15		子曰，君子不可小知。	●		
	17		子曰，事君敬其事而後其食。	●		
	18		師冕見及階，子曰，階也。	●		
			5			

卷	丁	篇 名	章 名	小 注	大 注	論注
			朱 氏 曰			
八	28	季 氏	齊景公有馬千駟。	●		
			1			
九	1	陽 貨	陽貨欲見孔子。	●		
	3		子之武城，聞弦歌之聲。		●	
	5		佛肸召，子欲往。	●		
	11		子曰，古者民有三疾。	●●●		
	13		孺悲欲見孔子。	●		
	14		宰我問三年之喪。	●		
	17		子曰，年四十而見惡焉。		●	
			9			
	21	微 子	長沮桀溺耦而耕。	●●		
	22		子路從而後，遇丈人以杖荷蓧。	●		
	24		逸民伯夷叔齊。	●		
	24		大師摯適齊。		●	
			5			
十	1	子 張	子張曰，士見危致命。	●		
	4		子夏曰，君子有三變。	●		
	6		子游曰，子夏之門人小子。	●		
	9		孟氏使陽膚為士師。	●		
	13		陳子禽謂子貢曰，子為恭也。	●●		
			6			
	15	堯 曰	曰，予小子履，敢用玄牲。	●●		
	17		子張問於孔子曰，何如斯可以從政。	●●		
			4			
			總 計 引 用 章 數	**各 類 總 計**		
			108	85	22	1

表 四

推測編集者之編輯目的·編集意圖·編輯理由							
卷	丁	篇 名	章 名		小 注	大注	論注
一	4	學 而	子曰，君子不重則不威。			●	
				1			
	26	爲 政	子曰，君子周而不比。			●	
				1			
二	1	八 佾	孔子謂季氏，八佾舞於庭。			●	
				1			
	31	里 仁	子曰，三年無改於父之道。			●	
				1			
三	1	公冶長	子謂，公冶長可妻也。			●	
	10		子路有聞，未之能行。			●	
	15		子在陳曰，歸與歸與。			●	
	17		子曰巧言令色。			●	
				4			
	23	雍 也	子華使於齊。			●	
	24		子謂仲弓曰，犂牛之子騂且角。			●	
	38		子見南子，子路不說。			●	
				3			
四	4	述 而	子之燕居，申申如也。			●	
	9		子之所慎齊戰疾。			●	
				2			
	36	泰 伯	子曰，篤信好學。			●	
				1			
五	2	子 罕	子曰，麻冕禮也。			●	
				1			

推 測 編 集 者 之 編 輯 目 的・編 集 意 圖・編 輯 理 由						
卷	丁	篇 名	章 名	小 注	大 注	論注
六	9	先 進	子曰，由之瑟，悉爲於丘之門。		●	
			1			
七	10	子 路	子曰，爲正其身矣。		●	
			1			
八	22	季 氏	孔子曰、祿之去公室五世矣。		●	
			1			
九	6	陽 貨	肸肸召，子欲往。		●	
			1			
總 計 篇 數			總 計 章 數	各 類 統 計		
13			19	0	19	0

表 五 之 一

卷	丁	篇　名	章　　　　名	小　注	大注	論注
一	2	學　而	有子曰，其爲人也孝弟。			●
	5		曾子曰，吾日三省吾身。			●●
			3			
	17	爲　政	子曰，詩三百一言以蔽之。			●
	22		子夏問孝，子曰色難。		●	
	27		子曰，攻乎異端。		●	
			3			
二	2	八　佾	林放問禮之本。			●
	8		子曰，夏禮吾能言。		●	
			2			
	29	里　仁	子曰，參乎，吾道一以貫之。			●
			1			
	10	公冶長	子貢曰，夫子之文章。			●
			1			
三	25	雍　也	子曰，回也，其心三月不違仁。			●
	28		子曰，賢哉回也。		●	
	39		子曰，中庸之爲德也。		●	
			3			
四	2	述　而	子曰，述而不作。			●
	5		子曰，志於道。			●
	9		子在齊聞韶。			●
	10		子在齊聞韶。			●
	14		子所雅言詩書。			●
	18		子以四教。			●
	22		子曰，仁遠乎哉。			●
	27		子曰，奢則不孫。			●
			8			
	29	泰　伯	子曰，恭而無禮則勞。		●	

批 評 先 儒・後 儒・諸 儒・後 學 者

			批 評 先 儒 · 後 儒 · 諸 儒 · 後 學 者			
卷	丁	篇 名	章 名	小 注	大 注	論 注
四	34	泰 伯	子曰，興於詩			●
	40		舜有臣五人。		●	
			3			
五	2	子 罕	子曰，麻冕禮也。			●
	18		子曰，知者不惑。			●
	18		子曰，可與共學。			●
			3			
六	2	先 進	子曰，從我於陳蔡者。			●
	18		子路曾晳冉有公西華侍坐。			●
			2			
七	13	子 路	葉公語孔子曰，吾黨有直躬者。			●
			1			
	21	憲 問	克伐怨，欲不行焉。			●
	29		子曰，晉文公譎而不正。			●
	36		蘧伯玉使人於孔子。			●
	47		子路問君子。			●
			4			
八	4	衛靈公	子張問行。			●
			1			
	26	季 氏	孔子曰，君子有九思			●
	28		孔子曰，見善如不及。			●
			2			
九	23	微 子	子路從而後。			●
			1			
十	8	子 張	子游曰，吾有張也。		●	
	11		衛公孫朝問於子貢。			●
			2			
全 無 批 評 者			總 計 批 評 章 數	各 類 統 計		
鄉黨·顏淵· 陽貨·堯曰			39	0	8	32

表 五 之 二

卷	丁	篇 名	章 名	小 注	大注	論注
			明 白 批 評 宋 儒 者			
一	12	學 而	有子曰，禮之用和爲貴。			●
			1			
	20	爲 政	子曰，吾十有五而志于學。			●
			1			
	3	八 佾	子曰，人而不仁如禮何。			●
		、	1			
	21	里 仁	子曰，惟仁者能好人能惡人。			●
	22		子曰，苟志於仁矣。			●
			2			
	1	述 而	子曰，述而不作。			●
			1			
	5	先 進	顏淵死，子哭之慟。			●
			1			
	14	堯 曰	堯曰，咨爾舜。			●
	17		寬則得衆。			●
			2			
總 計 篇 數		總 計 章 數		各 類 統 計		
7		9		0	0	9

表 五 之 三

卷	丁	篇 名	章　　　名	小　注	大注	論注
			明　白　批　評　朱　注　者			
四	17	述 而	子曰，天生德於予。			●
			1			
七	38	憲 問	子貢方人。			●
			1			
十	6	子 張	子游曰，子夏之門人小子			●
			1			
總　計　篇　數			總　計　章　數	各　類　統　計		
3			3	0	0	3

表 五 之 四

卷	丁	篇 名	章　　　名	小 注	大 注	論 注
		明　白　批　評　舊　注（舊解）者				
一	12	學 而	有子曰，禮之用和爲貴。			●
			1			
二	3	八 佾	林放問禮之本。			●
			1			
三	20	公冶長	子曰，十世之邑，必有忠信如丘者。			●
			1			
四	23	述 而	陳司敗問，昭公知禮乎。			●
			1			
五	6	子 罕	子曰，吾有知乎哉。			●
			1			
七	13	子 路	葉公語孔子曰，吾黨有直躬者。			●
			1			
	27	憲 問	子路問成人。		●	
	37		子貢方人。			●
			2			
八	27	季 氏	孔子曰，見善如不及。			●
			1			
九	2	陽 貨	陽貨欲見孔子。			●
			1			
總　計　篇　數			**總　計　章　數**	**各　類　統　計**		
9			10	0	1	9

表 五 之 五

批 評 佛 氏 · 禪 學 · 佛 老 · 老 莊 者							
卷	丁	篇　名	章　　　　　名	小　注	大注	論注
一	5	學　而	曾子曰，吾日三省吾身。			●
					1	
	20	爲　政	子曰，吾十有五而志于學。			●
	27		子曰，攻乎異端。			●
					2	
二	8	八　佾	子曰，夏禮吾能言。		●	
	14		定公問，君使臣，臣事君，如之何。		●	
					2	
四	14	述　而	子所雅言詩書。			●
					1	
八	9	衛靈公	子曰，君子義以爲質。			●
					1	
九	21	微　子	長沮桀溺耦而耕。			●
					1	
十	11	子　張	衛公孫朝問於子貢。			●
總　計　篇　數			總　計　章　數	各　類　統　計		
7			9	0	2	7

報應理論釋疑——以〈釋疑論〉為中心的論述

林惠勝

一、前　言

「福善禍淫」的報應觀念，是世俗倫理教化不可或缺的道德金律，遠在先秦時代已成爲流行的觀念，如《尚書·湯誥》說：「天道福善禍淫。」《周易·坤卦·文言傳》曰：「積善之家有餘慶，積不善之家有餘殃。」《墨子·法儀》曰：「愛人利人者，天必福之；惡人賊人者，天必禍之；曰殺不辜者，得不祥焉。」……類似言論，不勝枚舉。這種善惡報應的觀念，深植民心，成爲人們生活倫理的指南，如陳平自以爲一生陰謀太多，子孫必不能當官食祿❶。相反的，如于定國的父親于公自以爲治獄多陰德，子孫定能飛黃騰達❷。近者如高隆之性多慘毒，終至家門殄滅，「論者謂有報應焉。」（《北齊書》卷一八）崔浩非毀佛法，後慘被戮辱，「世皆以爲報應之驗也。」（《魏書》卷三五）

世俗的報應說，大抵肯定「主宰天」或鬼神的存在，作爲報應的主宰、執行者，俗話說：「舉頭三尺有神明。」「天」是有意志的主宰者，能主宰人類的命運，對人們的善惡行爲，依賞善罰惡的法則，給予相應的賞罰。鬼神則是幫助天來執行賞罰的任務。其次「天道無親，常與善人」，天道的報應必須是公正不阿，才能成爲道德的金律。

但是有意志的「天」或鬼神的存在，只是不可證明的終極預設，它屬於信、不信的信仰問題，而不是眞僞的知識範疇。其次在經驗世界中，卻有不少與「福善禍淫」不符

---

❶　《史記·陳丞相世家》陳平曰：「我多陰謀，是道家之所禁，吾世即廢，亦已矣。終不能復起，以吾多陰禍也。」他如〈白起、王翦傳〉：客曰：「不然，夫爲將三世必敗。必敗者何也？必其所殺伐多矣，其後受其不祥。」〈李將軍列傳〉王朔曰：「禍莫大於殺已降，此乃將軍所以不得侯者也。」此等皆是報應的顯例。

❷　《漢書·雋疏于薛彭傳》曰：「始定國父于公，其閭門壞，父老共治之。于公曰：少高大閭門，令容駟馬高蓋車。我治獄多陰德，未嘗有所冤，子孫必有興者。（卷七一）

的例子，如司馬遷在《史記·伯夷列傳》中，慨歎伯夷、叔齊的餓死首陽山，進而發出對「天道」有無的質疑，訴盡了千古不平之人的心曲，他說：

> 或曰：「天道無親，常與善人。」若伯夷、叔齊，可謂善人者，非邪？積仁絜行
> 如此而死。且七十子之徒，仲尼獨薦顏淵好學，然回也屢空，糟糠不厭，而卒蚤
> 夭，天之報施善人，其何如哉？盜跖日殺不辜，肝人之肉，暴戾恣睢，聚黨數千
> 人，橫行天下，竟以壽終。是尊何德哉？此其尤大彰明較著者也。——余甚惑焉。
> 儻所謂天道，是邪？非邪？

在世俗的天道觀中，「天」原是公正不阿，賞善罰惡的。所以善人必定得善報，惡人也必遭受天殃。太史公卻舉出伯夷、叔齊、顏淵作為反證，他們雖然為善，卻遭受厄運；盜跖行大惡，反而得到善終。因此太史公質疑「天道公平」嗎？是否有「天道」呢？也就是對善惡報應的質疑。王充是東漢著名的無神論思想家，他既否認「天」的有意志，也不相信鬼神的存在，《論衡》〈幸偶〉、〈命義〉等篇中，質疑善惡報應說，例如：

> 秦將白起坑殺趙卒於長平之下，四十萬眾同時皆死；春秋之時，敗績之軍，死者
> 蔽草，尸且萬數。——歷陽之都，男女俱沒；長平之坑，老少並陷。數萬之中，
> 必有長命未當死之人。（〈命義〉）
> 俱行仁義，禍福不均；並為仁義，利害不同。晉文修文德，徐偃行仁義。文公以
> 賞賜，偃王以破滅。（〈幸偶〉）

在天災人禍之際，同時遭難者，往往數萬人，王充因此質疑：難道這些人行為的善惡都一致嗎，不然為何受到相同的災禍呢？他又以徐偃王與晉文公俱行仁義（行為一致），但遭遇卻完全相反。前者是境遇（果）相同，而行為（因）不同；後者是行為相同（因），遭遇（果）卻不同。王充以此證明善惡報應說的不可信，而提出「性命分立說」以解決報應的問題❸。

魏晉南北朝是中國宗教文化建立的重要時期。東漢末年以來，接續數百年社會秩序的動盪不安，人們生命的朝不保夕，更冀求宗教慰藉的傾向。印度佛教的適時傳入，逐步被接納、轉化，「佛教的中國化」❹，而成為中國文化的一環。佛教傳入中國之初，

---

❸ 詳參拙著〈承負與輪迴——報應理論建立的考索〉，文見《海峽兩岸道教文化學術研討會論文》。

❹ 以輪迴說為例，滉山雄一謂：印度的輪迴說是建立在「一切皆苦」的苦業意識上。中國的輪迴說則具有樂天的色彩，是人們遭遇社會的不合理現象，而原來的中國思想不能予以合理的解釋，乃轉向佛教的輪迴說，以求得心理的慰藉。（〈慧遠·報應說·神不滅論〉，文見木村英一主編《慧遠研究——研究篇》，P.96）

就非常重視輪迴報應，它對人心的震撼，袁宏《後漢紀》曰：「王公大人，觀死生報應之際，莫不瞿然自失。」輪迴報應說的感動人心，尤有助於佛教的傳播。如《高僧傳》記載安世高之死於會稽市中，乃是還其「餘報」，當時「遠近聞知，莫不悲慟，明三世之有徵也。」❺。康僧會「敍報應近事」，以開導暴虐的孫皓，並敍明佛教所明善惡報應之訓❻。所以袁宏的《後漢記》說到佛教初傳中國的情形，說：「又以爲人死精神不滅，隨復受形，生時善惡，皆有報應。故貴行善修道，以練精神，以至無生而得爲佛也。」（《漢書·楚王英傳》，卷二〇）。道教的興起，漢末有太平道和五斗米道，在《太平經》中，已提出「承負說」的報應理論❼。大抵宗教的教化，不得不涉及善惡報應的道德金律。因此「善惡報應」問題，成爲六朝思想史的重要範疇之一。

「報應」理論的建立，牽涉的問題不少，如：「是否有『報應』」？這是最基本的問題，如果肯定有的話，如何解釋經驗世界中，善惡報應不符的現象。它又牽涉到諸如報應主體的問題，更涉及「神滅、不滅」的爭論。在牟子的《理惑論》中，已提及「神不滅」的問題❽。至范縝撰〈神滅論〉，梁武帝親撰〈敕答臣下神滅論〉，且命臣下討論，臣下答書計有62人之多❾。神滅論的爭議達到最高峰。其次受報者爲誰：是行爲者當身自己？或者是抱括行爲者的直系親屬，如禍延或餘蔭子孫？若是行爲者自身的前、後世，則必須先肯定「三世」的存在，這又遷涉到有無「三世」的爭議。善惡報應更會涉及「善、惡」的問題，行爲（包括意識）的善惡，與果報的「善惡」也不同。後者如道教以「壽命」爲善惡，短壽（減算）是惡報，死是最大的惡報。相反的「增壽」以延長住世是善的果報，長生不死是最大的善報。佛教則不同，以六道的高低作爲基本的善惡果報，解脫生死，入於涅槃，或往生西方極樂世界是最善的果報；下地獄受諸苦則是惡報的極致。

---

❺ 梁慧皎撰，湯用彤校注《高僧傳》，卷一，譯經上，P.6.北京中華書局，1992年10月，第1版。

❻ 康僧會曾比較儒佛報應之說，《高僧傳》云：皓問曰：「佛教所明，善惡報應，何者是耶？」會對曰：「夫明主以孝慈訓世，則赤烏翔而老人見；仁德育物，則醴泉涌而嘉苗出。善既有瑞，惡亦如之。故爲惡於隱，鬼得而誅之；爲惡於顯，人得而誅之。易稱：『積善餘慶。』詩云：『求福不回。』雖儒典之格言，即佛教之明訓。」皓曰：「若然，則周孔已明，何用佛教？」會曰：「周孔所言，略示近跡。至於釋教，則備盡幽微。故行惡則有地獄之苦，修善則有天宮永樂。舉茲以明勸沮，不亦大哉！」（同上，P.17）康僧會巧妙的利用儒家的格言，說明佛教報應說的意義，並點明它在教化上的殊勝。亦足見報應說在佛教教化上的重要性。

❼ 詳參拙著〈承負與輪迴——報應理論建立的考索〉，同註❸。

❽ 牟子曰：「魂神固有不滅矣，但身自朽爛耳。身譬如五穀之根葉，魂神如五穀之種實。根葉生必當死，種實豈有終亡？」《弘明集》，卷一，大正52，3中。

❾ 見《弘明集》，卷九、十，大正五二、五四上～68下。

慧遠的〈三報論〉❿可以說是六朝時伸明佛教的報應理論的代表作，他是「因俗人疑善惡無現驗作」。「俗人」即是指戴逵（安道）。安道撰有〈釋疑論〉，並呈送慧遠，〈與遠法師書〉曰：「近作此〈釋疑論〉，今以相呈，想消息之餘，脫能尋省。」先是周道祖撰〈難釋疑論〉，安道又有〈釋疑論答周居士難〉，並與慧遠往復論說❶，慧遠乃有〈三報論〉之作，以釋群疑。本文即以環繞〈釋疑論〉爲中心，就戴逵與慧遠、周道祖等對善惡的報應的論辯，闡述此一公案的意義，希冀對中國報應理論的建立，有更顯豁的認識。

二、戴逵與〈釋疑論〉

戴逵字安道，爲六朝重要的隱逸人物，傳記見於《晉書・隱逸傳》（卷九四，P2257～2259），師事當時的重要儒者范宣❷，棲隱於會稽剡縣，六朝名士樂愛山水。江東山水，剡縣尤奇，名士、名僧，多徜徉於此❸。安道具有深厚的藝術造詣，善畫，彫鑄佛像尤爲傳神，能感動人，妙論琴書。六朝人物的人格理想是以兼習儒釋道或玄儒文史，具有琴棋書畫的藝術修養的「通人」爲目標❹，戴逵可以說是典型的「通人」。

戴逵所以撰作〈釋疑論〉，蓋由於自身體驗，感慨報應說的無徵，而體認窮達自有定分，無關於善惡，〈與遠法師書〉曰：

> 安公和南。弟子常覽經典，皆以福禍之來，由於積行。是以自少束脩，至于白首，行不負於所知，言不傷於物類。而一生艱楚，備經顧景，塊然不盡唯己。夫眞理難推，近情易纏。每中宵幽念，悲慨盈懷。始知修短窮達，自有定分，積善積惡之談，蓋是勸教之言耳。近作釋疑論，今以相呈。想消息之餘，脫能尋省。
> （《廣弘明集》，大正52，P.222中）

戴逵在書中，陳述親身的經驗，畢生服膺經典的教訓，卻不免「一生艱楚，備經顧景」，感慨報應的無徵。這種善惡無報的情形，徵之歷史，所在多有，〈釋疑論〉曰：

---

❿ 文見《弘明集》，卷五，大正五二，三四中。

❶ 〈釋疑論〉及相關論難諸書文，見《廣弘明集》，卷一八，大正五二，二二一下～二二四上。

❷ 范宣博綜群書，尤善三禮。臾璮曾以宣「何以『太儒』」爲問，宣曰：「漢興貴經術，至於石渠之論，實以儒爲弊。正始以來，世尚老莊，逮晉之初，競以裸裎爲高。僕誠太儒，然丘不與易也。」

❸ 名士如謝靈運、王羲之、孫綽、名僧如竺法潛、支道林、于法蘭……等，都徜徉於會稽的自然山水之中。

❹ 參吉川忠夫〈六朝士大夫的精神生活〉，文見劉俊文主編，許洋主等譯《日本學者研究中國史論著選譯》第七卷「宗教思想」，北京中華書局，1993年9月第1版。

> 堯舜大聖，朱均是育；瞽叟下愚，誕生有舜。
>
> 顏回大賢，早夭絕嗣；商臣極惡，令胤克昌。
>
> 夷叔至仁，餓死窮山；盜跖肆虐，富樂自終。
>
> 比干忠正，斃不旋踵；張湯酷吏，七世牛貂。（《廣弘明集》卷一八，P.222上）

戴逵所舉的例子前者是行善而受惡報，後者是爲惡而受善報，兩者的尖銳對比，突顯出報應說的無徵。其中堯舜、瞽叟、商臣、張湯是針對以「家」爲受報對象的反駁，指斥餘蔭、餘殃說的無當。顏回、夷叔、盜跖、比干則就自身受報的不當立說。這是針對中國傳統的報應說立論，無涉及佛教的三世輪迴。在〈釋疑論〉的開始，就借安處子的問，點出了傳統報應說的不足，他說：

> 安處子問於玄明先生曰：「蓋聞：『積善之家，必有餘慶；積不善之家，必有餘殃。』又曰：『天道無親，常與善人。』斯乃聖達之格言，萬代之宏標也。此則行成於己身，福流於後世；惡顯於事業，獲罪乎幽冥。然聖人爲善，理無不盡，理盡善積，宜歷代皆不移。行無一善，惡惡相承，亦當百世俱闇。是善有常門，惡有定族。後世修行，復何益哉！又有束脩履道，言行無傷，而天罰人楚，百罹備嬰；任性恣情，肆行暴虐，生保榮貴，子孫繁熾。推此而論，積善之報，竟何在乎？」（P.221下）

戴逵借安處子的口中，道出了傳統的報應說有一極大的問題，即「善有常門，惡有定族」的問題，而流於「宿命」，產生修行無益的論調，也否定了報應說在道德教化上的倫理意義。至於說「束脩履道，言行無傷，而天罰人楚，百罹備嬰」即是戴逵的自述，與〈與遠法師書〉中的自述無異。

「善有常門，惡有定族」的問題也反映出六朝重門第的社會現象。「堯舜大聖，朱均是育；瞽叟下愚，誕生有舜」即是說明它違反報應的法則，蓋堯、舜是大聖人，他們的行爲當然是善的，「積善之家必有餘慶」因此堯、舜的後代——朱、均必也得到堯、舜的餘蔭；相反的，瞽叟下愚，卻誕生了舜這樣的聖人。以此逆推則報應法則，豈不會造成「善有常門，惡有定族」的結果。

「常門、定族」使得報應理論，成爲一種「宿命觀」。既然善惡是由祖先行爲的善惡所決定，則我的努力也是枉然的，修行爲善又有何益處呢？因此報應說的教化本意，豈不蕩然無存。

報應說既然無徵，戴逵乃認爲：人之「脩短、窮達，自有定分」無關於善惡報應。於是行爲的善惡與果報間的不相符合，乃可迎刃而解，〈釋疑論〉假玄明先生之口，道出此意，曰：

夫人資二儀之性以生，稟五常之氣以育，性有脩短之期，故有彭殤之殊；氣有精
粗之異，亦有賢愚之別，此自然之定理，不可移者也。——故知賢愚、善惡、脩
短、窮達，各有分命，非積行之所致也。(P.222上)

戴逵依然抱持著兩漢以來的氣化宇宙論，說明人的生成化育。甚至將人的「賢愚、
善惡、脩短、窮達」都歸之於稟「氣」的厚薄、精粗，這何嘗不也是一種「宿命觀」呢？
王充也遇到與戴逵相同的問題，《論衡·幸偶篇》即以虞舜、孔子為例，說明報應的不
合理❺，於是他提出「性、命分立說」，以為「操行善惡，性也；福禍吉凶，命也」
(《論衡·命義篇》)性、命是兩不相干的❻，以此解決報應不符的問題，但終究也流於
「宿命」的傾向。魏晉以來玄學的發展，帶有濃厚的道家傾向，自然氣化宇宙論廣為流
行，反對報應說者，多持此觀點，如朱世卿的〈性法自然論〉曰：

人為生最靈，腐自然之秀氣，稟妍媸盈減之質，懷哀樂喜怒之情，挺窮達脩短之
命，封愚智善惡之性……皆由自然之數，無有造為之者。……(禍淫福善)微其事
也，萬不一驗。……天道以重華文命答瞽叟之極愚，以商均、丹朱酬堯舜之至聖。
太伯三世無飢兵之咎，而假嗣於仲虞；漢祖七葉不聞篤善之行，遂造配天之業。
箕稱享用五福，身抱夷滅之痛；孔云慶鍾積善，躬事旅人之悲。顏冠七十之上，
有不秀之旨；冉在四科之初，致斯人之歎。……善惡報應，天道有常而關哉？譬
如溫風轉華，寒飆颺雪，有委溲糞之下，有累玉階之上，風飆無心於厚薄，而華
霙有穢淨之殊；天道無心於愛憎，而性命有窮通之異。(《廣弘明集》，卷二二，大
正五二，P.255上)

朱世卿固持氣化宇宙論，肯定人是稟自然之秀氣而生，依稟氣的精粗厚薄，而有妍
媸盈減之質、哀樂喜怒之情、窮達脩短之命、愚智善惡之性，這是自然之數，也是自然
的命定，不僅是人們無法自我作主❼，他也否認造物者的存在，因此也無「他者」可以

---

❺ 《論衡·幸偶篇》曰：「虞舜，聖人也，在世宜蒙全安之福。父頑母嚚，弟象狂，無過見憎，不惡而得
罪，不幸甚矣。孔子，舜之次也，生無尺土，周流應聘，削跡絕糧。俱以聖才，並不幸偶。舜尚遭堯受
禪，孔子已死於闕里，以聖人之才，猶不幸偶（禍）；庸人之中，被不幸偶禍，必眾多矣。」

❻ 詳參註❸拙文。

❼ 戴逵也否認主宰者的存在，在〈釋疑論答周居士難〉中，他說：「善惡福禍，或有一見，斯自遇與事會，
非冥司之真驗也。何以明之？若其有司，當如之治國長之一家，善無微而不賞，惡無纖而必罰。使修行
者保其素履，極逆者受其酷禍。然後積善之家，被餘慶於後世；積不善之家，流殃各乎來世冑。而今則
不然，或惡深而莫誅，或積善而禍臻，或履仁義而亡身，或行肆虐而降福。豈非無司而自有分命乎？」
(《廣弘明集》，大正52，P.223下)

掌握人們的宿命。善惡報應說，企圖由人們行爲的善惡，以冀求福禍的果報，以掌握、

掌握人們的宿命。善惡報應說，企圖由人們行爲的善惡，以冀求福禍的果報，以掌握、改變人們的命運，也是奢談。朱氏又舉出堯舜、太伯、劉邦、孔子、顏淵——等例證明福善禍淫的報應說法，徵諸經驗事實，「萬不一驗」。對於人稟氣的精粗厚薄，完全是「偶然」的，也就是人們性命的窮通，完全是偶然的，朱氏提出了一箇非常巧妙的比喻，他說人的稟氣受命，「譬如溫風轉華，寒飆颰雪，有委溲糞之下，有累玉階之上，風飆無心於厚薄，而華霰有穢淨之殊。」(P.255中)

最後戴逵指出善惡報應之說，乃聖人「勸教」之言。他說：「積善積惡之談，蓋施於勸教耳。」所謂「勸教之言」，是指聖人教化世俗愚民百姓時的權巧方便之說，目的在於「勸善」 ❶，重點在於求「善」，不必然爲·「眞」。若君子處心固不爲求善報而行善❶，因此善惡報應說，對君子之人，也無所施用，他說：「君子行己處心，豈可更須臾而忘善哉！何必循教責實，以期報應乎？」(〈釋疑論〉)言下之意，則報應之說，只是施於凡愚的勸教之談，它既然不必爲「眞」，或許只是欺騙凡愚大衆的善意謊言而已。

三、周道祖的〈難釋疑論〉

戴逵撰成〈釋疑論〉後，就呈送給慧遠法師，請求法師指正❷。慧遠並沒有直接回應，而是寄周道祖的〈難釋疑論〉代答，〈遠法師答〉曰：

> 去秋與諸人共讀君論，並亦有同異。觀周郎作答，謂世典與佛教，粗是其中。今封相呈想。暇日能力尋省。(《廣弘明集》，卷一八，大正52，P.222中)

慧遠並不同意戴逵的論說，並且將〈釋疑論〉與東林諸子共同討論，想見當日對戴逵的論說，必有不少論難的討論，慧遠法師以爲周道祖的〈難釋疑論〉(《廣弘明集》卷一八，

---

❶ 釋道恒〈釋駁論〉借東京束教君子曰：(沙門)乃大設方便，鼓動愚俗：一則誘喻，一則迫脅。云：行惡必有累劫之災，修善則有神明之祐。……考現事以求微，並未見其驗眞。(弘明集卷六，大正五二，P35中)則當時或以佛教輪迴報應之說，乃用以勸誘愚民，未必是眞。何尚之〈答宋文帝讚揚佛教事〉，則以經史亦有勸教之說，不若佛教之可信，他說：夫神道助教，有自來矣。雷霆所擊，暑雨恒事，及展廟遇震，而書爲隱惡。桀紂之朝，冤死者不可稱紀，而周宣旱景，獨以淫刑受祟。檢報應之數，既有不符，徵古今之例，祇更增惑。而經史載之，以彰勸誡，萬一影像，猶云深功。豈若佛教，責言義則有可然可信之致，考事實，又無已乖已妄之咎。(同上，P.70上)

❶ 孟子在說明四端之心時，舉孺子入井爲例，最足以說明君子之行善，不爲某目的而行，是四端之心的直接呈顯。比諸馮友蘭在《新原人》中，論及人生四大境界，則報應說下的善行，只是功利境界。戴逵所說的君子則是道德境界。

❷ 參戴逵〈與遠法師書〉，見《廣弘明集》，卷一八，P.222中。

大正五二，P.222下）最能符合自己的意思，於是以〈難釋疑論〉回應戴逵。周文應該可以代表慧遠的意見。

周道祖認爲戴逵的「分命」說，沒有把握到問題的根本，他說：「審分命之守，似未照其本耳。」對于報應不符的情形，周道祖也有和戴逵同樣的疑惑，這是報應論爭的問題根源。但是周道祖和戴逵解決問題的路向不同，周道祖先由儒家的經籍，尋求解決，不但不能如願，反而更加迷惑。於是轉向佛教追求㉑，終於在佛教的三世輪迴報應說中，得到解決的答案，他說：「福善莫驗，亦僕所常惑。雖周覽六籍，逾深其滯。及睹經教，始昭然有歸。」但是周道祖並沒有直接陳述佛教的報應理論，以消彌戴逵的疑惑。他從「勸教」立說，他認爲即使是「勸教」，也必須是「宅情於理」、「傍實而動直」。就此點來說，周道祖的說法顯然較爲合理。以儒家的經、權來說，「權」是「反經合道」，「權」雖然或許不能符合「經」，但它的反「經」必須在「合道」的原則下的權宜之計，而非任意胡爲。

於是周道祖跳過「勸教」的問題，直接就「分命」說立論。他認爲人們對待「分命」的態度，不外於：「任而弗營」或是「直置而已」兩種。這兩種態度，並沒有違反善惡報應的法則。他說：

> 請審分命之旨：爲當宅情於理，任而弗營耶？爲忘懷闇昧，直置而已耶？
> 若宅情於理，則理未可喻，善惡紛云，逆順莫檢，苟非冥廢，豈得弗營。
> 若直置而已，則自非坐忘，事至必感，感因於事，則情亦升降。履信獲祐，何能不慶；爲惡弗罰，焉得無怨。雖欲忘懷，其可得乎？（〈難釋疑論〉，P.222下）

對於否定報應之說，大抵持有二種不同的人生態度，一是消極的流於「任」情的享樂主義，如〈釋疑論〉中借安處子的述說：「夫五情六欲，人心所常有；斧藻防閒，外事之至苦。苟人鬼無尤於趣否，何不順其所甘而強其苦哉！」這也就是周道祖所說的「任而弗營」（任情而弗營於理）的態度㉒。周道祖認爲「情宅於理」，若直是「任情」而

㉑ 慧遠也有類似的歷程，《高僧傳》載：「（遠）少爲諸生，博綜六經，尤善莊老。……年二十一，欲渡江東，就范宣子共契嘉遁。值石虎已死，中原寇亂，南路阻塞，志不獲從。時沙門釋道安立寺於太行恒山，弘贊象法，聲甚著聞。遠遂往歸之。一面盡敬，以爲眞吾師也。後聞安講般若經，豁然而悟，乃歎曰：『儒道九流，皆糠粃耳。』」（P.211）

㉒ 這是當時人主要的人生態度，如《列子・楊朱篇》注曰：「夫生者，一氣之暫聚，一物之暫靈。暫聚終散，暫靈者歸虛。而好逸惡勞，物之常性。故當生之所樂者：厚味、美服、好色、音聲而已耳。而復不能肆性情之所安，耳目之所娛，以仁義爲關鍵，用禮教爲衿帶，自枯槁於當年，求餘名於後世者，是不達乎生生之趣也。」（楊伯峻《列子集釋》，P.136）《列子》在〈力命篇〉中，建立「宿命觀」，作

不喻「理」，也就是不論是非、善惡，不檢點順逆，將它們一切置之度外，即從事「斧藻防閑」的苦事。但是這樣的「任情」是否必然是快樂呢？是非、善惡、順逆依然還是存在，人們如駝鳥般的故意忽略它，並不意味它就不存在了.因此任情並無法去除「理」，除非老天也一併的將善惡、順逆廢除（冥廢）❷，否則我們不能不考慮到是非善惡之「理」的存在。因此「任情弗營」是不能成立的，而必須「宅情於理」。此「理」隱指「善惡報應之理」。

其次「直置」的態度，先將「理」（報應之理）置於「現象學的括弧中」，追求自盡其力的積極的人生態度❷。然而周道祖認爲「直置」並非「坐忘」❷，我們雖然將（報應之）「理」「直置」不理，但是此「理」依然存在，只是我們置而不營而已。因此「事至必感」，行善、做惡乃有福禍苦樂的果報，人們的「情緒」必然也隨著果報的福禍苦樂而升降，「履信獲祐，何能不慶；爲惡弗罰，焉得無怨」。

不論「任而弗營」或是「直置而已」，善惡報應的天理依然存在。二者只不過是人們處理態度的不同方式而已，並不能否證報應的存在。對於戴逵所提「福善禍淫」的反證事例，周道祖以爲「夷齊自得於安忍，顏冉長悲於履和」，他們是「安于懷仁，不沒其身」，雖然遭受當世生活的苦厄，生命的壽夭，但是他們精神上內心的自安，已足以補償物質生活的窮苦；後世不朽的美名，豈現世生命的壽夭所堪比擬❷，因此夷齊、顏冉的當生遭遇，並不足否證善惡報應說。

接著周道祖以正面的事例，說明報應的實在性，他說：

> 古之君子，知通圮以來，其過非新，賢愚壽夭，兆明自昔：楚穆以福濃獲沒，蔡靈以善薄受禍；郤苑以釁深莫救，宋桓以衍微易唱。故洗心以懷宗，練形以聞道。拔無明之沉根，翳貪愛之滯網。不祈驗於冥中，影響自徵；不期存於報應，而賞慶已彰。（〈難釋疑論〉，P.222下）

所謂「賢愚壽夭，兆明自昔」，「賢愚壽夭」是指當世的果報，「昔」則指前世所

爲享樂說的基礎，於此提出享樂主義的宣言。

❷ 《列子》雖然如前述，主張享樂主義，但他也不能否認水旱、得失、成敗、遇否等「命」的無可奈何，〈力命篇〉結尾曰：「農赴時，商趨，利工追術，仕逐勢，勢使然也。然農有水，旱商有得失，工有成敗，仕有遇否，命使然也。」（同上，P.135）

❷ 木村泰賢謂：放棄善惡禍福一致之要求者，左趨者爲蔑視道德論；右趨者則欲崇高道德之權。（《原始佛教思想論》P.168，歐陽瀚存譯，商務）

❷ 坐忘見《莊子·大宗師》顏回曰：「墮肢體，黜聰明，離形去知，同於大通，此謂坐忘。」

❷ 《史記·伯夷列傳》中，論及伯夷、叔齊因孔子之表彰而名益彰顯於後世，亦有此意。

造的「業」，今世的果報，是由於前世的「行業」所決定。同樣的今世的業行，依然會影響來世的果報，這也是報應說的道德意義所在，因此人們必須努力於道德實踐：「洗心以懷宗，練形以聞道。」以拔除「無明之沉根，翳貪愛之滯網」。

最後周道祖肯定人們的行為善惡（業），不論善惡的大小，「莫見乎隱，莫顯乎微」，必然會受到相當的報應。而且報應是不受時、空的阻隔，所謂「山崩鐘應，不以路遠喪感」。人們對待報應的態度，必須秉持「空」觀，必須「不祈驗於冥中，不期存於報應」，這與戴逵云：「君子行己處心，豈可更須與而忘善哉！何必循教責實，以期報應乎？」是一致的。

綜合來說：周道祖的〈難釋疑論〉，針對戴逵的〈釋疑論〉，提出了下列幾點辯白：

(1)權教之設，必須「傍實動直」、「宅情於理」，並不容許「不真」，或是「善意的欺騙」。

(2)「分命」說不可信。不論是持著「任而弗營」或是「直置而已」的態度，皆無法去除善惡報應的法則。

(3)善惡報應是必然的，它不因善惡的大小，不論時空的阻隔，必然會受到報應。

(4)人們對報應的態度，必須持著「空」的態度。

周道祖的〈難釋疑論〉只是針對戴逵的〈釋疑論〉立說，並沒有正面的申述佛教的報應理論。對善惡報應的必然性及戴逵的反證事例也欠缺有力批駁，並無法使戴逵心服，於是戴逵又有〈釋疑論答周居士難〉，以反駁周道祖的論難。

四、戴逵之〈釋疑論答周居士難〉

戴逵對周道祖的〈難釋疑論〉並不能心服，於是作〈釋疑論答周居士難〉（《廣弘明集》卷一八，大正五二，P.223上），回應周道祖的論難。其〈重與遠法師書〉曰：「周郎難甚有趣致。但理本不同，所見亦殊。今重申鄙意，答周復以相呈。」（《廣弘明集》卷一八，P.223上）考諸戴逵的〈釋疑論答周居士難〉，其要義約有下列數端：

(1)「審分命」：學道者當能審「分命」，而不祈「冥報」，這才是學道的目標。所謂「審分命」，他說：

> 能審分命者，自呼識拔常均，妙鑒理宗，校練名實，比驗古今者耳。不謂淪溺生死之域，欣感失得之徒也。苟能悟澎殤之壽夭，則知脩短之自然。（P.223上）

戴逵所謂「審分命者」，猶是莊子所謂「一死生、齊是非」者，他們能夠超越生死、是非、窮達，而遊於逍遙自得的境界，故可以不祈於「冥報」。學道的目標，固當高懸如

是標的,但能體道者,終究有限,對於普泛大眾,又當如何自處呢?

(2)是非、善惡的二分:戴逵認爲「善惡生於天理,是非由乎人心。因天理以施教,順人心以成務。」但他所謂「天理」與周道祖所說的「善惡報應之理」固不相同,他所謂「天理」即是「分命」,也就是「窮達、善惡、愚智、壽夭,無非分命,命玄定於冥初」之「理」。學道者必須能「審分命」,了解當世的境遇,是天生的命定,固不可妄求,亦不必怨天尤人。「善惡」指人的境遇而說,這是生於「天理」的命定。聖人因天理以施教,乃是指聖人的教化,必須使人「審分命」,而無非分的冀求。「是非由於人心」,「是非」是指人間的道德判斷,必須依於人情,他說:「人生而靜,天之性也,感物而動,性之欲也。」(〈釋疑論〉)是非教化必須「順人心」,故必須「設禮學以開其大矇,名法以束其形跡。」(〈釋疑論〉),這是無關於善惡報應的。

(3)報應的公平性:周道祖以「楚穆以福濃獲沒,蔡靈以善薄受禍;郗宛以譖深莫救,宋桓以衍微易唱」(〈難釋疑論〉,P.222下)說明報應的有據。戴逵則進一步由報應的公平性,質疑報應的有無。戴逵認爲假如報應說可信,能夠達致道德教化的功用,必須符合「公平原則」,它意謂著「善惡必報」,如有司之治國,「善無微而不賞,惡無纖而必罰。」其次賞罰的多寡必須與行爲善惡的的厚薄相應,不可行善多而賞少,惡微而殃重,甚至「罪同罰異,福等報殊。」戴逵提出「公平性」的問題,對於報應理論的建立,是極有意義的。

(4)對於報應相符的情形,戴逵認爲只是偶合而已,他說:「善惡福禍,或有一見,斯自遇與事會,非冥司之眞驗也。」因此不能舉一偶合的事例,證明報應理論旳成立。

(5)戴逵最後再重申他的分命說:「人之生也,性分夙定。善者自善,非先有其生而後行善以致於善也;惡者自惡,非本分無惡,長而行惡以得於惡也。故知窮達、善惡、愚智、壽夭,無非分命,命玄定於冥初,行跡豈能易其自然哉!」(P.223下)

五、慧遠的〈三報論〉

周道祖對於戴逵的論難,因爲慧遠已有回應,所以只是簡單的表示自己的不贊同而已,〈周居士書〉曰:

> 見重申〈釋疑論〉,辭理切驗,善乎校實也。但僕意猶有不固,乃即意更言所懷。
> 一日,侍法師坐,粗共求君意,云:『氣力小佳,當自有酬。』因君論旨,兼有
> 所見也。僕是以不復稍厝其爝火。須成旨因上。君云:『審分命者,乃是體極之
> 人』,既非所同;又僕所立『不期存於報應,而慶賞已彰。』亦不如君所位也。

書不盡言，於是信矣！其中小小，亦多未喻，付之未遇。（《廣弘明集》卷一八，P.223下）

慧遠對戴安道論述的回應，即是有名的〈三報論〉（《弘明集》卷五，大正52，P.34中）。慧遠又有〈明報應論·答桓南郡〉（同上，P.33中），採用問答的方式，陳明報應之理。慧遠有書與戴逵，說明論說的意旨，〈遠法師書〉曰：

見君與周居士往復，足爲賓主。然佛教精微，難以事詰。至於理玄數表，義隱於經者，不可勝言。但恨君作佛弟子，未能留心聖典耳。項得書論，亦未始暫忘，年衰多疾，不暇有答。脫因講集之餘，粗綴所懷。今寄往，試與同疑者共尋。若見其族，則比干、商臣之流，可不思而得。釋慧遠頓首。（《廣弘明集》卷一八，P.224上）

慧遠感於戴逵或是周道祖二人的往復論辯，並不能掌握佛教的義理，所以〈三報論〉一開始，就陳述佛教的三報說：

經說：「業有三報：一曰現報，二曰生報，三曰後報。」現報者，善惡始於此身即此身受；生報者，來生便受；後報者，或二三身百生千生，然後乃受。受之無主，必由於心。心無定司，感事而應；應有遲速，故報有先後。先後雖異，咸隨所遇而爲對。對有強弱，故輕重不同。斯乃自然之賞罰，三報之大略也。（P.34中）

「三報說」亦見於道安的〈二教論〉❷，這是佛教三世輪迴的因果報應說的基本論說。它的主旨大抵如下數點：

(1)「受定」：肯定「善有善報，惡有惡報」爲一不變的道德金律。

(2)「緣不定」：報應的遲速緣所遇而定。

(3)擴大報應的時、空，爲三世、六道：就時間上說：肯定三世之說，認爲「人」的存在，不限於現世，應當包括前世與來世。構成一永恒的時間之環。就空間上說：將人世擴充爲六道❷，人只是六道眾生的一環。報應不只限於「人」，人可能淪入其他五道。

---

❷ 道安的〈二教論〉中的〈教旨局通第十一〉（《廣弘明集》卷八，P.142中）主要陳述佛教的報應說，與慧遠的〈三報論〉大抵相同。如述三報說曰：「經曰：『業有三報：一者現報，二者生報，三者後報。』報者，善惡始於此身，苦樂即此身受。生報者，次身便受。後報者，或二生、或三身、百千萬生，然後乃受。受之無主，必由於心，心無定司，必感於事，緣有強弱，故報有遲速。故經曰：『譬如負債，強者先牽。』此因果之賞罰，三報之弘趣。」

❷ 佛教或說五道：天、人、畜牲、餓鬼、地獄。加上阿修羅則爲六道。

(4)報應的主體：神不滅。

佛教一傳入中國，尤其重視輪迴報應之說，以教化世俗大衆，如安世高在亭湖廟點化山神；在會稽市中隂命還報❷。又如孫皓性麤，不及妙義，康僧會乃「敘報應近事，以開其心。」（《高僧傳》卷一，P.18〈康僧會傳〉），袁宏《後漢記》曰：「以爲人死精神不滅，隨復受形。生時所行善惡，皆有報應。……王公大人，觀生死報應之際，莫不矍然自失。」不止王公大人，一般市井小民，無不震慴於佛教的輪迴報應之說❸。

報應理論必定建立在「善惡必報……受定」的必然性上，〈三報論〉上說：「三業殊體，自同有定報，定則時來必受，非祈禱之所移，智力之所免也。」人們對於報應說的質疑，乃在於經驗上「受報」的非必然性，即「受不定」的問題上。戴逵舉出顏淵、盜跖爲例證，說明善惡報應的不確定性，以否證報應說，道安認爲這是緣不定，非受不定，〈二教論〉曰：

> 或有惡緣發善業，多殺而致爵；或有善緣發惡業，多禪戒而獲病。病從惡業而招，豈修善而得；貴從善業而興，非坑殘之所感。故論曰：「是緣不定，非受不定。」
>
> （《廣弘明集》卷八，P.142下）

佛教的因果報應說認爲，人在現世所作所爲，行善作惡，就是造業，業有善業、惡業、無記業三種，造善業得善果，造惡業得惡果，無記業則非善非惡，與果報無關。只要一作業，不論善業或是惡業，業無大小，鉅細必報。「業」若還未報，並不會隨著人們肉體的死亡而消失，它會隨著人的輪迴，而不斷地積累延續。業緣事而應，善業招樂果，惡業感苦果。然而「感事而應，應有遲速，故報有先後」（〈三報論〉）「緣不定」遲速的不同。

在佛教未傳入中國以前，中國沒有三世之說。老子講求「長生久視」之道，後來道教衍爲長生不死的追求，皆只是當生現世而已。孔子講「未知生，焉知死」，「未能事人，焉能事鬼」，尤重視對當下現世的把握，由精神的不朽——立德、立言、立功，以契悟當下即是永恒的不朽意義。在一般人的心目中，即以子孫的繁衍，作爲自身不朽的

---

❷ 《高僧傳·卷一譯經上·安清傳》記載此二事後，曰：「廣州客頻驗二報，遂精懃佛法，具說事緣。遠近聞之，莫不悲痛，明三世之有徵也。」（P.6）可見三世報應之說，對佛教傳播於世俗社會的重要性。

❸ 各種地獄的種種傳說，及地獄類經典在民間的流行，如梁僧祐《出三藏記》卷四新集續撰失譯雜經部載有《鐵城泥犁經》、《勤苦泥犁經》、《十八泥犁經》、《四泥犁經》、《地獄經》、《地獄眾生相害經》、《地獄眾人眾苦經》……等二十一種，可見地獄類經典在民間流行的盛況，亦可見佛教的輪迴報應之說，深入民心。參道端良秀《中國佛教思想史の研究》，P.186～196〈中國佛教における地獄の思想〉，氏著《中國佛教史全集》第三卷。

標誌，故云「不孝有三，無後爲大。」人死之後，則魂歸於天，魄入於地，故無輪迴、轉生之事。所以對於報應諸說，也僅限於就當生現世立說，或延續於後世子孫，即所謂的「餘蔭」。

然而不論是現世或是肯定餘蔭的存在，在現實經驗上，二者皆有所不足，顏淵與盜跖是兩箇最常見的反證。若就餘慶、餘殃來說，或許我們可以找出證據說明顏淵的祖先曾爲大惡，故顏淵受其餘殃，故雖名列孔門四科，以德性著稱，猶不幸而早夭；相反的，盜跖的先世，必有甚大陰德，故盜跖雖爲大惡，仍以善終。但是受報爲何在顏淵與盜跖身上，而不在其他子孫呢？舜與象二兄弟是箇很好的例子，瞽叟爲惡，何以兄弟二人的受報善惡絕然不同呢？兄弟的祖先必定相同，承受祖先的餘蔭也應該是一致的。因此餘蔭說仍然有幸偶的成分，「受不定」，不可以成爲道德金律。

佛教傳入的「三世說」，徹底解決此一問題，慧遠即指出：世俗人對報應問題的質疑，乃緣於只知「一世」，不知「三世」。他說：

> 世或有積善而殃集，或有凶邪而致慶，此皆現業未就而前行始應，故曰：貞祥遇禍，妖孽見福，疑似之嫌，於是乎在？……善惡之報殊錯而兩行——原其所由，由世典以一生爲限不明其外。其外未明，故尋理者，自畢於視聽之內。（〈三報論〉，P.34中）

慧遠展延人類生命的時間性，將人們當生的現世，展延爲三世，所謂「三世」包括前世、現世、來世，前世可以是過去的無限回溯，來世也可以是未來的無限延伸，因此三世可以說是時間性的無限放大。善惡報應是指在三世間，即無限的時間之環中的必然法則，並非限於人們有限生命的當世。善惡無徵的問題，是由於世人將人類的生命只限於一生之中，不明白現世之外，還有前世與來世，所謂「世典以一生爲限，不明其外。其外未明，故尋理者，自畢於視聽之，內此先王即民心而通其分，以耳目爲關鍵者也。」（同上）相應於三世，而有「三報」：現報、生報、後報，說明報應的遲速。人在現世的果報，乃是依循著個人前世、今世所造的業，而產生相應的果報。以顏淵與盜跖來說，道安說：「顏子短壽，運鍾在昔；今之積德，利在方將。盜跖長年，酬在往善；今之肆惡，衰在未來。」（〈二教論〉）也就是說顏淵與盜跖當世的果報，是緣於往昔前世的因。今世所造的善、惡業，必當在來世遭受相應的果報。因此在時間的長河中，不論是顏淵或是盜跖，依然皆遵循善惡報應的法則。

世俗對報應的懷疑，只見於現報，而無視於生報、後報。因此「世或有積善而殃集，或有凶邪而致慶」，這終是「倚伏之勢，定於在昔」。也就是由於他的前世所造的業，今世所承受的果報。所以積善而殃集，或由於前世行惡的果；相反的凶邪致慶，則或由

於前世造的善因之故。因此統合三世來說，因果報應是昭然不爽的[31]。

然而三報說將報應的時間性，由一世延長至三世，而三世也可以說是時間的無限放大，因此雖然一定會受到報應，但是何時受到報應也就渺遠難測[32]，如此不免減弱了報應說在倫理教化上的意義。何況「三世」只是佛教的報應理論中的預設，人們無法證實「三世」的存在[33]。因此這只是信仰的問題，無所謂眞假。對非佛教徒來說，更缺乏說服力。

在中國原有的報應理論中，肯定有一主宰者（鬼神）的存在，以公正的執行報應，如戴逵所云「冥司」，「善無微而不賞，惡無纖而必罰。」（〈釋疑論答周居士難〉）佛教否認有最高主宰「神」的存在，那麼由誰來執行報應呢？慧遠在〈明報應論〉上說：

> 心以善惡爲形聲，報以罪福爲影響。本以感情而應自來，豈有幽司？然罪福之應，唯其所感，感之而然，謂之自然。自然者，即我之影響耳。于大主宰，復何功哉？
>
> （《弘明集》卷五，頁三十三，下）

慧遠否定主宰報應的幽司、主宰神的存在，這是符合佛教的觀點。他認爲報應不須要主宰神的執行，它是「自然」的，即行爲的善惡與福禍報應是「同類相感」，而這種「相感」是「自然」，也是必然的法則[34]。並不必要預設一主宰者來執行報應的運作。「物無妄然，各以類感。善惡之報，勢猶影表，不慮自來[35]。」以「類感」來說明善惡

---

[31] 《佛分別業經》中說：「佛告阿難：『有人身行善業，口行善業，意行善業，是人命終而墮地獄。有人身行惡業，口行惡業，意行惡業，是人命終而生天上。』阿難白佛言：『何故如是？』佛言：『是人先世罪福因緣已熟，今世罪福未熟。或臨命終，正見、邪見，善惡心起，垂終之心，其力大故，』」（《法苑珠林》卷六九引，大正五三，P.814上）

[32] 宗炳〈明佛論〉言世人對佛的懷疑，有云：「宿緣綿邈，億劫乃報乎？」（《弘明集》卷二，P.9中）

[33] 桓玄〈與遠法師書〉曰：「先聖有言：『未知生，焉知死。』而令一生之中，困苦形神，方术黃泉冥冥下福，皆是管見，皆是管見，未體大化。迷而知返，去道不遠，可不三思。」（《弘明集》卷十～P.13）死猶不可知，何況前世與來世呢？

[34] 「感應」是漢代思潮中，天人交感的重要概念，「自然」是魏晉玄學的重要範疇之一。慧遠在這個地方提出「自然」，不無受到中國原有思潮的影響。

[35] 佛教常以形影來類比善惡報應，如《雜阿含》云：「唯有罪福業，若人已作者，是皆已之有，彼則當持去。生死未曾，捨如影之隨形」（大正2，P.338上）又如《法苑珠林·受報篇》曰：「夫善惡之業用，定三報之微祥，猶形影之相須。」（卷六九，P.807中）然而此種類比，是否合宜？形影相須，是經驗上的事實。報應只是理論上的預設而已。二者本非同類，無法類比，混山雄一指出：以形影、影響等物理反應喻說佛教的業報說，是使業報輪迴被誤認爲決定論的一個重要原因。事實上佛陀原是反對「宿作因」，宿作因亦是一種決定論蓋佛教除了講業因外，也講究「士用果」，即肯定人們現世的努力，留給人們開拓自己命運的餘地。參橋一哉《業的研究》，P.9.余萬居譯，法爾出版社。

與福禍報應的必然性。這種同類相感應的思維方式，是中國所固有的。將它融入報應說中，使報應說在否定公正的上帝之餘，尚能保留必然客觀規律的外觀。但是問題是如何說明善與福，惡與禍二者是同類呢？善、惡是道德範疇的概念，而福禍只是指人的境遇而言，並無道德意含，二者如何聯繫起來，來說明他它是同類的呢❸❻？何況又如何保證同類「相應」的必然性呢？

其次，就報應的主體來說，報應理論的建立，必須肯定造業者與受報者的等同關係，「自作自受」固然無此問題，在中國父子軸的關係中，則由血緣關係連繫起作業者與受報者的等同關係，子孫必須承受祖先作業的果報。佛教則以輪迴轉生，前世的我轉生為後世的我，二者是同一的，因此佛教是完全的自力宗教❸❼。然而佛教的「無我觀」，如三法印中說「諸法無我」，既然「無我」，則作業者為誰？誰又是受報者呢？這是原始佛教中頗大的問題，如《雜阿含58》云：

> 佛告比丘：「諸所有色，若過去、若未來、若現在，若內、若外、若麤、若細、若好、若醜、若遠、若近，彼一切非我、不異我、不相在；受、想、行、識亦復如是。比丘！如是知，如是見，疾得漏盡。」爾時，會中復有異比丘，鈍根無知，在無明起邪見，而作是念：「若無我者，作無我業，於未來世，誰當受報？」
> （大正2，P.15上）

基本上佛教的「我」有真我、假我，無我的我是指「假我」。它是四大、五陰等因緣暫時的聚合。「我」是由於無明、貪愛的迷惑。所以慧遠〈明報應論〉說：

> 推夫四大之性，以明受形之本，則假於異物，托於同體。生若遺塵，起滅一化。
> ——雖聚散而非我，寓群形於大夢，實處有而同無。——
> 無明為惑網之淵，貪愛為眾累之府——無明掩其照，故情想凝滯於外物；貪愛流其性，故四大結而成形。形結則彼我有封，情滯則善惡有主。有封於彼我，則私其身而身不忘；有主於善惡，則戀其生而生不絕。於是甘寢大夢，昏於同迷，抱疑長夜，所存唯著。是故失得相推，福禍相襲。惡積而天殃自至，罪成則地獄斯罰。此乃必然之數，無所容疑矣。（〈弘明集〉卷五，P.33下）

---

❸❻ 木村泰賢指出：異熟因、異熟果等異質類的因果關係，只能視作先天的理法。否則攏統的混合善因、惡因之道德意義，與果報運命上的好惡，視為同類因果，這是佛教因果觀上的真正困難點。同上，P.154.

❸❼ 佛教極強調「自受自受」的業報觀，如云：「相須所作好、惡，身自當之；父作不善，子不代受；子作不善，父亦不受。善自獲福，惡自受殃。」（大正1，P.181中）《雜阿含》曰：「一切眾生類，有命終歸死。各隨業所趣，善惡果自受。惡業墮地獄，為善上昇天；修習勝妙道，漏盡般涅槃。」（大正2，P.335下）

人由於無明、貪愛，而墮於生滅不息輪迴之中。「生」是四大、五陰的聚合。此「我」是四大暫時的聚合，是無明迷惑的偏執，它如同甘寢大夢。「有我」則「見我是我而著於我」，於是有彼我之分，淪於自私、貪愛，造種種業，而入於輪迴之中，福禍報應的承受者即是此假我。佛教說無我，以般若智慧，破除無明、貪愛的蔽障，了悟「生」乃四大的聚合的「假我」，它是無自性，雖有而同無。使人去除我執的偏見，化私爲公，打破惑業纏縛，解除眾生生滅不已的輪迴之苦。「無我」則能打破繫縛而得解脫❸。「有我」則墮於六道輪迴之苦。

佛教的輪迴觀念，在空間上，將人類世界擴充爲六道❸；在時間上，將現世延展爲三世。六道輪迴之中的「我」是因緣合會的假我，因緣離散則我滅矣。眾生假若無法解脫而入於涅槃，則緣會相續，一直在六道輪迴之中，生生滅滅不已。輪迴必須基於人們在現世的行爲——「業」除已受報外，是不會消失的。我們現世所造的「業」，如何延續而報應於後世。其中必有一可在生生滅滅的假我中延續的「媒介」存在，也就是「報應主體」的問題。報應的主體，在初期的佛經翻譯裡，配合中國的靈魂、精神，而譯作「神」❹，引發了神滅、不滅的大論辨❹。

神滅論者，往往持「氣一元論」的觀點，以爲形神是二而一的，「神即形也，形即神也」（范縝〈神滅論〉），形神都屬於氣，人的生死是氣的聚散，氣聚則形神與之俱生，氣散則形神俱滅。主張神不滅論者則試圖擺脫氣一元論的窠臼，而有神氣二元的傾向，認爲形是屬於氣的範疇，氣散則形盡，神則是超乎形氣的永恆存在，不隨形氣而生滅，神不待形，乃因形以爲用耳。

---

❸ 印順《性空學探源》曰：「佛說無我有二方面：一、眾生執我，所以自私。無我是化私爲公的道德的根本要則。二、眾生執我、我所見，所以惑於真理而流轉生死。得無我見，就可以打破惑業纏縛而得解脫。」（P.111）

❸ 佛陀的本生談是最明顯的例證，佛陀的前生有：大梵天、仙人、獅子、牛、商人、魚……等。

❹ 呂澂《中國佛學源流略講》曰：「佛家學說傳來中國，一開始就夾雜了輪迴報應的思想。作爲報應主體的，在原始佛教中是指十二因緣中的『識』。『行緣識』是表示由業生識；『識緣名色』是表示由識而五蘊結合成爲有生命的個體。但是在翻譯時，作爲報應主體的『識』借用了類似的字眼『神』來表達。『識』與『神』這兩箇概念，不論就內涵或外延方面都不是完全一致的。在中國運用起來，還將它們同魂、靈、精神等同起來。」（P.161）

❹ 關於神滅不滅的論辨的文獻，參《弘明集》卷九、十及《廣弘明集》卷二〇諸文。後人的論述甚多，較詳細的有津田左右吉〈神滅不滅の論爭〉（《全集》，第一九卷），張振華《六朝「神滅不滅」問題論爭》，1984年台大中研所碩士論文；李幸玲〈六朝神滅不滅論與佛教輪迴主體之研究〉，國立台灣師範大學國文研究所集刊，第39號，1995年6月。

　　慧遠提出形神分離，形有盡而神不滅的「神不滅論」的主張❷，強調「神不滅」，來說明人的生命並不限於有限的形體，形體雖然會死亡滅盡，但「神」卻是不滅的，因此人的生命並不止於一世，不滅的「神」爲三世說的張本。其次不滅的「神」也就順理成章的成爲報應的主體。不止於是，「神」也是解脫入涅槃的基石❸。佛教修行的目的在於解脫生死，超越六道輪迴之苦，入於寂靜涅槃的境界。所以在原始佛教的經典中，經常出現如是的偈語：「我生已盡，梵行已立，所作皆辦，不受後有。」「不受後有」即是解脫輪迴之苦，入於不生不死的境地。佛教覺悟人生實相的聖者，已超越生死，也超越了輪迴：「對聖者而言，輪迴是不存在的。他們不會再生。聖者的身體是遠古永劫輪迴以來的最後身，這是最後的生涯，他不會再受後有。」❹因此報應對他們來說，也就無意義了。

　　慧遠非常篤信報應，對沈溺生死之苦，累劫輪迴之痛的衆生，尤所深懼，結合當時名士諸人，共結白蓮社，建齋立誓，共期西方，令劉遺民著發願文曰：

> 夫緣化之理既明，則三世之傳顯矣。遷感之數既符，則善惡之報必矣。推交臂之潛淪，悟無常之期切。審三報之相催，知險趣之難拔。此其同志諸賢，所以夕惕宵勤，仰思攸濟者也。（《高僧傳》，P.214）

　　慧遠關於報應的論述有〈三報論〉和〈明報應論〉。他將人類生命的時間性，由一世而推擴至三世，以此建立起佛教的報應理論，其要點可歸納如下：

　　(1)報應的原則是「自作自受」。

　　(2)「我」不限於當生現世的人類。在空間上：它包含括天、人、阿修羅、畜牲、餓鬼、地獄六道；在時間上：包含現在、過去、未來三世。

　　(3)形神分離，形只是五蘊聚集的假我，神依形爲用。形可盡而神不滅。

　　(4)「業」除已受報外，業是不會消失的，它依附著神，不斷地依形以受報。

　　(5)修行的目的是超越六道輪迴，以達致涅槃寂靜的境界。

---

❷　慧遠關於神不滅的議論，見〈沙門不敬王者論〉中〈形盡神不滅五〉，《弘明集》卷五，P.31下。

❸　報應主體——「神」在佛教中，到底是指涉什麼？眾說紛紜，或指十二因緣中「行緣識」的「識」；或指中陰身，說一切有部以爲：眾生於死與次生之間，除色外，受想行識合和一味，即是中陰身，成爲輪迴主體，形成新生五蘊之因。或指補特伽羅，或指阿賴耶識。

❹　參中村元著陳信憲譯《原始佛教》，香光書鄉，民84，P.115。

六、結　論

　　福善禍淫的報應觀念，深入人心，成爲民間道德教化的重要道德金律。雖然早在先秦時代就已經流行。但是在現實經驗世界中，往往有違背不符的情形，尤其在亂世中，更易激起人們的反省。東漢末期以來，王充對此提出強烈的質疑，魏晉以來，反對報應的論說，更不在少數，大抵否定報應者，如唐臨在《冥報記》則歸納爲三種。他說：

> 比見眾人不信因果者，說見雖多，同謂善惡無報。無報之說，略有三種：一者自然，故無因果，唯當任欲待事而已。二者滅盡，言死而身滅，識無所住。身識都盡，誰受苦樂，以無受故，知無因果。三者無報，言見今人有修道德，貧賤則早死；或行凶惡，富貴靈長，以是事故，知無因果。❹（大正51，P.787下）

　　佛教的傳入中國，尤其重視因果報應，作爲宣教的重要手段。或可補足中國原有報應說的不足，甚至成爲報應說的主流。面對反對報應說者，三者間在衝突、融會的過程中，形成中國獨特的報應理論。

　　戴逵的〈釋疑論〉作爲反對報應說的典型。圍繞〈釋疑論〉的諸多論辯，可以呈顯三種不同論說的風貌，在論辯的過程中，也逐漸建立起中國式的報應說。

　　戴逵在〈釋疑論〉中對報應的質疑，掀起人們重新思考如何重建報應的道德金律。當人們否定報應時，對於「能審分命者」，或能將「命」置諸現象學的括弧中，將成敗、得失置諸度外，經由自身的努力過程中，建立起自己的人生價值。對他們來說，報應是無意義的。但是對普泛大眾來說，在缺少報應的道德教化下，不免流於任命的宿命觀，甚且胡作非爲，無所不用其極。因此戴逵的〈釋疑論〉，或缺乏道德教化的意義。

　　中國傳統的報應觀，在缺乏三世，只就現世當生講報應。在報應的主體的「我」，不單單是我自己，還可以上承祖先，下負子孫，成爲依血緣的縱貫關係而建立的「我族」，因此報應還包括餘蔭、餘殃、陰德等。然而這依然有理論上的缺憾。

　　慧遠的〈三報論〉基本上是建立在佛教的輪迴報應說上。佛教的三世輪迴報應說，它將報應的時空擴大爲三世、六道，報應的主體則限制在「自己」上，以符合「自作自受」的報應原則。然而「自己」不限於當生的我人，它是指在三世、六道輪迴轉世不已

---

❹　道安認爲：「惟業報理微，通人尚昧，思不能及，邪說是興：或說人死神滅，更無來生（斷見也）；或云聚散莫窮，心神無間（常見也）；或言吉凶苦樂，皆天所爲（他因外道）；或計諸法自然，不由因得果（無因外道）。」（〈二教論〉，見《廣弘明集》卷八，P.142下）印度思想原有所謂「六師外道」，否認報應之說，見《長阿含》之〈沙門果經〉，大正1，P.108上。

的「我」。現世的「我」如何聯繫「三世」中往劫或來世的「我」，乃有神不滅之說。佛教的終極目標，則在於解脫生死，超越六道輪迴之苦，入於寂靜涅槃的境界。所以輪迴報應說，乃對墮於六道的諸眾生的立教。佛教的報應說，是建立在「三世」、「輪迴」的預設上，它是不能實證的預設，無所謂眞、不眞的問題，而只是單純「信仰」問題，如何說服人們，便人「相信」，也是佛教傳播上的大問題。

三者的辯爭中，也有融釋的傾向，如慧淨的〈析疑論〉將佛教的業報與道家的自然分命結合，他說：

> 夫自然者，報分也；熏修者，業理也。報分已定，二鳥無羨於短長；業理資緣，兩蟲有待而飛化。（〈廣弘明集〉卷一八，P.230下）

唐初李師政的《內德論》則試圖融合儒家的「命」與佛教的「業」，他說：

> 孔子曰：「小人不知天命而不畏。」又曰：「不知命無以爲君子。」佛子所云業也，儒之所謂命也。蓋言殊而理會，可得而同論焉。命繫於業，業起於人。人稟命以窮通，命隨而厚薄。厚薄之命，莫非由己。怨天尤人，不亦謬乎？（〈通命篇〉）

　　知識階層猶汲汲於會通儒釋的報應說。普泛的世俗大眾，固可以不計理論的背反，而直接會通，於是一面講三世輪迴，又一面講陰德、餘蔭。既肯定「自作自受」的業報觀，卻又大作齋醮，以迴向父母、祖先❹。於是形成中國色彩的輪迴報應理論。

---

❹ 印順導師《印度佛教思想史》曰：「自己所作功德，能轉給別人嗎？《大智度論》說：「是福德不可得與一切眾生，而（福德的）果報可與。──若福德可以與人者，諸佛從初發心所集功德，盡可與人。」自己所作的功德，是不能迴向給眾生的。但自己功德所得的福報，菩薩可以用來利益眾生，導眾生同成佛道。這樣的迴向說，才沒有違反「自作自受」的因果律。」（P.112，正聞）

名家類的定義及其在目錄學上的轉變

周彥文[*]

一、前 言

　　「名家」一詞，最早見於《史記卷一百三十·太史公自序》中所載的司馬談論六家要指，其言曰：

> 名家使人儉，而善失眞，然其正名實，不可不察也……名家苛察繳繞，使人不得反其意，專決於名，而失人情，故曰使人儉而善失眞。若夫控名責實，參伍不失，此不可不察也。

在此之前，先秦諸籍中所有提到名家學說的，都是直指名家學者的名氏，或是直接用其著作名稱而已，並未有「名家」的專稱。例如《莊子·天下篇》、《荀子·不苟篇》、《韓非子·定法篇》、《呂氏春秋·離謂篇》等皆是。可知「名家」被歸爲一個先秦時代的派別，至少是在漢代初年之事。其後劉氏父子編寫《七略》、東漢時班固撰《漢書·藝文志》，才沿用了這個名詞，直呼其爲「名家」；並且把「名家」獨立成爲一個書目中的類別，而成爲了先秦時代諸子中的一個學派。

　　根據目前現存最早的書目《漢書·藝文志》所載，屬於諸子略的名家類中，一共包含了名家的著作七種，即：《鄧析》、《尹文子》、《公孫龍子》、《成公生》、《惠子》、《黃公》、《毛公》。其中後五種已經亡佚，現存的只剩下前三種。該類之後所附的小序，記載了名家類的定義是：

> 名家者流，蓋出於禮官。古者名位不同，禮亦異數。孔子曰：「必也正名乎！名不正則言不順，言不順則事不成。」此其所長也。及警者爲之，則苟鉤鈲析亂而已！

這一段敘述事實上並未對名家類有十分具體的說明，我們幾乎只能從中看到一個模糊的正名主義的觀點而已。然而，以上所述，就是名家類全部的原始資料。我們若想要探究名家類的本義，似乎只有從名家類現存典籍的文本中去解讀了。

＊　淡江大學中文系

二、先秦時代名家類的著作

現存的先秦時期名家類的著作，只剩下《鄧析子》、《尹文子》、《公孫龍子》三書。現在就分別討論如下：

《鄧析子》一書，《漢書・藝文志》的諸子略名家類內著錄爲二篇，題該書的作者鄧析爲「鄭人，與子產並時」，則鄧析的生存年代約在西元前第五、六世紀之間的春秋時代。❶由此看來，鄧析應爲名家的第一人，甚至可視爲名家的開山祖。現在傳世的《鄧析子》，亦是二篇，一爲〈無厚篇〉，一爲〈轉辭篇〉。且歷代各書目凡著錄該書者，亦皆隸入子部名家類中。看來該書似乎並無疑義。

可是據近人顧實所撰的《漢書藝文志講疏》，該書頗有疑義，只能說是「今本猶仍唐人所見本」，並不能肯定是春秋時代的原著。❷而羅根澤撰〈鄧析子探源〉、孫次舟撰〈鄧析子僞書考〉，均斷此書爲晉人所僞作。孫次舟更考論該書早在戰國時代即是僞書，而鄧析本人亦非名家。孫氏說：

> 竊謂鄧析本爲鄭之一大訟師，並非名家之祖。《漢志》所著錄之鄧析書，乃戰國後期辯學大盛，辯者之徒欲顯其學之源遠而流長，以鄧析以教訟名於世，遂依託而爲其書焉。❸

則《鄧析子》不但是一部僞書，事實上更是一部僞書中的僞書。這部書，是應該被視爲晉代的作品來看待的。

《尹文子》一書，《漢書・藝文志》的諸子略名家類著錄僅一篇，並題該書的作者尹文「說齊宣王，先公孫龍」。然《呂氏春秋・先識覽・正名篇》說：

> 齊湣王是以知說士，而不知所謂士也。故尹文問其故，而王無以應。

則尹文子至齊湣王時仍在。近人唐鉞在〈尹文和尹文子〉一文中，即據此論斷尹文的生存年代爲周顯王七年至周赧王二十二年之間。（362—293b.c.）❹其時代已爲戰國的末

---

❶ 近人孫次舟撰〈鄧析子僞書考〉，斷鄧析子生於周景王元年，卒於周元王元年，（544—475b.c.）見《古史辨》第六冊。

❷ 廣文書局，1988年10月再版，台北市。詳細考證見該書第三章諸子略名家類，此處從略。以下凡詳細考證均同此從略。

❸ 均見《古史辨》第六冊，此處不詳加引證。

❹ 該文原載於民國十六年六月份的《清華學報》第四卷第一期，現收錄入《古史辨》第六冊。

期了。

　　該書的眞僞歷來即備受爭議，唐鉞即已斷定其爲僞書無疑，但是把作僞的年代定在陳、隋之間。唐鉞說：

> 《文心雕龍·諸子篇》說：「辭約而精，尹文得其要。」今本《尹文子》在善鑑
> 別的劉勰眼中，恐怕不能得這樣的美稱。他所歎賞的《尹文子》，大約不是今本。
> 這樣說，唐初到今日所流行的《尹文子》，大約是陳、隋間人的僞託。❺

可是這個說法並沒有直接的證據，只能當作參考。而近人羅根澤則將此書斷爲魏、晉間人的僞作；❻近人顧實在《漢書藝文志講疏》中亦斷此書爲「魏、晉間人所依託無疑」。所以此書仍是應視爲魏晉間的僞作較爲恰當。

　　《公孫龍子》一書的爭議性較少。班固在《漢書·藝文志》中僅說他是「趙人」，劉向的《別錄》中記載他和平原君同時。《呂氏春秋·審應覽》中有公孫龍和趙惠王的對話；該覽〈應言篇〉中亦有公孫龍說燕昭王偃兵之事。所以錢穆先生推斷公孫龍約生於「燕噲、齊宣時」，享年約「當在六十、七十間」。❼燕噲王即位於西元前320年，次年齊宣王即位，則公孫龍比尹文子還要晚，在現在可考諸名家學者中，年齒最末。

　　該書在《漢書·藝文志》中所載爲十四篇，可是到了宋代陳振孫撰《直齋書錄解題》時，則稱「今書六篇」，可知至少在宋代時已經亡佚了八篇。現存六篇中，只有第一篇〈跡府篇〉頗受人懷疑。顧實在《漢書藝文志講疏》中認爲該篇「疑非原書」；郭沫若在《十批判書》中也認爲該篇「顯係後人雜纂」；而劉汝霖在《周秦諸子考》中則以爲該篇是「漢代編書者由呂氏春秋一類書採入」，❽其它各篇，則歷代學者均大致不疑。

　　至此，我們可以看出一件十分值得注意的事：《漢書·藝文志》中所記載的名家類，現今只有三部書籍傳世；而這三部書籍中，眞正屬於先秦典籍的，可能只有《公孫龍子》一書，其它二書都是僞書，而作僞的年代都在魏晉時代。

　　此一現象顯示，我們現在所看到的名家類諸籍，除了《公孫龍子》的一部份之外，其它的都和西漢末年劉氏父子所見不同。因此，如果要詮釋所謂的「名家」的眞實意義，

---

❺　出處同❹。

❻　羅氏撰〈尹文子探源〉一文，原載民國二十五年七月份的《文哲月刊》第八期，今亦收錄於《古史辨》
　　第六冊中。

❼　錢穆先生撰《公孫龍年表》，亦收錄於《古史辨》第六冊。該年表亦錄入商務印書館所編之《國學小叢
　　書》中。

❽　參見張心澂先生《僞書通考·子部·名家類》。鼎文書局一九七三年初版，台北市。

不能由以上三部書籍去歸納，只能從其它外圍的資料，再配合《公孫龍子》一書去綜合論斷。

三、名家類的本義

所謂名家類，我們用傳統目錄學上的觀念來看，它其實是代表了一個學術類別。劉向在《別錄·輯略》中即說：

> 昔周之末，孔子既沒，後世諸子各著篇章，欲崇廣道藝，成一家之說。旨趣不同，
> 故分爲九家，有儒家、道家、陰陽家、法家、名家、墨家、縱橫家、雜家、農家。

除此之外，又說：

> 又有小說家者流，蓋出於街談巷議所造，及賦頌、兵書、術數、方技，皆典籍范
> 圍有采於異同者也。❾

班固在《漢書藝文志·諸子略》中，即據此把西漢以前的諸子學派分爲十家，並且說「其可觀者，九家而已」。❿這就是學術史上所稱的「九流十家」，第十家就是小說家，是不入「流」，不能成爲一個學術流派的。

可見名家在此已很明確的被定位，它就是一個先秦時代的學派，是和儒家、道家、法家、墨家等學派的學術地位等同而並立的。所以說，從司馬談六家要指以來，至西漢末年，名家已被確立成爲一個先秦學派來看待。

可是我們如果再往上追尋《史記》以前的舊籍所載，似乎對此說又頗有可議之處。

在先秦典籍中，除了上節所述三家之外，最常被提到的「名家」人物，就是惠施。清代姚振宗所輯《七略佚文》的名家類中，就有惠施所撰的《惠子一篇》。⓫該書已亡佚，可是由《莊子·天下篇》的記載，可知惠施確爲名家之屬：

> 惠施以此爲大，觀於天下而曉辯者，天下之辯者相與樂之。卵有毛，雞三足，郢
> 有天下，犬可以爲羊，馬有卵，丁子有尾，火不熱，山出口，輪不蹍地，目不見，
> 指不至，至不絕，龜長於蛇，矩不方，規不可以爲圓，鑿不圍枘，飛鳥之景未嘗
> 動也，鏃矢之疾而有不行不止之時，狗非犬，黃馬驪牛三，白狗黑，孤駒未嘗有

---

❾ 見清·姚振宗所輯《七略別錄佚文》，收錄於《校讎學系編》中，鼎文書局1977年10月初版，台北市。

❿ 見《漢書藝文志·諸子略》小序。

⓫ 同❾。該書亦見載於《漢書藝文志·諸子略》。

母，一尺之捶日取其半，萬世不竭。辯者以此與惠施相應，終身無窮。

這段敘述，不但可使我們肯定了惠施的學說範疇是和公孫龍子相類似，並且值得注意的是，莊子並不稱惠施爲「名家」或「名者」，而是把惠施直接叫做「辯者」。後文中提到公孫龍子時，也說：「桓團、公孫龍，辯者之徒」，都沒有「名家」的稱謂。

這些辯者的討論範疇，雖然和先秦時代的許多學派都有共同的「正名」取向，但是同中又有異。並非只要是正名學說就可以相溶，它們彼此之間甚至是互相抵牾的。《荀子·正名篇》中的論述，就很清楚的說明了這個現象：

> 「見侮不辱」、「聖人不愛己」、「殺盜非殺人也」，此惑於用名以亂名者也……
> ……「山淵平」、「情欲寡」、「芻豢不加甘，大鐘不加樂」，此惑於用實以亂
> 名者也………「非而謁，楹有牛，馬非馬也」，此惑於用名以亂實者也………凡
> 邪說辟言之離正道而擅作者，無不類於三惑者矣，故明君知其分而不與辯也。

這段敘述所論及的，「聖人不愛己」、「殺盜非殺人」、「楹有牛」，是墨子的言論；「見侮不辱」、「情欲寡」，是宋鈃的言論；[12]「山淵平」是惠施的言論；「馬非馬」則是公孫龍的言論。[13]

它們的相同之處，在於都是屬於純綷的論辯邏輯；可是相異之處，卻在於墨家能從此一論辯邏輯中推衍出一套符合當代政治局勢的統治術，並且能自成一個體系，成爲先秦的一個學派；儒家和法家之中，也都有正名主義的理論，也都是爲了配合自家的學說所建構的，是在自家學說之內自成體系而形成的。例如《韓非子·定法篇》中說：

> 而公孫鞅爲法術者，因任而授官，循名而責實，操殺生之柄，課群臣之能者也，
> 此人主之所執也。

這裡所說的「名」，就是配合人君統治之術所提出的「循名責實」的學說，是屬於法家的。但是後世所謂的「名家」卻沒有向此一途徑去發展，僅止於論辯邏輯的單純討論。

《莊子·天下篇》中對此一現象即有深刻說明：莊子雖然認爲墨子的學說「不與先王同」，甚至「離於天下，其去王也遠矣」，但是在總結墨子的學說時，仍然對墨子持肯定的態度：

---

[12] 宋鈃多被視爲墨家，然而實情如何，並不能肯定。有人認爲他應該是一位和墨家學說相近，但屬於名家的學者。詳見金受申撰的《稷下派之研究》，台灣商務印書館，1971年台一版。

[13] 此處文字多有闕誤，本文不予討論。

墨子眞天下之好也,將求之不得也,雖枯槁不舍也,才士也夫!

莊子的意思是,雖然墨子有其學說上的缺失,並且「逆物傷性,誠非聖賢」,可是畢竟
是「勤儉救世,才能之士耳」。❹也就是說,墨子雖然也討論一些名實異同的堅白之論,
但是墨子的學說卻是可以實際運用到治國之術上的。而在談論到「辯者」惠施時,卻說:

> 然惠施之口談,自以爲最賢,曰天地其壯乎!施存雄而無術………以反人爲實而
> 欲以勝人爲名,是以與眾不適也。弱於德,強於物,其塗隩矣………惠施不能以
> 此自寧,散於萬物而不厭,卒以善辯爲名,惜乎!惠施之材,駘蕩而不得,逐萬
> 物而不反,是窮響以聲,形與影競走也。悲夫!

可知在莊子論斷天下學術時,他是認爲惠施等人並沒有可以行諸政事的實際道術可言,
只是「辯者」而已。

除了惠施和公孫龍之外,鄧析亦是時常和惠施被相提並論的人物。《荀子·不苟篇》
中說:

> 山淵平,天地比,齊秦襲,入乎耳,出乎口,鉤有須,卵有毛,是說之難持者也,
> 而惠施、鄧析能之。

是則鄧析的學說和惠施是完相同的。而荀子對於鄧析、惠施這樣的學說評價並不高,
《荀子·儒效篇》中即說:

> 相高下,視墝肥,序五種,君子不如農人。通財貨,相美惡,辯貴賤,君子不如
> 賈人。設規矩,陳繩墨,便備用,君子不如工人。不恤然不然之情,以相薦撙,
> 以相恥怍,君子不若惠施、鄧析。若夫謫德而定次,量能而授官,使賢不肖皆得
> 其位,能不能皆得其官,萬物得其宜,事變得其應,慎、墨不得進其談,惠施、
> 鄧析不敢竄其察。

把惠施和鄧析與農人、賈人、工人相提並論,就當時的社會環境而言,絕對不是稱許的
意思。由文意觀之,甚至可以說荀子已經直斥惠施和鄧析並非君子了。而後半段的敘述,
更否定了他們的論辯邏輯有量能授官的能力,也就是說,荀子不認爲名家學說是可以實
際運用的。《荀子·非十二子篇》中亦總結了這樣的觀念:

> 不法先王,不是禮義,而好治怪說,玩奇辭,甚察而不惠,辯而無用,多事而寡

---

❹　此處所引爲唐成玄英的註疏。見清代郭慶藩的《莊子集釋》,河洛圖書出版社,1974年台一版。

功，不可以爲治綱紀；然而其持之有故，其言之成理，足以欺惑愚眾，是惠施、鄧析也。

這一段話更進一步的連名家的論辯邏輯也加以否定，將之視爲欺世的學說。荀子的話固然有點偏激，但是名家在先秦時的本來面目，卻因此而完全呈現。無論我們現在所看到的名家類書籍中是什麼內容，由先秦典籍中的記載，我們可知鄧析、惠施和公孫龍等人的學說，都只是論辯邏輯而已。他們只是一群「辯者」，而不是開宗立派，企圖以一套有系統的學說以干謁君王的諸子學家。❶❺

也就是說，在先秦諸子之中，後世所謂的「名家」，事實上是不可以等同於其它學派來看待的。我們固然不能否定這些辯者的存在，也必定要承認這些辯者自有一套論辯邏輯，但是這套論辯邏輯並不是自成體系的學說。其它各家學說都可以運用到治國之術上，但是名家不然，這些名家學者只停留在論辯邏輯上的討論，並且在此討論上「逐而不返」，而沒有發展成爲可供統治者運用的一套系統化的學說。所以我個人以爲，固然我們仍然可以爲了敘述方便，仍以「名家」一辭來稱呼這群「辯者」，但是我們該認清的是，當漢代學者設立「名家」一辭時，其實它已經不是先秦時代的「辯者」了；而且，名家至多只能和小說家類一樣，雖然可以列入先秦諸子之一，但是它也應是不入「流」的。

我們不難發現，先秦諸子的學說中時常可見正名之說，可是這些正名的學說是各自爲政的，和名家並無關聯；甚至有些還是相反的，例如公孫龍最著名的白馬非馬論，在《墨子·小取篇》中變成了「白馬，馬也；乘白馬，乘馬也」的「白馬是馬」論。顧實在《漢書藝文志講疏》中認爲：「蓋名者，凡治學者所共有之事」，並說：

---

❶❺ 名家中還有一位尹文子尚未討論，但是前文曾說過，現在傳世的《尹文子》一書是部僞書，不足爲據，而先秦典籍中尹文子的記錄又很少。劉向在《別錄》中說尹文子「其學本於黃老，大較刑名家也。居稷下，與宋鈃、彭蒙、田駢等同學於公孫龍」。則尹文子原本就和名家諸子的學說並不完全相合。《呂氏春秋·正名篇》中載有尹文子和齊湣王的對話，討論到「何謂士」、「用士」的問題，並且以「見侮不辱」爲討論焦點。梁啓超先生在〈漢書藝文志諸子略考釋〉中，即據此認爲尹文子的學說「正與莊子所說同，然則尹文非鄧析、惠施一派之名家明矣」。案《莊子·天下篇》中，宋鈃和尹文是相提並論的，所以尹文子原來是否是名家學者，是頗值得懷疑的事。本文在此遂採信梁啓超先生的說法，不以尹文子爲名家學者。但是後代所仿僞的《尹文子》一書，仍應視爲名家類的著作看，不過那是魏晉時代的作品，和先秦時代的《尹文子》是不同的。西漢末年時，劉向所看到的《尹文子》一書，既說他的學說「本於黃老」，又說他只是「大較刑名家也」，我個人以爲劉向在分類時將之隸入名家類是很有問題的。尹文本身在學派的屬性上即有疑義，並不能十分明確的分類。或許是因爲尹文的學說中有論辯邏輯的部份，再加上他曾就學於公孫龍，所以劉向在分類時，只得把他隸入名家類中。

然則黃帝、孔子咸主正名，固言治之首務，以紀萬物，安得而不有數。惟道、法、儒、墨紛紛咸重在此，而用之又各不同歟！❶

王冬珍教授在《名墨異同考辨》一書中也有類似之說：

先秦諸子各有專學，然皆爲其學而重名學。墨經即墨家之名學，墨徒以此爲據。名家如惠施、公孫龍之流，尤重名學，然彼等專以辯論爲主。❶

這些說法，都是十分正確而可取的。因此，所謂「名家」，是漢代以後所立的名辭，漢代以前，他們只是一群「辯者」，以辨別名實的論辯邏輯爲其單一內容，是和其它諸子的正名學說各不相干的，也是無法自成一個學派的。

四、漢代所謂刑名和名家無涉

漢代以前雖然沒有「名家」一辭，但是「刑名」兩字連用，卻偶有所見。例如《戰國策·趙策二》載蘇秦說秦王說：

客有難者，今臣有患於世。夫刑名之家，皆曰白馬非馬也，已如白馬實馬，乃使有白馬之爲也，此臣之所患也。

這是目前所見唯一以「家」稱呼辯者，並且「刑名」兩字連用，是指稱名家的例子。但是《戰國策》一書爲西漢末年劉向所訂，當時是否有所改動，尚待考證；即令所載屬實，應亦無妨於上文所論的名家類本義。除此之外，《韓非子·難二》內有「刑名」一辭：

人主雖使人，必以度量準之，以刑名參之。以事遇於法則行，不遇於法則止。功當其言則賞，不當則誅。以刑名收臣，以度量準下，此不可釋也。

《呂氏春秋·正名篇》中也提到了「刑名」一辭：

名正則治，名喪則亂………凡亂者，刑名不當也。人主雖不肖，猶若用賢，猶若聽善，猶若爲可者。其患在乎所謂賢，從不肖也；所謂善，而從邪辟；所謂可，而從悖逆也，是刑名異充而聲實異謂也。

這兩段話中的「刑名」一辭，所指涉的都是屬於法家或刑法的概念，完全是從統治方法

---

❶ 見該書諸子略名家類下注文。

❶ 見該書第七章結論。嘉新水泥公司文化基金會出版，1972年11月，台北市。

上立言，而不屬於名家的理念。所謂「刑名」，已經和先秦時期的「辯者」的論辯邏輯分道而行。**⓭**

根據《史記卷六・秦始皇本紀》所載，始皇三十七年南巡會稽山，立石刻以頌秦德時，碑文中也有「刑名」一辭：

> 秦聖臨國，始定刑名，顯陳舊彰，初平法式，審別職任，以立常。

這裡的「刑名」，有循名責實，以立官職的意思，但是仍屬於法家的領域，和上文所引的原文一樣，都是法家的正名主義，而不屬於名家。

自此之後，凡是漢代所提到的「刑名」一辭，幾乎都是指法家的正名主義而言，甚至逐漸偏向刑法的概念。例如《史記卷六十三・老莊申韓列傳》中論申不害說：

> 申子之學本於黃老，而主刑名，著書兩篇，號曰申子。

論韓非子說：

> 韓非者，韓之諸公子也，喜刑名法術之學，而其歸本於黃老。

南朝時裴駰在註解此段話時，又再作了引申：

> 新序曰：申子之書言人主當執術無刑，因循以督責臣下。其責深刻，故號曰術。商鞅所爲書號曰法，皆曰刑名，故號曰刑名法術之書。

把「刑名」和「法術」相提並用，已經很明顯的看出，當名和刑兩字相連使用時，此中所謂的「名」，已經不屬於名家的範疇了。《史記》中這樣的例子很多，例如《史記卷一百一・晁錯列傳》中說：

> 晁錯者，潁川人也，學申商刑名於軹張恢先所……孝文時，言削諸侯事，及法令可更定者，書數十上，孝文不聽，然奇其材。

此中所謂的刑名，當然是指法家之學而言，而且也兼及了刑法。《史記卷一百三・張叔列傳》中對張叔的評語，更說明了這個現象：

> 御史大夫張叔者，名歐………孝文時以治刑名言事太子。然歐雖治刑名家，其人

⓭ 《荀子・正名篇》中有「刑名從商」之語，但此處所謂的刑名，是指刑法的名稱，和本文所討論的刑名無涉。

> 長者………自歐爲吏，未嘗言案人，專以誠長者處官，官屬以爲長者，亦不敢大
> 欺。上具獄事，有可卻，卻之，不可者，不得已，爲涕泣面對而封之，其愛人如
> 此。

言下之意，所謂的刑名家，應是十分刻薄寡恩的，是和張歐的寬厚長者的形象是不一樣
的。所以這裡所說的刑名家，絕不是專談論辯邏輯的名家，而是指法家而言。唐代司馬
貞的《史記索隱》在詮釋這段話時，卻把刑、名兩字分開來解說：

> 案劉向《別錄》云：申子學號曰刑名者，循名以責實，其尊君卑臣、崇上抑下，
> 合於六家也。說者云：刑名家，即太史公所說六家之二也。

案《漢書卷四十六》中也有〈張歐列傳〉，所載事蹟與《史記》大同小異。然而唐代顏
師古在註解該列傳時，卻對司馬貞《索隱》中的說法不表贊同。顏師古說：

> 說者云：刑，刑家；名，名家也。即太史公所論六家之二也。此說非。

顏師古在這裡只說「此說非」，並沒有明確的說明他的看法。可是在《漢書卷九·元帝
紀》中，又有「刑名」一辭出現，這次顏師古的註解中，就有了較清楚的解說。〈元帝
紀〉說：

> 孝元皇帝………柔仁好儒，見宣帝所用多文法吏，以刑名繩下，大臣楊惲、蓋寬
> 饒等坐刺譏辭語，爲罪而誅。嘗侍燕，從容言：陛下持刑太深，宜用儒生。宣帝
> 作色曰：漢家自有制度，本以霸、王道雜之，奈何純任德教，用周政乎？

晉代的晉灼在《漢書音義》中解釋上文中所謂的「刑名」是：

> 刑，刑家；名，名家也。太史公曰：法家嚴而少恩，名家儉而善失真。

晉灼以太史公所謂的法家來解釋「刑家」，可見刑家即法家；而在晉灼的觀念中，「刑
名」一辭是分別指先秦諸子中的法家和名家。可是顏師古的註解駁斥晉灼之說，認爲：

> 晉說非也。劉向別錄云：申子學號刑名，刑名者，以名責實，尊君卑臣，崇上抑
> 下。宣帝好觀其〈君臣篇〉。繩，謂彈治之耳。

可知顏師古的觀點是認爲「刑名」一辭是不可分立的，而且是專指「法家」一家而言，
並非指先秦諸子中的二個學派。❶

---

❶　以上所引《史記》、《漢書》，均據武英殿版。

我們毋庸再贅述其它的資料。從現在所能得見的典籍來看，在漢代以後，名家雖然被歸納成爲一個先秦時代的學派，可是恰好相反的是，漢代以後已經不再出現先秦時代的「辯者」了。也就是說，名家的純綷論辯邏輯已經不再存在於漢代的諸多學說之中，所謂名家，其實已經成爲一個作古的名辭。而漢代學者口中的「刑名」中的「名」，根本就是專指法家中的正名主義而言。而且，「刑名」一辭已經是不可分立討論的，它成爲一個新興的名辭，是先秦時代的法家思想和後世具體刑法的綜合概念，這和《史記》中歸納出來的先秦時代的「名家」，已經是毫不相關。換言之，純粹的「名家」在漢代已經消失了。

五、名家觀念的衍化與《風俗通義》

在百家爭鳴的時代，才有名家發揮的空間。固然誠如上文所引顧實的說法，認爲名家是：「凡治學者所共有之事」，但是在中國傳統的學術環境之下，純綷屬於學術性格的論辯邏輯要獨立生存，似乎不是一件容易的事。

但是既爲「共有之事」，名家在先秦時代所建立和開創出來的觀念，仍是不容忽視的。雖然苦於無法在中國的傳統的學術領域中獨立發展，但是若能使之質變，把論辯邏輯的觀念運用到其它的學術中，名家類其實是能夠另外以更新的面貌出現的。

基於這個觀點，我們現在應該可以嘗試就這樣的角度來追索名家的下落。由於名家可能會有質變的情況產生，所以追索的範圍就先要突破目錄書籍內的「名家類」的限制，看看其它的類別中，是否有某些書籍的寫作理念是可以納入「名家」觀念的討論。

最早出現這種傾向的，應該屬於東漢末年應劭所撰的《風俗通義》十卷。[20]此書原序說：

> 昔仲尼沒而微言闕，七十子喪而大義乖；重遭戰國約從連橫，好惡殊心，眞僞紛爭………並以諸子百家之言，紛然殽亂，莫知所從。漢興，儒者競復比誼會意，爲之章句………皆析文便辭，彌以馳遠。綴文之士，雜襲龍鱗，訓註說難，轉相陵高，積如丘山，可謂繁富者矣。而至於俗間行語，眾所共傳，積非習，莫能原察。今………聊以不才，舉爾所知，方以類聚，凡一十卷，謂之《風俗通義》。言通於流俗之過謬，而事該之於義理也。

---

[20] 此書《隋書·經籍志》著錄三十一卷，《新唐書·藝文志》著錄三十卷，《崇文總目》、《郡齋讀書志》及《直齋書錄解題》則均著錄十卷，或後代有部份亡佚。

據此，這部書的寫作大旨，恰如《後漢書列傳第三十八卷·應劭傳》中所說的，是一部辯別事物名實的著作：

> 撰《風俗通》，以辯物類名號，釋時俗嫌。文雖不典，後世服其洽聞。

我們若以辨別名實的觀念來看，這部書的寫作大旨其實就是正名主義的具體呈現。誠如前文所述，正名主義在先秦的各學派中皆有之，可是我們若詳細考察這部書的內容，卻可發現此書中所呈現的正名主義，並不屬於任何一個學派。

這本書的體例，多是先引述某書中的一段話，或是記錄一段民間的俗說，然後再加按語，以「謹按」兩字爲起首論辯其名實之間的謬誤之處。例如卷八「社神」條說：

> 《孝經》説：社者，土地之主。土地廣博，不可遍敬，故封土以爲社而祀之，報功也。《周禮》説二十五家置一社，但爲田祖報求；《詩》云：乃立冢土。又曰：以御田祖，以祈甘雨。謹按，《春秋左氏傳》曰：共工有子曰勾龍，佐顓頊，能平九土，爲后土，故封爲上公，祀以爲社，非地祇。

應氏所論辯的諸事，包羅萬象；可是應氏論辯所據的書籍，卻是以正經正史爲主，偶而兼及諸子書，如《呂氏春秋》、《韓非子》、《管子》、《晏子春秋》等。有時應氏也不引用諸書，直接以「謹按」兩字作爲條目的開頭，辯證他所見所聞的各項事跡。

不難看出，這部書的作法，實是具有開創性的啓示作用。我們固然不能強奪說這部書就是一部名家的著作，但是無可置疑的，這部書的內容已經擴大了先秦時代的辯正名實的觀念，把先秦時代局限於施政手法上的正名主義，延展到了其它各類事物上去。

或許是由於該書的觀點並不專主於某一家派，所以歷代書目在歸類時，都將此書視爲雜考之作，而隸入子部的雜家類中。例如《隋書·經籍志》、《新、舊唐志》、《宋史·藝文志》等皆是。

很明顯的，這是一個分類上的認定問題。雖然這部書的內容是在辯證名實，但是方法是屬於考據的。圖書分類時，本來就有崇質和依體的不同，擇一而隸類，則有所彰、亦有所隱，這是無可避免之事。清代章學誠在《校讎通義·宗劉第二》中，即說「如韓愈之儒家、柳宗元之名家、蘇洵之兵家、蘇軾之縱橫家、王安石之法家」，皆隱沒在文集中。《風俗通義》雖然有辯證名實的本質，可是同樣的，它在隸類時，隱沒在子部的雜家類中了。

除此之外，我們若回歸到目錄學的觀點上來看，《隋書·經籍志》以下的書目，對於名家類的定義顯然還沒有擴充到包容所有「辯證名實」的書籍的地步。雖然上文曾經論及，先秦時代的名家只是單純的論辯邏輯，而且漢代以下所謂的「刑名」之說，和先

秦時的「名家」無涉,可是漢代以下對於「名」的詮釋,明顯的在此產生了影響。從《史記》中司馬談論六家要旨,到《漢書‧藝文志》諸子略的名家類,名家顯然演變成了一個和政治手段有關的學派。《漢書‧藝文志》名家類小序中所說的:「名家者流,蓋出於禮官。古者名位不同,禮亦異數。」是一項重要的訊息,名家在此,是被界定爲討論名位和禮數的學派,這是屬於政治上的運用,而不是先秦時代純綷學術觀念上的論辯邏輯。名家類在進入漢代以後,可以說已經產生了質變了。

若從這樣的觀點來看,《風俗通義》就算是以崇質的角度來歸類,也不會被納入《漢書‧藝文志》子部名家類的觀念之中,因爲該書所辯證的名實,都不是屬於名位、禮數的治術討論。所以在目錄學的分類上,這部書也只能被列入雜家類中。

這就形成了一個正反兩面都可以成立的現象,同時也是一個矛盾的現象:《風俗通義》既可說成是儒、道、墨、法家中正名主義的變體,也可說成是先秦時代名家論辯邏輯的實際運用。這兩種說法,都不能算錯。可是反過來說,這部書雖然是以正名主義爲其觀念基礎的,但是它卻並不屬於儒、道、墨、法家中的任何一家;而名家的定義在《漢書‧藝文志》中已經產生了質變,僅管我個人以爲相對於其它各家來說,這部書的性質是比較接近先秦時代的名家,可是它事實上又不符合漢代以來的所謂名家的觀念,又不能納入名家類中。因此,《隋書‧經籍志》將之列入雜家,也算是得其實情了。

僅管我們也同意《風俗通義》是一部應該被列入雜家類的書籍,可是這並不表示這部書應該被排除討論。它的問世,顯示了名家觀念在運用上的另一種生機,它是先秦名家在漢代消失後,另尋出路的一種衍化現象。我們在探究名家的變遷時,這部書應該被列入參考系來看待的。

六、《人物志》的出現與名家類的發展

至此,名家類事實上已經呈現出了兩個發展方向:其一,是順著《漢書‧藝文志》的觀念,統合儒、道、墨、法家的正名主義,把名家導向成論辯名位、禮數的家派;其二,則是承襲《風俗通義》的前例,把先秦時代的論辯邏輯擴張作實際運用,並重新給予名家類新的定義。而無論是那一種發展方向,名家類都已經產生質變了。

從《隋書‧經籍志》中子部名家類的記載來看,名家類顯然是選擇了第一種質變來作爲它的發展方向。該類中著錄的書籍有四部:《鄧析子》一卷、《尹文子》二卷、《士操》一卷、《人物志》三卷。根據《隋書‧經籍志》的體例,在編輯時知有其書但已亡佚的,都依類置入各相近條目之下,以附注的形態著錄之。《士操》一卷爲魏文帝所撰,其下注文記載道:

梁有《刑聲論》一卷，亡。

而劉邵所撰的《人物志》三卷條下注文亦記載說：

> 梁有《士緯新書》十卷，姚信撰。又《姚氏新書》二卷，與《士緯》相似。《九州人士論》一卷，魏司空盧毓撰。《通古人論》一卷，亡。

據此，該類中著錄的名家類書籍，應該一共有九部。這些書籍中，《鄧析子》和《尹文子》是原來名家類中就有的，其它七部則是新增加的。這七部新增的書籍，和原來名家類舊有的二部書性質大異，因此，這七部新增的書，就是名家類質變轉換的關鍵性典籍。

這七部新增的書中，現在只有《人物志》一書傳世，其它的都失傳了，所以我們現在只能以《人物志》來作為討論的對象。

《人物志》的作者劉邵字孔才，魏代人，事蹟見《三國志·魏志卷二十一》。[21]這部書的書名雖然叫《人物志》，但是內容卻不是在為人物作傳，而是討論辯識人才的方法。全書三卷，再分為十二個類目：九徵、體別、流業、材理、材能、利害、接識、英雄、八觀、七繆、效難、釋爭。此書最早見載於《隋書·經籍志》中的子部名家類，自此之後，歷代書目皆沿襲《隋志》，並無疑義。可是《四庫全書總目·子部雜家類》內著錄此書，卻顯然對於該書是否屬於名家類頗有不同的看法。該目《人物志》的提要說：

> 其書主於論辯人才，以外見之符驗內藏之器。分別流品，研析疑似，故《隋志》以下皆著錄於名家。然所言究悉物情，而精覈近理，視尹文之說兼陳黃老申韓、公孫龍之說惟析堅白同異者，迴乎不同。蓋其學雖近乎名家，其理則弗乖於儒者也。

此說固然有其可採之處，但是也有其可議之處。最明顯的疑義在於：既然《四庫全書總目》認為《人物志》的理論「弗乖於儒者」，那麼為何不將此書直接隸入子部的儒家類中呢？又《四庫全書總目》子部中不立名家類，凡是前代隸入名家類的書籍，皆併入雜家類的雜學目中。《四庫全書總目》既然又認為《人物志》的內容和尹文、公孫龍的學說「迴乎不同」，和名家只是「近乎」的關係；而且又不把《人物志》和《尹文子》、《公孫龍子》並列，而是置於歷代皆認定是雜家的《呂氏春秋》、《淮南子》之後，可見《四庫全書總目》是將《人物志》視為雜家來看待，而不是視為名家的。既說「其理弗乖於儒者」，卻又隸入雜家，此中矛盾立見。於是我們不得不問：「其故安在哉？」

---

[21] 本傳作劉劭，然應作劉邵，詳見《四庫全書總目·子部雜家類》該條目下的考證。

我們現在不妨直接來看看這部書的內容。❷該書〈九徵第一〉等於是開明義的總論，據北朝人劉昺的註解，所謂「九徵」是：

> 人物情性，志氣不同，徵神見貌，形驗有九。

可知這部書的宗旨，即在於徵神見貌，以論辯人物的情性志氣。〈九徵〉中認為，人的材質，是由五行構成，即木骨、金筋、火氣、土肌、水血；由五行發而為仁、禮、信、義、智五常；再由五常之別，進而列為五德，即木之德溫直擾毅、金之德剛塞弘毅、水之德愿恭理敬、土之德寬栗柔立、火之德簡暢明砭。五常內充，五德外章，則相互驗證之下，人的九種形徵就可得而見了。

我們可以看出，這樣的理論完全是漢代陰陽家學說和儒家學說相互結合的再現，只不過劉邵把它放在正名主義的觀點上討論，並且實際運用到君王的用人之術上去。劉邵更以此為基礎，再把辯識和運用人材的方法擴充到道家和法家的領域。在〈流業第三〉中，因三材之源和習業之流的不同，把人材分為十二種。而「凡此十二材，皆人臣之任也」，也就是說，這十二材都是「臣道」，和為人君的「主道」是不同的。那麼何謂「主道」呢？劉邵說：

> 凡此十二材，皆人臣之任也，主德不預焉。主德者，聰明平淡，達眾材而不以事自任者也。是故主道立，則十二材各得其任也………主道得而臣道序，官不易方，而太平用成。

而在〈材能第五〉中，劉邵把可以任官的人材依其能力分為偏材之人和國體之人兩種，所謂「偏材之人」，是「或能言而不能行，或能行而不能言」的人；至於「國體之人」，則是「能言能行，故為眾材之雋也」。但不論是偏材之人或是國體之人，卻都是人臣，畢竟和人君有所不同。劉邵認為：

> 人君之能異於此：故臣以自任為能，君以用人為能；臣以能言為能，君以能聽為能；臣以能行為能，君以能賞罰為能。所能不同，故能君眾材也。

類似這樣的論調，在書中隨處可見。綜而覈之，可說是以儒家的基本理念，加上儒家的垂拱而治，再配合道家的無為而無不為，法家的重術思想，混合而成的一種治國任官的技術。

劉邵在書中不斷強調人君應守中庸之道，再加上他所列舉的官制都是本於《周禮》

---

❷　下文所據為文淵閣本《四庫全書》。

一書，並且以儒家的理念爲基礎，這或許就是《四庫全書總目》中所謂「其學雖近乎名家，其理弗乖於儒者」一說的原因。這句話同時也說明了《四庫全書總目》在將《人物志》隸類時的標準，該目畢竟認爲劉邵的理論並非純屬於儒家，而是介於名家和儒家之間，所以最後還是將它和雜家類的書並列在一起。

但是這又是另一個可議之處。《四庫全書總目》認爲該書「視尹文之說兼陳黃老申韓，公孫龍之說惟析堅白同異者，迥乎不同」，可見該目對於名家類在定義上的變遷，尚有考究未詳之處。這又要分成兩個方向來談：第一個可議之處，是該目認爲《人物志》和公孫龍的學說是不相同的，而且從語調來看，該目似乎因此而判定《人物志》是名家學說的變體，是不符合名家類的定義，是不可以隸入名家類的一部書。可是先秦時代那種「惟析堅白同異」的名家，早就在進入漢代以後就消失不見了。像《人物志》這樣的書，才是漢代以後名家類的正常走向。也就是說，和公孫龍「迥乎不同」的名家書籍，才是漢代以後的名家定義所在，《四庫全書總目》以先秦時代的定義作爲判別《人物志》的標準，實在有違名家變遷的事實。

但是漢代以後名家類的新走向又是什麼呢？這就要從《四庫全書總目》第二個可議之處來談。第二個可議之處，是該目認爲《人物志》和兼陳黃老申韓的尹文不同，顯然就是說《人物志》是一部不談論黃老申韓之學的著作。也就是說，該目認爲《人物志》並不含括道家和法家學說，只是單純的在名家觀念和儒家理論的配合下，論辯人材而已。可是根據上文所簡單擇樣引述的原文來看，便可知道該書並不是單純的名、儒之間的交流而已。它的正名觀念是歸結在君王用人之術上的，爲了使君王達成知人任事和統御臣下的功能，劉邵明顯的把儒、道、法、名四家的學術觀點全部融貫在一起。若要勉強細分其中的差異，儒家和名家的觀點是基本理念，是屬於形而上的；而道家和法家的觀點則是實際運用上的方法或手段是屬於形而下的。在《人物志》一書中，這種形上理論和形下方法相互配合的情形是十分明確的。《四庫全書總目》若以爲該書並沒有「兼陳黃老申韓」，則其對該書的認知實在有待商榷。

我們若再配合當代其它的例證，更可發現融合儒、道、法、名數家思想，根本就是先秦名家質變以後在六朝時代的發展新趨勢。前文曾經敘述過，現存的《鄧析子》和《尹文子》二書，事實上是魏晉時代的作品。此事經歷代學者的考證，已毋庸置疑，所以這兩部書的思想背景應放在和《人物志》同一個時代來看。

十分有趣的是，《鄧析子》和《尹文子》兩書的內容，完全是以名家的論辯爲基礎，摻以儒家思想，再配合道、法兩家的思想寫成的。宋代晁公武《郡齋讀書志・子部名家類》中載《鄧析子》說：

《左傳》曰：「駟歂殺析而用其竹刑」；班固錄其書於名家之首，則析之學蓋兼名法家也。今其書大旨訐而刻，眞其言也，無可疑者。而其間時勒取他書，頗駁雜不倫，豈後人附益之歟？

又論《尹文子》說：

今觀其書，雖專言刑名，然亦宗六藝，數稱仲尼，其叛道者蓋鮮，豈若（公孫）龍之不宗賢聖，好怪妄言哉！

晁氏的說法固然有其可議之處，[23]但是單就其學術系統而言，晁氏也看出這兩部書的理論已非先秦時代的名家。《四庫全書總目·子部雜家類·雜學之屬》中載《尹文子》，對該書的學術系統說得最清楚：

其書本名家者流，大旨指陳治道，欲自處於虛靜，而萬事萬物則一一綜核其實，故其言出入於黃老申韓之間。周氏《涉筆》謂其自道以至名，自名以至法，蓋得其眞。

名家類在質變之後，雖然其理論始終「出入於黃老申韓之間」，可是由於這些著作的最終目的是在輔佐君王的治術，所以它們和法家之間的糾葛就更顯凸出。因此，《四庫全書總目》甚至把《鄧析子》列入子部的法家類中。該目的提要論《鄧析子》說：

其言如：天於人無厚，君於民無厚，父於子無厚，兄於弟無厚。勢者君之輿，威者君之策，則其旨同於申韓。如：令煩則民詐，政擾則民不定。心欲安靜，慮欲深遠，則其旨同於黃老。然其大旨主於勢，統於尊，事覈於實，於法家爲近。

而清代的章學誠更進一步的認爲，歷代歸入法家的《申子》一書，其實是應該隸入名家類的。他在《校讎通義內篇第三·漢志諸子第十四》中說：

按劉向《別錄》：「申子學號刑名，以名責實，尊君卑臣，崇上抑下」；荀卿子曰：「申子蔽於勢而不知智」；韓非子曰：「申不害徒術而無法」。是則《申子》爲名家者流，而《漢志》部於法家，失其旨矣！

我們固然可以不必同意《四庫全書》和章氏的主張，但是名家類在漢代以後的轉變，已

---

❷❸　如明代宋濂〈諸子辯〉中說：「《尹文子》二卷，周尹文撰。其書言大道似老氏，言刑名類申韓，蓋無足稱者。晁氏獨謂其亦宗六藝，數稱仲尼，其叛道者蓋鮮。嗚呼！世豈有專言刑名而不叛道者哉？晁氏失言。」見《宋文憲公全集》卷三十六。

經昭然若揭。這項轉變，可以分成兩個階段來看：第一個階段，是漢代時把名家轉變成綜合各家正名學說的一個學派，轉變的關鍵在〈司馬談論六家要旨〉和劉氏子的《別錄》、《七略》。第二個階段是在魏晉時代，把名家再進一步的向實際運用上推展，衍化成君王的知人任事之術。而轉變的關鍵則是《人物志》的問世，和《鄧析子》、《尹文子》的偽作。

經過這兩次的質變，名家類已經和先秦時代的「名家」大異其趣，而且在六朝以後，名家顯然是朝著二個階段的方向發展。這個現象，可以從歷代書目中名家類的著錄情形看得出來，除了前文已經引述過的《隋書・經籍志》名家類之外，我們現在再挑選幾部通代書目中的名家類，試著將先秦系統和《人物志》系分成左右兩列，就可以比較出六朝以後名家的發展方向了。

・《舊唐書・經籍志》：

鄧析子一卷	人物志三卷
	又三卷・劉昺注
尹文子二卷	士緯十卷・姚信撰
公孫龍子三卷	士操一卷・魏文帝撰
又一卷・賈大隱注	九州人士論一論・盧毓撰
又一卷・陳嗣古注	兼名苑十卷・釋遠年撰
	辨名苑十卷・范諡撰

・《新唐書・藝文志》：

鄧析子一卷	劉邵人物志三卷
尹文子一卷	劉昺注人物志三卷
公孫龍子一卷	姚信士緯十卷
賈大隱注公孫龍子一卷	魏文帝士操一卷
陳嗣古注公孫龍子一卷	盧毓九州人士論一卷
	僧遠年兼名苑二十卷
	范諡辨名苑十卷
	趙武孟河西人物志十卷
	杜周士廣人物志三卷
	宋璲吳興人物十卷

·《宋史·藝文志》：

公孫龍子一卷　　　　　即郡人物志二卷

尹文子一卷　　　　　　杜周士廣人物志二卷

鄧析子二卷

·南宋·《中興館閣書目》：

公孫龍子二卷　　　　　人物志二卷·魏劉邵撰

尹文子二卷　　　　　　廣人物志一卷·唐杜周士撰

　　　　　　　　　　　南北人物志十卷·唐陸羽撰

·明·焦竑·《國史經籍志》：

鄧析子一卷　　　　　　人物志三卷·魏劉邵撰

尹文子二卷　　　　　　廣人物志五卷·唐杜周士

公孫龍子一卷　　　　　九州人士論十卷·魏盧毓撰

　又注一卷·陳嗣古　　士操一卷·魏文帝

　又注一卷·賈大隱　　南北人物志十卷·陸羽

　　　　　　　　　　　士緯新書十卷·姚信

　　　　　　　　　　　姚氏新書二卷

　　　　　　　　　　　蔡氏辨名記五卷

　　　　　　　　　　　辨名苑十卷·范諗

　　　　　　　　　　　盧辨稱謂五卷

　　　　　　　　　　　徐陵名數十卷

　　　　　　　　　　　兼名苑二十卷·僧遠年

　　　　　　　　　　　天保正名論八卷·龍昌年

由以上的舉證，可以確知名家的發展是以《人物志》為一個重要的轉捩點。這部書開出了名家實際運用的新方向，也為名家類重新下了定義。在相互對比之下，同時也相對說明了為何名家在《隋書·經籍志》以後的書目中，非但沒有萎縮，反而有逐代擴張現象的原因。在後世並非顯學的名、墨、縱橫、雜、農等學派中，❷名家能有如此特異的表現，實在是和它後來的走向有莫大的關係。

---

❷　雜家類雖然在數量上亦不斷增加，可是那也是雜家經過質變才造成的結果。先秦時代原始意義的雜家，
　　是沒有繼續增加的。

七、結　論

　　由於名家的定義十分特異，先秦時代名家的門派又不是十分清楚，所以歷代學者對於名家的看法頗爲分歧。晉代時魯勝替《墨辯》作注，其書雖然已經失傳，但是在其《晉書》本傳中留下了一篇敍。敍中提到名家時說：

> 名者所以別同異，明是非，道義之門，政化之準繩也。孔子曰：「必也正名，名不正則事不成」。墨子著書，作《辯經》以立名本；惠施、公孫龍祖述其學，以正別名顯於世。孟子非墨子，其辯言正辭則與墨同。荀卿、莊周等皆非毀名家，而不能易其論也………自鄧析至秦時名家者，世有篇籍，率頗難知，後學莫復傳習，於今五百餘歲，遂亡絕。❷⑤

　　魯氏把名家的源頭定爲墨家，是值得商榷的事；但是魯氏始終將名家的定義局限在先秦時代的論辯邏輯上，而沒有釐清漢代以來名家類的定義在目錄學的概念中，已經產生了質變，所以他會認爲名家傳至晉代，已經亡絕。

　　其實單就論辯邏輯的領域來說，魯氏的觀點並沒有錯。問題在於如果後代的書目中，仍然還有名家類的存在，而且不是只有先秦那幾部書的重複記錄，甚至還有新的書籍的繼續發展，這就表示屬於這一個類別的學派並沒有亡絕，而是改變了定義後，重新開拓新領域。

　　換言之，我們應該要詮釋的，是歷代書目中名家類一直在持續發展的原因。書目中歷代皆存在的類別，除非它一直不發展，否則我們沒有理由一廂情願的認定歷代目錄學家皆是錯誤的。書目中的類別本來就是反映某一個時代的學術門類的工具，如果這唯一且最直接的文獻都因自己的認知不足而被否定，那目錄學在中國學術史上的存在價值也就等於被全盤否定了。

　　胡適在〈諸子不出於王官論〉中，即持這種否定說法，認爲漢代從司馬談到劉氏父子，到班固，都是錯誤的：

> 〈藝文志〉所分九流，乃漢儒陋說，未得諸家派別之實也。古無九流之目，〈藝文志〉強爲之分別，其說多支離無據………其最謬者，莫如論名家。古無名家之名也，凡一家之學，無不有其爲學之方術，此方術即是其「邏輯」，是以老子有無名之說，孔子有正名之論，墨子有三表之法………古無有無「名學」之家，故

---

❷⑤　原文中還有一段引述論辯邏輯的文字，詳見《晉書卷九十四·魯勝列傳。》

「名家」不成爲一家之言………其後學術散失，漢儒固陋，但知掇拾諸家之倫理政治學說，而不明諸家爲學之方術，於是凡「苛察繳繞」（司馬談語）之言，概謂之「名家」。名家之目立，而先秦學術之方法淪亡矣！劉歆、班固承其謬說，列名家爲九流之一，而不知其非也。❷⑥

這個觀點若繼續推衍下去，那麼歷代書目中的名家類又該如何解釋？是否要說所有的目錄學家，只要是有立名家類的，都是承前人之謬說，都是錯誤的呢？

相形之下，清代的章學誠在《校讎通義·內篇第一、宗劉第二》中所提出的看法，就要合理得多：

名家者流，後世不傳。得辨名正物之意，則顏氏《匡謬》、邱氏《兼明》之類，經解中有之矣！墨家者流，自漢無傳。得尚儉兼愛之意，則老氏貴嗇、釋氏普度之類，二氏中有墨家矣！討論作述宗旨，不可不知其流別者也。❷⑦

雖然章氏的說法，是僅從崇質的觀點，辨別名家理念的存在現象，而未顧及到名家類的定義演變，可是至少章氏已經注意到了名家思想藉其它類型的書籍以轉化其發展方向的事實。而章氏的觀點，恰好是可以和前文所論及的《風俗通義》的系統相銜接的。

綜合上述，我們可以歸納出下列的結論：

1. 先秦時代，有「辯者」群的存在，他們以論辯邏輯爲主要的論述內容，但沒有構成像其他學派一樣的理論系統。

2. 漢代出現了「名家類」，但是其意義已經和先秦時代的「辯者」不同。漢代名家類的定義，是綜合先秦各家的正名主義而成的新觀點，它在類別構成時，已經產了意義上的質變。雖然漢代以後習慣用「名家」一辭來稱呼先秦時代的「辯者」，但是漢代以後的「名家」，並不同於先秦時代被稱爲「名家」的「辯者」。

3. 東漢時應劭的《風俗通義》，是一部運用名家觀點所寫成的書籍。不過這部書是以事物的考察爲主，後代遂將之列入子部的雜家類之中。我們不妨將之和章學誠所提出的顏師古《匡謬正俗》和邱光庭的《兼明書》，列入名家的參考系來待。

4. 魏代劉邵的《人物志》是一部再次使名家類定義轉變的關鍵性典籍，它落實在輔佐君王知人任事的治術走向，完全符合了「諸子學派」的觀念。而《人物志》一書，僅是這一系列典籍的代表，在當代和後代都有不少類似的典籍產生。所以《隋書·

---

❷⑥ 見《胡適文存》第一集第二卷。洛陽圖書公司，1979年，台北市。

❷⑦ 文中所述，係指《新、舊唐志·經解類》中所載唐代顏師古撰《匡謬正俗》八卷，及《宋史·藝文志·禮類》所載五代邱光庭撰《兼明書》四卷。

經籍志》以下的書目，均以此統一列入名家類，因而形成了名家類在書目中逐步擴
張的特殊現象。

我們藉由這樣的結論，同時也可以印證一個觀念：學術門派的定義、文獻典籍的產生，
和目錄學中的類別，三者是可以相互呼應的。其中最大的考察切入點，即是類別定義的
質變現象。掌握這個觀念，則名家類，或其它類別在書目中的特殊結構，就可以獲致解
決之道。

潘仁《唐丞相陸宣公奏議纂註》略論

谷口明夫

前　言

　　唐德宗時代宰相陸贄的文集，一般被稱爲《陸宣公奏議》，也被稱作《翰苑集》、《陸宣公集》、《陸宣公文集》或《陸宣公全集》。嚴格地說起來，只收錄奏草和奏議的，稱爲《陸宣公奏議》，內容只有制誥的，稱《翰苑集》；奏草、奏議及制誥三者皆備者方應稱《陸宣公文集》、《陸宣公集》或《陸宣公全集》，但今被混爲一談，故而有許多人錯認爲是同書異名。

　　陸宣公文集有二十二卷本及二十四卷本兩種版本，我認爲二十二卷本仍保有原來的結構❶。以二十二卷本來看，首推靜嘉堂文庫收藏的《陸宣公中書奏議》（存卷五·六，分類號碼三·二三），次爲北京圖書館收藏的宋刊本《陸宣公文集》二十二卷和最近北京圖書館藏書中影印出版的宋蜀刻本《陸宣公文集》（奏議十二卷）及《四部叢刊》初編二次景印本集部所收的元刊本《唐陸宣公集》（二十二卷），皆爲重要版本。以二十四卷本來看，日本宮內廳書陵部所藏明嘉靖刊本《唐陸宣公集》（分類號碼五五六·三五）和內閣文庫等所藏明嘉靖二十七年沈伯咸刊本（分類號碼三一三·三七八）可稱爲善本。❷

　　陸贄的文章，自古即以有助於經世濟民而深受推重，在明治維新前的日本也深得學者所鍾愛，不過由於陸贄的文章爲駢文，且與唐中期政治、經濟有密切關聯，疑難點頗多，故有關陸贄文集註解的著作有數種，下面的六種是近代以前的著作：

　　　一、宋、唐仲友（1136－1188）註。《陸宣公奏議詳解》十卷。

　　　二、宋、郎曄（生卒年不詳）註。《經進新註唐陸宣公奏議》二十卷、宋紹熙二年
　　　　　（1191）上進。有元至正十四年（1354）刊《註陸宣公奏議》十五卷等的不

---

❶ 〈《陸宣公集》とその注解（上）〉（《中國中世文學研究》第二十五號，中國中世文學會，白帝社1994年）。周中孚《鄭堂讀書記》卷二十一，史部七，奏議類，〈注陸宣公奏議十五卷舊刊本〉條亦云：「總作陸宣公集二十二卷，蓋據當時槧本。」

❷ 山城喜憲〈陸宣公奏議諸本略解〉（《斯道文庫論集》第十七輯　慶應義塾大學附屬研究所斯道文庫1981年）結語。

同版本。

三、元、鍾士益（生卒年不詳）註。《陸宣公奏議增註》卷數不詳。有吳澄（1249
－1333）及劉岳申爲序。

四、元、潘仁（生卒年不詳）註。《唐丞相陸宣公奏議纂註》十二卷、元至順二年
（1331）自序，至元六年（1340）許有壬（1287－1364）爲序。

五、清、張佩芳（1732－1793）註。《陸宣公翰苑集注》二十四卷，乾隆三十三
年（1768）鄭文虎爲序。

六、日本、石川安貞（1736－1810）註。A、《陸宣公全集釋義》二十四卷，安
永元年（1772）自序，三年刊。B、《陸宣公全集註》二十四卷，寬政元年
（1789）爲序，二年刊（A的改訂增補版）。

上項註解中，宋代的郎曄和元朝的潘仁是以二十二卷本的奏草和奏議加以註解，清
代的張佩芳和日本江戶時代後期的石川安貞是以二十四卷本的奏草、奏議、詔誥全部加
以註解。亦即是，在宋元以前的有註解的刊本是以二十二卷本爲主，清以後的有註刊本
是以二十四卷本爲主，在有註解的刊本中對校勘有用的是郎曄註的宋刊本及潘元註的元
刊本，但亦不能小看張佩芳註本及石川安貞註本。

要研究陸贄文集，先要參閱各刊本進行校勘，然後需作定本和整理研究史。敝人是
一邊從事各刊本的校勘，同時研究註解的著作經過、內容及其特徵。宋、郎曄的註解已
研究過❸，此次僅就元潘仁的註解作一番報告。

一、潘仁及其《唐丞相陸宣公奏議纂註》允許刊行的經過

潘仁及其《唐丞相陸宣公奏議纂註》（以下簡稱《纂註》）的刊行經過的資料僅有《纂
註》所載的許有壬、普顏實理和王理各人所作之序及許有壬所著〈瞻綠亭記〉（《至正集》
卷三十九）而已。現，我以上項諸人所著資料、地方志等地理書及有關元代版刻的資料爲
依據，對潘仁其人其事、居住環境及《纂註》刊行經過，僅以考證結果作一說明。❹

潘仁是元河南江北行省蘄春縣（今湖北省蘄春縣）人，生於西元1300年左右❺，字彥賓，
號久庵，又號西溪子❻。家居蘄水縣（今浠水縣）縣城東三里左右的鳳棲山，宅邸遍

---

❸　〈《陸宣公集》とその注解（下）〉（《中國中世文學研究》第二十八號　1995年）。

❹　詳細考證發表在〈潘仁《唐丞相陸宣公奏議纂註》刊行考〉（《中國中世文學研究》第三十二號　1997年）中。

❺　許有壬〈瞻綠亭記〉云：「彥賓壯年，進進方未已。」〈瞻綠亭記〉寫於1333年6月至1335年間。

❻　許有壬〈陸宣公奏議纂註序〉（以下略稱〈許序〉。本論文中是依據潘仁《纂註》所載〈許序〉，而非
　　《四庫全書》本《至正集》所收之文）云：「蘄春潘仁彥賓」；潘仁自序云：「蘄春後學潘仁」；許有
　　壬〈瞻綠亭記〉云：「久庵潘君……西溪子仁，彥賓」。

遍植綠竹，並在西溪建一涼亭，名為〈叢翠〉。❼

蘄州以產竹著名，潘仁宅邸四周皆為竹林，傳說此地綠楊橋即為蘇軾酒醉後作〈西江月〉詞之處❽。附近亦有清泉湧出的蘭溪，在蘭溪流域內的清泉寺內，有《茶經》的作者陸羽曾以此處泉水煮沸烹茶的陸羽泉及王羲之洗筆處的洗筆池，蘇軾在造訪此處時，傳說曾飲用洗筆池的水❾。蘇軾曾將校訂過的《陸宣公奏議》進呈哲宗，其所獻上的〈進呈奏議箚子〉，幾乎全被收錄在《陸宣公集》中，故要著《陸宣公奏議纂註》的潘仁感到與蘇軾有近在咫尺、無以言傳的親近感吧。

蘭溪和鳳棲山兩地相距極近，皆在縣城東二、三里處❿。清泉寺建於唐貞元年間（785－805），是一座藏書很多的大寺廟，在至元年間（1341－1367）羅田縣的徐壽輝在此起兵燒毀寺宇⓫以前一直存在，故對潘仁讀書學習而言，可以肯定地說有很大的助益。

潘仁為了讀書、著作選擇了良好的環境，在至順二年（1331）完成了《陸宣公奏議纂註》⓬，然後赴江南行御史臺所在地建康（金陵，今江蘇省南京），謁見監察御史趙天綱（字之維，號正子先生），趙天綱將潘仁引見給行御史臺的同事們，得到極高的評價，並寫了推薦潘仁就湖廣行省寶慶路儒學的學正一職的書函，同時將《纂註》上呈中書省。江南諸道行御史臺監察御史王理，應趙天綱之請，在至順四年（1333）六月，作〈纂註序〉推重潘仁的《纂註》⓭。

---

❼ 許有壬〈瞻綠亭記〉云：「蘄水東橋曰綠楊，蘭溪掎之，清泉逸。眉山長公游訪地也。山曰鳳棲，久庵潘君隱焉。居之隙，悉樹以竹子，西溪搆亭。其中扁以叢翠。」「眉山長公」是蘇軾。

❽ 《湖北通志》（張仲炘等撰，民國十年（1921）重刊本）卷三十七、建置志十三、津梁一、蘄水縣、〈綠楊橋〉條云：「在城東一里。宋蘇軾西江月詞序：春夜行蘄水，道中過酒家，飲酒醉，乘月至一溪橋上，解鞍曲肱少休。及曉，已曉，亂山蔥蘢，不謂人世也。書此詞橋上。」〈西江月詞序〉有同文。

❾ 《方輿勝覽》卷四十九、蘄州、井泉、〈三泉〉條云：「余章三泉記：米芾書鳳山之陰、蘭溪之陽，有泉出石罅。爲蘭溪。其在寺庭之除，爲陸羽烹茶之泉。其在鳳山之陰，爲逸少澤筆之井。蘭溪，於茶經之品，第三，爲茶之所最宜。王、陸二水，皆蘭溪之一源耳。在蘄水縣西。蘇子瞻云：游清泉寺，洗筆泉水極甘。」

❿ 《湖北通志》卷七、輿地志七、山川、〈蘄水縣〉條云：「鳳棲山，在縣東三里。俗傳嘗有鳳凰棲此山。東有陸羽烹茶泉，晉王逸少洗筆泉。」又云：「陸羽泉在縣東二里。」同書卷十六、輿地志十六、古蹟二、〈蘄水縣〉條云：「洗筆池在縣東二里清泉寺。世傳王義之洗筆於此。今池畔小竹猶漬墨痕。」

⓫ 《湖北通志》卷十六、輿地志十六、古蹟二、〈蘄水縣〉條云：「清泉寺在縣治東北二里。唐貞元中建。鑿井得泉，清冽，故名。有王逸少洗筆泉，水極甘，下臨蘭溪，水西流。元至正間，羅田徐壽輝起兵，據清泉，毀其寺宇。古井猶存。」

⓬ 潘仁〈自序〉云：「歲至順辛未孟夏、蘄後學潘仁謹識。」至順辛未是至順二年（1331）。

⓭ 王理〈陸宣公奏議纂註序〉云：「蘄春潘仁，所著陸宣公奏議纂註成書，遂來金陵，求正子先生今監察

中書省接受了江南行御史臺的案件，將其撥交翰林院校勘、審查，翰林院承認《纂註》有價值，沒問題後，由任參議中書省事的許有壬按印認可，於是潘仁成爲寶慶路儒學的學正。此事當在元統元年（1333）十月到翌年的那段時間裏⓮。

在《纂註》接受翰林院審查，等待許有壬同意出版的同時，打算更換自宅涼亭扁額的潘仁得到了涼國公趙世廷（1260－1336）以大字所題的〈瞻綠〉二字，便請求許有壬爲之作〈瞻綠亭記〉⓯。趙世廷是雍古族（色目人），許有壬爲漢人，皆爲敢作敢爲有能力的當權大臣，我認爲潘仁曾爲了自己的著作能得到認可順利出版作過一番努力。

據說，元朝政府對當代著作的出版印刷，是有一定的限制的，要是想用公款出版自己的著作，首先得由本路進呈，層峰批准，才能出版。明陸容在其《菽園雜記》中說：「元人刻書，必經中書省看過，下所司，乃許刻印。」清蔡澄在《雞窗叢話》中也說：「元時人刻書極難，如某地某人有著作，則其地之紳士呈詞於學使，學使以爲不可刻，則已。如可，學使備文咨部，部議以爲可，則刊板行世，不可則止⓰」。陸容、蔡澄二人皆爲後世之人，非元時之人，元人之著述及《元史》、《元史紀事本末》等書中並未有如上的記載，難以斷言是否眞有其事，不過從潘仁申請許可刊行《陸宣公奏議纂註》的程序來看，正是依次經過官衙的審查和推薦，最後得到中書省的應許，正應驗了陸容、蔡澄二人所言非假。但是潘仁籍蘄州路，本應由蘄州路儒學上呈江北河南道肅政廉訪司，再轉御史臺後，獲中書省允應才是。潘仁卻不經江北河南道肅政廉訪司汴梁路（開封）的渠道，而竟自赴江南諸道行御史臺所在的金陵（建康）向趙天綱提出申請。

御史鄞郡趙君之維。之維俾仁修詞藝爲贊，來謁見，徧見于臺院諸公，咸用嘉之。」趙天綱，字之維，至順二年（1331）爲江南行御史臺監察御史。事見虞集〈湖南憲副趙公神道碑〉（《道園類稿》卷四十三所收）及《至正金陵新志》卷六。王理〈纂註序〉又云：「因潘仁之成書，以著其大者，復諸之維而爲之序。至順癸酉六月丁卯，文林郎江南諸道行御史臺御史王理序。」「至順癸酉」是至順四年（1333）。

⓮ 許有壬〈纂註序〉云：「蘄春潘仁彥賓爲陸宣公奏議纂註。南臺御史上其書，且薦其才可職校湖廣省調寶慶儒學正，而移其書中書，下館閣校勘，館閣題之。予參議中書適署其案。蓋亦爲之縱臾者也。」許有壬於至順二年（1331）的一段時間和元統元年（1333）十月至翌年中任職於參議中書省事（《元史》卷一八二、許有壬傳）。

⓯ 許有壬〈瞻綠亭記〉云：「潘君…西溪搆亭，其中扁以叢翠。西溪子仁彥賓，請于迂軒涼國公。公大書瞻綠以易其舊。於是持以來請曰：仁得公翰墨爲榮。元老尊嚴，不敢復有請願剖其義。」「迂軒涼國公」是趙世延，於至順二年七十二歲時，被封爲涼國公，至元元年（1335），封爲魯國公，翌年十一月卒。曾於至元元年前在金陵茅山養病時，爲潘仁揮毫大書「瞻綠」。

⓰ 李致忠《歷代刻書考述》（巴蜀書社1989年）五　元代的刻書機構、管理機關及其刻書概況。羅樹寶『中國古代印刷史』（印刷工業出版社1993年）第八章　雕版印刷的緩慢發展　第二節　元代政府的印刷。

江南行御史台（簡稱江南行臺）管轄江南十道，嶺北湖南道也是其中之一❶。後潘仁被推薦至嶺北湖南道肅政廉訪司管轄下的寶慶儒學就任學正一職及在廉訪司所在的天臨路的儒學出版《纂註》一事來看，我認爲潘仁最初是由嶺北湖南道肅政廉訪司管轄之下的路學開始申請的，也就是說，作者可越境上呈及申請出版許可，並不是非得經由出生地或居住地的衙門呈上請求准許出版，或許應對蔡澄所言之一部有所質疑才是。

潘仁成爲寶慶路的儒學學正和得到取得困難的出版許可後，《陸宣公奏議纂註》不是馬上出版，而是在經過了六、七年後至元六年（1340）好容易才被出版問世，但潘仁似乎並未參與此事。他因著述之功當了官立學校的學正後，反倒行蹤不明，音信全無。

二、赫國寶與《陸宣公奏議纂註》之刊行

促使在得到出版許可後，久未見蹤影的《陸宣公奏議纂註》得以順利問世的是當時任湖南僉憲的高昌（今新疆、吐魯番）人赫國寶。從許有壬及普顏實理的〈纂註序〉中可明瞭出版《纂註》前後的經過。

赫國寶任江南行御史臺時，在同事王伯循（即王理）處看過《纂註》的副本，除了極爲贊賞《纂註》的詳盡，同時想讓其出版廣傳於世，調到湖南後好容易在天臨路的學校（儒學）使之得以出版，於是請「憲長」（擔任監察部署的長官）和「同寅」（同事）共襄此事，并請前中書參政許有壬爲之作序，更獲得工作單位的最高首長蒙古人普顏實理的序文。許有壬的序文成於至元六年（1340）正月二十五日，普顏實理的序文成於同年四月一日❶。《纂註》的刊行當比此時稍晚些。

湖南僉憲高昌赫公國寶確是刊行《纂註》的中心人物，但他的正式的官名和本名還不清楚，故想在此探討「僉憲」和「赫公國寶」二詞。

先看「僉憲」這一官職。元代正式官名裏沒有「僉憲」此一詞。「僉憲」是甚麼官職？一般認爲「僉憲」是明代都察院僉都御史的美稱，但元代沒有「僉都御史」一職，故難以說明序文中「僉憲」一詞。

---

❶ 《元史》卷八十六、百官志二〈肅政廉訪司〉條。

❶ 普顏實理〈纂註序〉云：「余叨湖南臬事之明年，一日，僉憲高昌赫公國寶謂余曰：曩余偕王公伯循同僚江東時，伯循以靳士潘仁彥實所纂註陸宣公奏議副本示余。余讀之，嘉其纂輯之詳，嘗欲鋟梓以廣其傳。乃今甫遂刻于天臨學宮。憲長暨同寅諸公，相與美成之。前中書參政許公既敘之矣。君盍一言附著于篇。……至元六年歲次庚辰四月朔，高昌普顏實理子謙序。」
　　許有壬〈纂註序〉云：「既報可，而未聞有刻之者。湖南僉憲高昌赫公國寶尤愛其書，請余序將刻之。……至元六年，歲在庚辰，正月二十又五日，通奉大夫前中書參知政事知經筵事許有任序。」

　　我認爲御史臺亦稱「憲臺」，明代的「僉憲」是和監察職有關聯的官，故元代的「僉憲」也應是和監察方面的官銜有關聯的，亦即和御史臺或其下級的肅政廉訪司有關聯的官職。許有壬和普顏實理以前輩或上司的態度對待赫國寶來看，似乎「僉憲」的官位不甚高，年紀也不太大。許有壬在〈纂註序〉云：「國寶始作邑，即有聲，爲御史兩臺，僉江東憲，移湖南。予聞其能政，而不及扣其所得。及觀是舉，則知其有得於是書深矣。」要是赫國寶地位比許有壬尊貴，此話頗爲失禮。定是學問不深（或心裏評估學問不夠份量）下司的褒辭，而非對長官呈獻的頌詞。故可認定赫國寶絕非高官。

　　赫國寶請普顏實理作序文時說：「憲長暨同寅諸公相與美成之。」「憲長」是擔任監察部署的長官，「同寅」是同事之義，湖南道的監察部署是嶺北湖南道肅政廉訪司，其長官是肅政廉訪使，廉訪使通常都有二名。如此看來，赫國寶的同寅當是嶺北湖南道肅政廉訪司的官員們，赫國寶本人即是該廉訪司的官員之一。翻閱《纂註》卷頭，即可見普顏實理序文後有參與刊行《纂註》有關人士的官銜和姓名，茲列於下：

　　　　復調校正天臨路儒學正　　　顏士穎
　　　　登仕佐郎嶺北湖南道肅政廉訪司照磨　王秉璵
　　　　徵事郎嶺北湖南道肅政廉訪司知事　李克溫
　　　　奉議大夫僉嶺北湖南道肅政廉訪司事　張翔
　　　　承直郎僉嶺北湖南道肅政廉訪司事　沙卜丁
　　　　奉政大夫僉嶺北湖南道肅政廉訪司事　　赫赫
　　　　中大夫嶺北湖南道肅政廉訪副使　楊煥
　　　　太中大夫嶺北湖南道肅政廉訪副使　阿釋帖木兒
　　　　正議大夫嶺北湖南道肅政廉訪使　郭宗孟
　　　　正議大夫嶺北湖南道肅政廉訪使　普顏實理

　　上記除了爲首的天臨路儒學正之顏士穎以外，其餘皆爲嶺北湖南道肅政廉訪司領導階級的官員，依次由官位低的往高的順序排列。在這些官員名單中出現「赫赫」之名，其官銜是僉嶺北湖南道肅政廉訪司事，也就是僉事（正五品）。因未稱「赫國寶」，看來似是別人，但我認爲此「赫赫」即是「赫國寶」其人。理由如下：普顏實理在序文裏稱王理時以其字「伯順」稱呼「王公伯順」，序文裏所謂的「赫國寶」亦當是以字稱呼的。僉事赫赫是嶺北湖南道肅政廉訪使普顏實理的部下，地位當然比許有壬低，又姓赫，官名中也含有「僉」字，都和「湖南僉憲高昌赫國寶」官員的情形吻合。故可認定「湖南僉憲高昌赫國寶」即是「僉嶺北湖南道肅政廉訪司事赫赫」，此當不會有錯吧。

　　那麼，赫赫（字、國寶）在刊刻《纂註》事業上有什麼功績？我認爲不管作什麼事，

想要成就一事業時，最頭痛的就是資金的有無。好不容易才得到了刊行許可，卻沒隨即出版，直到五、六年後的至元六年才出版的原因，很可能是當時資金不夠的緣故。既不是蕭政廉訪司的長官，也非擁有淵博學識，且不是《纂註》的作者，能以出刊《纂註》而受到稱讚的理由，大概就是他捐私財充當刊刻《纂註》的費用，解決資金問題的緣故吧。因爲要是由天臨路儒學出刊，印板理應都歸於儒學所有，但赫氏不在意此項不利條件，而眞心想把《纂註》廣傳於世，使世人皆能讀此書，此種大公無私的精神誠爲難能可貴❶，故許有壬和普顏實理在序文裏誇讚赫氏。

現藏於臺灣故宮博物院的《唐丞相陸宣公奏議纂註》有一說明云：「元後至元六年湖南僉憲赫國寶刊本」。雖然此說明沒有錯誤，但若改成「元後至元六年僉嶺北湖南道蕭政廉訪司事赫赫字國寶捐貲，天臨路儒學刊」更爲恰當且明瞭吧。

三、潘仁註的內容及其價值

潘仁註究竟是有何內容和有何特色的註呢？若是跟其它的註比較的話，即可明白。以潘註和郎曄註對照來看，可知潘仁將郎曄註幾乎都全部採用，並加上自己的註。例如：卷一〈論兩河及淮西利害狀〉的篇題下有註云：

> 按藩鎭傳，德宗建中三年，盧龍朱滔……（略三十五字）……朝廷命馬燧等將兵討之。又德宗初立……（略五十四字）……希烈怙其壯，舉眾三萬，圍曜。公時爲翰林學士。帝詔問策安出，公乃上此奏。帝不納。

此註，看起來子像是潘仁自己的註，其實不是。註中「藩鎭傳」至「朝廷命馬燧等將兵討之」五十八字，在郎曄註本裏放於「兩河寇賊未平殄」句下，兩註內容都一樣。「又德宗初立」至「希烈怙其壯，舉眾三萬，圍曜」七十字，郎曄註本附此於「又淮西兇黨功逼襄城」句下，潘仁獨自的註只有「公時爲翰林學士」以下二十一字。由此可知潘註僅是組合郎曄註，再加上自己的所成的。又如卷二〈論敘遷幸之由狀〉篇題下有註云：

> 按逆臣朱泚傳，李希烈圍哥舒曜於襄城。……（略一百四十八字）……泚僭即皇帝位於宣政殿，號大秦，自將攻圍奉天。始帝值變故……（略六十一字）……公欲開廣帝心使知恐懼修省。故退而上此奏。

這註中「逆臣朱泚傳」至「自將攻圍奉天」一百八十二字，在郎曄註本裏置於本狀

---

❶ 許有壬〈纂註序〉云：「國寶……獨拳拳欲刻是書，以惠來學。其能以宣公之心爲心乎。」

中「陛下敘說涇叛卒驚犯宮闕及初行幸之事」句下，郎註共有一百九十八字，比潘註多十六字。潘註「始帝值變故」至「故而上此奏」七十九字，郎曄註本置此於本狀篇題下，只有「公欲開廣帝心，使知恐懼修省」十二字爲郎註所無，其他的文字，兩註皆相同。這也是把本來分開的郎註拼在一起，改成一註的，而非潘仁獨自作的。

這樣稍微改變郎註裝成自己註的註，在本來有郎註的部位，幾乎都能發現。潘仁註差不多都採用郎曄的註，有的根本照樣畫葫蘆沒改就用，有的則刪掉一點，或增添一點，根據郎曄註的潘註，在整個潘仁註中有百分之六、七十之多。

和潘仁同時期的鍾士益撰述《陸宣公奏議增註》，吳澄知道此事，爲鍾士益作了序云❷⓪：

> 盧陵鍾士益，博綜群書，喜讀奏議各疏事迹始末於每篇之下，其所援據，亦皆附載，繼之以諸儒之評，廣之以一己之說。因郎氏舊註而加詳焉。

由此文可知，郎曄註本盛行於當世，而潘仁看過郎曄註也是確實可信之事❷①。

雖然如此，潘仁在〈自序〉裏稱頌《陸宣公奏議》後云：

> 然乃獨無所論究，而板行于今者，類皆傳寫無據，承繆踵訛，或始末未詳，而事實罕究，使覽者不能無掩卷之嘆焉。庸是不揆愚陋，竊取唐傳志諸書，參互考訂，逐篇之中，究其事實與其始末，爲之分註，以附其下。其援引經史者，皆明著所出之篇目，而其坦然明白，無事乎詮釋，則不敢強爲之說，俾相承訛繆者，一歸於正。

他只提前人註之缺失，揚自己註釋之成果，全沒提郎註之名。既然幾乎全部採用了郎曄註，應該提到郎曄註，使世人皆知他註釋作業的實際情況才對。但他隱秘事實，略奪前人功績，這種作風，對現代人來說，是個不可容認的著作權侵害。但時代不一樣，人們的價值觀念也不一樣，故不可輕率批評潘仁，暫時保留評價爲是。

既然潘仁《纂註》中有半數以上皆剽竊自郎曄註，這是否即可判定《纂註》毫無價值呢？非也。潘仁註的價值是其中也有參照郎註的註以外的註，那麼那些註又是怎樣的

---

❷⓪　《臨川吳文正公集》卷十一。

❷①　王重民也在《中國善本書要補編》（書目文獻出版社1991年）第四十三頁〈唐丞相陸宣公奏議纂註〉
條云：「自序謂《宣公奏議》前人無所論究，然郎曄實前於仁者百餘年，繄其所註，與郎氏同者十六七，
豈賢者所見略同耶？抑仁實見郎氏所註耶？與仁同時有鍾士益者，嘗爲郎氏增註，吳澄序之，今載《草
廬集》中，可見郎註實盛行於元代，於以益信仁之能見郎註也。」

註呢？

首先不能不說的特點是，它記載著人所皆知最基本的常識。如卷一〈論關中事宜狀〉中「抑亦有鎮撫戎狄之術焉」這一句，加了「西方曰戎，北方曰狄。」的註。還有卷五〈興元論續從賊中赴行在官等狀〉中「漢高豁達大度，天下之士至者，納用不疑。」這段，加上「通鑑，漢高帝，名邦，字季，沛人。隆準龍顏，愛人喜施，意豁如也。有大度。秦末起兵，拔韓信於行陣，納陳平於亡命。」的註。「戎狄」之意及漢高祖名、大度英傑等皆屬一般常識，不是非記不可。

再如郎註中，用語未曾提過一次以《論語》為出處的，而潘註中，標明引用《論語》為出處之所，卻有數次之多。如卷一〈論兩河及淮西利害狀〉中「未信而言，聖人不尚。」句，加上「論語，信而後諫，未信則以為謗己也。」的註。這對飽讀詩書的中國文人而言，是根本不需要的註。像這種常識性的註解相當多，使人覺得有點畫蛇添足，多此一舉。

潘仁註最大的特點是音註非常多。在郎曄註全十二卷中只有十二條，但在潘註現存的八卷中，卻有六百七十七條音註。而且其中也包含了非常常識性的註解。如卷一〈論兩河及淮西利害狀〉中「此堯舜舍己從人，好問而好察邇言之意也。」一句中的「好，去聲」的音註，這種最基本的記註為數也不少。

對中國人而言，一般性常識的註解和音註過多，究竟代表什麼意義呢？從潘仁註大半剽竊郎曄註的角度來看，當然也可看作潘仁的學識能力不高，但寧願看作是他為了初學者們容易明瞭，而記註了大量基礎的知識來嘉惠學子，不是更為妥當嗎？

對《纂註》給予極高評價，並為其盡力奔走出版的高昌人赫赫并非漢族，他的學問當然不如一般的漢族士子，因而潘仁《纂註》水平的註解，可能對他適合吧。

我認為，對事物的評價是依評價人的立場而定，立場不同，評價自然也就不同。對《纂註》的評價也是因人而異。對學識淵博的人而言，《纂註》沒多大的價值，故許有壬在〈纂註序〉裡幾乎沒有言及潘註的效果。但對漸漸開始接受喜愛漢族文化的蒙古人和色目人來說，基礎知識和漢字讀音詳細的《纂註》使其感到極為方便有用，且有價值。從此角度來看，可以說《纂註》是適合於當時時代要求的著作。

那麼，《纂註》對現代的我們有怎樣的價值呢？我認為《纂註》最大的特色是有許多音註，要是《纂註》無缺卷，音註總數當超過一千。這些極多的音註，對初學者很有用，同時對想學中華文化的外國人也必有極大的助益。

目前一般日本人的漢語水平還不夠高，能得心應手，自由自在使用漢語的人很少。而目前日本與中華民國及中國大陸關係日益加深，對中國感興趣想學中文的人越來越多，前往留學的各階層人士也大為增加，其人數之多是昔日所不能相比的。我認為，在不久

的將來，許多學好中文的日本人中，必會出現想要徹底理解中國及其他各方面文化的愛好者。對於鑑賞中國古典文化而言，他們不會像以前只要能念漢字能知道文章的意思就覺得滿意，而會要求自己能像中國人一樣用中國語音來念，直接鑑賞中國古典文學。

潘仁的音註給了今後從事中國古典註解者一個很好的啓示。也就是說，中國學者註解中國古典時，要是也能倣效潘註的方式，多加音註，對學習研究中國古典的外國學人會有很大的助益。《人人文庫》所收周養初先生撰述的《陸贄文》一書註解裏有一些音註，我覺得很有意義。如果音註再多一些，將更好。

另外，《纂註》可能還有另一價值。也就是說，《纂註》裏的音註數目相當多，也可能可以把它當作研究元代讀書音的資料。對這方面，我尚未作深入研究，目前不能斷言是否眞具有學術方面的價值。

結　語

此次報告中，我先介紹了潘仁爲了使政府能批准《纂註》的出版採取的活動及其程序，再考證刊刻《纂註》的「湖南僉憲赫公國寶」是「僉嶺北湖南道肅政廉訪司事赫赫」，推測赫赫對《纂註》給予很高的評價的理由是因《纂註》裏有很多爲初學者記註的基礎知識和音註的緣故，最後介紹了《纂註》的價值。

潘仁的《纂註》並非格外詳細的註，而是爲初學者撰述的著作，註中雖僅有一些別人註裏沒有的註解，仍有其參考價值。關於《纂註》裏的音註，也是我今後努力的方向。

另外，在十四世紀初葉至中葉五十餘年的短短時間裏出版了郎曄、鍾士益和潘仁的三種陸宣公奏議註，這也是很奇特的現象。我覺得這很可能與從延祐元年（1315）開始施行的科舉試有關係。《陸宣公奏議》與科舉有關係亦是今後該研究的事項。我希望各位前輩後進惠予賜教。

《詩經》服飾考

林登順*

一、前 言

《詩經》的價值爲何？古來學者皆以「詩教」爲重。如「詩三百，一言以蔽之，思無邪。」（《論語·爲政》）、「小子何莫學乎詩。詩，可以興，可以觀，可以群，可以怨。邇之事父，遠之事君，多識於鳥獸草木之名。」（《論語·陽貨》）「誦詩三百，授之以政，不達；使於四方，不能專對；雖多，亦奚以爲。」（《論語·子路》）認爲，思無邪；敦篤倫紀與陶鑄群生；通達事理和適應時宜，才是「詩」的眞正意義與價值。這是正確的，但是，若把多識草木鳥獸，義資博識的相關常識，看作詩學的餘緒，似乎也泯滅了孔子詩教的部分用心。因此，本文即試著透過《詩經》篇章中，有關服飾的部分，加以探索，冀能窺求聖人以詩爲教的隱微苦心。

在《詩經》中，提到有關於服飾的篇章，大約有五十六篇，種類有冠服、冠冕、袍、蓑衣、帶佩、衣服、裘、履、行縢。以下即針對這些篇章與種類，加以考辨。

二、服飾考辨

(一) 冠服彙考

詩三百零五篇中，有言及冠服者，如：

《詩經·王風·大車》：大車檻檻，毳衣如菼，大車啍啍，毳衣如璊。

毛傳曰：「毳衣，大夫之服……天子大夫四命，其出封五命，如子男之服……服毳冕以決訟。」

箋曰：「古者天子大夫服毳冕以巡行邦國，而決男女之訟。」

孔疏曰：「《春官·司服》曰：『子男之服，自毳冕而下，卿大夫之服，自元冕而下』則大夫不服毳冕。《傳》又解其得服之意。天子大夫四命，其出封五命，如子男之

＊國立台南師院語教系副教授

服，故得服毳冕也。出封謂出於封畿，非封爲諸侯也，尊王命而重其使由於封畿，即得加命，反於朝廷，還服其本……鄭解《周禮·司服》：「出封」謂『出於畿內，封爲諸侯加一等，褒有德也』……古天子大夫服毳冕以決訟……是子男，而入爲大夫者也，王朝之卿大夫出封於畿外，褒有德加一等，使卿爲侯伯，大夫爲子男，其諸侯入於王朝爲卿大夫者，以其本爵，仍存直以入仕爲榮耳。」

據《周禮·司服》：「王之吉服，祀昊天上帝則服大裘而冕，祀五帝亦如之；享先王則袞冕；享先公饗射則鷩冕，祀四望山川則毳冕；祭社稷五祀則希冕；祭群小祀則玄冕。凡兵事，韋弁服；視朝則皮弁服；凡甸冠弁服……公之服，自袞冕而下，如王之服；侯伯之服，自鷩冕而下，如公之服；子男之服，自毳冕而下，如侯伯之服；孤之服，自希冕而下，如子男之服；卿大夫之服，自玄冕而下，如孤之服。」

可見「毳衣」原是王六祭服之一，其命數則在子男，但大夫若出封，則可加一等服毳衣以決訟。屈萬里引馬瑞辰說是；大夫巡行邦國之服也。❶只言其半。至於高亨《詩經今注》言，女子所穿，實有誤解。❷而程俊英蔣見元《詩經注析》言，大夫之服，也有不妥。❸

《詩經·曹風·候人》：彼其之子，三百赤芾。

《詩經·小雅·瞻彼洛矣》：韎韐有奭，以作六師。

《詩經·小雅·采菽》：又何予之，玄袞及黼。……赤芾在股，邪幅在下。

《詩經·小雅·斯干》：朱芾斯皇，室家君王。

毛傳曰：「芾，韠也。一命縕芾黝珩，再命赤芾黝珩，三命赤芾蔥珩。大夫以上，赤芾乘軒。」

正義曰：「桓二年《左傳》云『袞冕黻珽。』則芾是配冕之服。《易·困卦·九五》『困於赤芾，利用享祀。』則芾服祭祀所用也。《儀禮·士冠·陳服》云『皮弁服，素積，緇帶，素韠。』『玄端，玄裳，黃裳，雜裳，可也，緇帶，爵韠。』則韠之所用，不施於祭服矣。」

而〈玉藻〉：「韠，君朱，大夫素，士爵韋。」注云「凡韠以韋爲之，必象裳色。……皮弁服皆素韠。」注又云「此玄冕、爵、弁服之韠，尊祭服，異其名耳。韍之言亦蔽也。縕，赤黃之間色，所謂韎也」

---

❶ 屈萬里著《詩經詮釋》（台北，聯經出版事業公司，1983年2月初版）頁131。

❷ 高亨注《詩經今注》（台北，里仁書局，1981年10月初版）頁105。

❸ 程俊英、蔣見元著《詩經注析》（北京，中華書局，1991年10月1版1刷）頁213。

〈士冠〉：「韎韐。」注云「韎韐，緼韍也。士緼韍而幽衡。」〈士喪〉：「韎韐。」注云「一命，緼韍。」疏：「韎者，據色而言，以韎草染之，取其赤；韐者，合韋爲之，故名韎韐也。云一命緼韍者，〈玉藻〉文。但祭服謂之韍，他服謂之韠。」

據《國語·晉語》：「端委韠帶」韋注：「韠，韋蔽膝。」《釋名·釋衣服》：「韠，蔽也，所以蔽膝前也。」而其形制，據〈玉藻〉言：「韠，……天子直，公侯前後方（前爲下端，後爲上端），大夫前方後挫角，士前後正。韠，下廣二尺，上廣一尺，長三尺，其頸五寸。肩、革帶博二寸。」《白虎通義·紼冕》：「紼者何謂也？韍者蔽也，行以蔽前者爾。有事因以別尊卑彰有德也……是以聖人用爲紼服，爲百王不易也，紼以韋爲之者，反古不忘本也。上廣一尺，下廣二尺，法天一地二也；長三尺，法天地人也。」

可見，芾乃配冕之服，大夫以上之名，主要爲祭祀所用。也稱爲韠，不施於祭服，亦爲士冠弁服之配。若士爵弁服以助君祭時，其蔽膝則稱韎韐、緼韍。

《詩經·豳風·狼跋》：赤舄几几。

《詩經·小雅·車攻》：赤芾金舄，會同有繹。

赤舄，《傳》曰：「人君之盛屨也。……几几，絢貌。」《周禮·屨人》《傳》曰：「複下曰舄，禪下曰屨。」鄭司農云：「王吉服九，舄有三等，赤舄爲上冕服之舄。詩云，王錫韓侯，玄袞赤舄，則諸侯與王同，下有白舄、黑舄。王后吉服六，唯祭服有舄。」陳奐《傳疏》：「《傳》云：『几几，絢貌』者，〈屨人〉注云：『絢謂之拘，箸舄屨之頭，以爲行戒』〈士冠禮〉注云：『絢之言拘也，以爲行戒。狀如刀鼻衣，在屨頭。』……袞冕赤舄之絢以金爲飾，其狀則几几然也。」

至於金舄，亦即《周禮》之赤舄，據《疏》言：「金舄即禮之赤舄也。故《箋》云，黃朱色。加金爲飾，故謂之金舄。」

所以，金舄即赤舄，當指用金作飾之紅鞋，几几則指鞋尖彎曲貌。乃諸侯配袞衣禮服所穿之鞋。

《詩經·小雅·六月》：四牡騤騤，載是常服。

常服，《傳》曰：「戎服也。」《箋》云：「戎車之常服，韋弁服也。」朱熹《集傳》曰：「常服，戎事之常服，以韎韋爲弁，又以爲衣，而素裳白舄也。」而《周禮·司服》曰：「凡兵事韋弁服。」

此乃將士作戰之服，據高亨所言，它是繪有日月旗之戰衣。❹

---

❹ 同❷，頁244。

《詩經・小雅・采芑》：服其命服，朱芾斯皇，有瑲葱珩。

《箋》云：「命爲將受王命之服也。天子之服韋弁服，朱衣裳也。」

《正義》云：「傳曰，天子純朱，諸侯黃朱。皆朱芾，據天子之服言之也。於諸侯之服則謂之朱芾耳。……三命以上皆葱珩也。」

因此，本詩所言之命服，實指天子所賜之禮服，賜其爵，則准其服也。

(二) 冠冕彙考

《詩經・衛風・淇奧》：充耳琇瑩，會弁如星。

《傳》曰：「充耳謂之瑱。琇瑩，美石也。天子玉瑱；諸侯以石。弁，皮弁，所以會髮。」

《箋》云：「會謂弁之縫中飾之以玉，皪皪而處狀似星也。天子之朝服，皮弁以日視朝。」

《正義》曰：「案多官玉人職，天子用全，上公用龍，侯用瓚，伯用將。鄭注云，公侯四玉一石，伯子男三玉二石，由此言之，此《傳》云，諸侯以石，謂玉石，雜也。《禮記》云，周弁、殷冔，夏收。言收者，所以收髮。則此言會者，所以會髮也。」

至於「如星」，則指弁中飾以五采玉。據《正義》言，王之皮弁會五采玉綦，就是皮弁中，每貫，結五采玉十二以爲飾。諸侯及孤卿大夫，各以其等爲之；侯伯則綦飾七，子男綦飾五，亦三采。本詩主角是武公，本畿外諸侯，入相於周，自以本爵爲等，則玉用三采，而綦飾七，所以飾之以玉，皪皪而處，狀似星。若非外土諸侯事王朝者，則卿綦飾六，大夫綦飾四，及諸侯孤卿大夫各依命數，並玉用二采。

《詩經・曹風・鳲鳩》：其帶伊絲，其弁伊騏。

騏，本謂青黑色之馬，本詩則指弁如騏馬之文。而據〈春官・司服〉，凡兵事，韋弁服；視朝，皮弁服；凡田，冠弁服；凡弔事，弁絰服，則弁類類多矣。而知此是皮弁者，以其韋弁，以即戎冠弁，以從禽弁絰，又是弔凶之事，非諸侯常服，且不可與絲帶相配。唯皮弁是諸侯視朝之常服，又朝天子亦服之，作者美其德，能養民，故舉其常服。

至於大帶之制，據〈玉藻〉所言，天子素帶、朱裏、終辟；諸侯素帶、終辟；大夫素帶，垂辟；士練帶，率下辟。所以，大夫以上用素，故知「其帶伊絲」，即大帶用素絲。至於雜帶，〈玉藻〉也言，君朱綠，大夫玄華，士緇辟，是有其雜色飾也。

《詩經・小雅・都人士》：彼都人士，臺笠緇撮。

臺,據朱熹所言,乃是「夫須」也。緇撮,則是布冠也。但《大全》陸氏則言,臺,莎草,可以為蓑笠。布冠由於制小,所以,僅可撮其髻。而言臺為夫須,則較莎草更不易解。

(三) 衣服彙考

> 《詩經‧鄘風‧君子偕老》:象服是宜。……玼兮玼兮,其之翟也。
> 瑳兮瑳兮,其之展也,蒙彼縐絺,是紲袢也。

象服,《傳》曰:「尊者所以為飾。」《箋》云:「謂褕翟、闕翟也。」《疏》曰:「象鳥羽而畫之,故謂之象。」朱熹《集傳》曰:「象服法度之服也。」

「玼兮玼兮,其之翟也。」《傳》曰:「褕翟、闕翟,羽飾衣。」《疏》曰:「《傳》以翟雉名也。今衣名曰,翟。故謂以羽飾衣。猶若右手秉翟,即執真翟羽。鄭註《周禮》三翟,皆刻繪為翟雉之形,而彩畫之以為飾,不用真羽。孫毓云,自古衣飾,山、龍、華蟲、藻、火、粉、米,及《周禮》六服,無言以羽飾衣者。羽施於旌旗蓋則可,施於衣裳則否。蓋附人身,動則卷舒,非可以與羽飾故也。」所以,朱注曰:「玼,鮮盛貌。翟衣祭服,刻繪為翟雉之形,而彩畫之以為飾也。」其所言,皆是彩繪羽飾之衣。

而此衣,據鄭《箋》所言,乃侯伯夫人之服,自褕翟而下如王后焉。

「瑳兮瑳兮,其之展也,蒙彼縐絺,是紲袢也。」展衣,據《傳》言,是以丹穀為衣。而鄭《箋》則說,展衣宜白,《禮記》作襢衣。此外,《疏》云,精曰絺,麤曰綌,其精尤細靡者,縐也。言細而縷縷。朱熹說,瑳亦鮮盛的樣子。展衣是以禮見於君及賓客之服。當暑之時,在褻衣之上,加絺綌以自斂。

> 《詩經‧衛風‧碩人》:碩人其頎,衣錦褧衣。

錦褧,《傳》曰:「夫人嫁,則錦衣加褧襜。」《箋》云:「褧,襌衣也。國君夫人翟衣而嫁,今衣錦者,在塗之所服也,尚之以襌衣而加褧焉,為其太著。」意即在錦衣之上,加襌衣,以蔽塵土。

> 《詩經‧鄭風‧緇衣》:緇衣之宜兮。

緇衣,黑色衣,即公卿居私朝之衣。《大全》孔氏曰:「緇衣,即士冠禮所云,玄冠朝服緇帶素韠是也。卿士朝於王,服皮弁,不服緇衣,退食私朝,服緇衣以聽其所朝之政。」

> 《詩經‧鄭風‧丰》:衣錦褧衣,裳錦褧裳。

據鄭《箋》所言，褧是禪也。而內著錦緞衣裳，外加禪縠以蔽文飾太著。這是庶人之妻嫁服。

《詩經·鄭風·子衿》：青青子衿。

青青，據朱注言，爲純綠色。青衿，毛《傳》則說是青領。《顏氏家訓·書證篇》：「古者斜領下連於衿，故謂領爲衿。」

《詩經·鄭風·出其東門》：縞衣綦巾，聊樂我員。

縞衣綦巾，據朱注，這是貧陋之女服。《大全》孔氏曰：「《戰國策》云，強弩之餘，不能穿魯縞。則縞是薄繒不染，故色白也。綦巾，青色之小別艾，謂青而微白，如艾草之色。」屈萬里說，二者皆女子未嫁服。❺

《詩經·唐風·揚之水》：素衣朱襮。

朱注云，襮，領也。諸侯之服，繡黼領而丹朱純。《大全》孔氏曰：「此諸侯朝服祭服之裏衣也。以素爲衣，丹爲緣，繡黼爲領，刺繡以爲衣領名爲襮。」陳奐《傳疏》：「禮唯諸侯中衣則然，大夫用之爲僭。」

《詩經·唐風·無衣》：豈曰無衣七兮？不如子之衣，安且吉兮！豈曰無衣六兮？不如子之衣，安且燠兮。

毛《傳》曰：「侯伯之禮七命，冕服七章。天子之卿六命，車旗衣服以六爲飾。」
東萊呂氏曰：「《周禮》注，鷩冕七章，衣三章，一曰華蟲，畫以雉，即鷩也；二曰火；三曰宗彝，皆畫爲繢。裳四章，一曰藻；二曰粉米；三曰黼；四曰黻，皆以爲繡。」近人或說，七、六皆爲虛數，言衣服並不缺少。❻

《詩經·秦風·終南》：君子至止，黻衣繡裳，佩玉將將。

黻衣，據胡承珙言，是袞衣。乃貴族之衣。

《詩經·秦風·無衣》：豈曰無衣？與子同澤。豈曰無衣？與子同裳。

毛《傳》曰：「澤，潤澤。」鄭《箋》則曰：「襗，褻衣，近污垢。」因此，孔

---

❺ 同❶，頁758。
❻ 同❸，頁325。

《疏》曰：「衣服之煖於身，猶甘雨之潤於物，故言與子同澤，正謂同袍裳是共潤澤也。《箋》以上袍下裳，則此亦衣名，故易《傳》爲襗。《說文》云，襗，褲也。是其褻衣近污垢也。襗是袍類，故《論語》注云，褻衣，袍澤也。」所以，朱注說，澤，裏衣也，以其親膚近於垢澤，故謂澤。

《詩經·豳風·七月》：七月授衣，九月流火。

據毛《傳》所說，九月霜始降，婦功成，可以授冬衣了。

《詩經·豳風·九罭》：我覯之子，袞衣繡裳。

依朱注所言：「袞衣裳九章，一曰龍；二曰山；三曰華蟲，雉也；四曰火；五曰宗彝虎蜼也。皆繢於衣。六曰藻；七曰粉米；八曰黼；九曰黻。皆繡於裳。天子之龍，一升一降，上公但有降龍，以龍首卷然，故謂之袞也。」

而《大全》云：「九峰蔡氏曰，龍取其變也，山取其鎮也，華蟲取其文也，火取其明也，宗彝取其孝也，藻水草取其潔也，粉米白米取其養也，黼若斧形，取其斷也，黻兩相戾，取其辨也。」

以上所言，乃上公之服。

(四) 衣服雜錄

《詩經·周南·葛覃》：薄污我私，薄澣我衣。

私，燕服也。衣，禮服也。據毛《傳》言：「私，燕服也。婦人有副褘盛飾以朝事舅姑，接見於宗廟，進見於君子，其餘則私也。」

《詩經·邶風·柏舟》：心之憂矣，如匪澣衣。

此言心之煩憒，如未洗之穢衣。

《詩經·邶風·綠衣》：綠兮衣兮，綠衣黃裏。……綠兮衣兮，綠衣黃裳。

毛《傳》曰：「綠，蒼勝黃之間色。黃，中央土之正色。間色賤而以爲衣，正色貴而以爲裏，言皆失其道。」《說文》曰：「裏，內衣。」聞一多以爲是穿在裏面的衣服。❼但經傳稱穿在裏面之衣爲中衣、內衣，無稱裏衣，且穿於上身不管內外皆稱衣，因此，

---

❼　同❸，頁66。

裏與衣不相對，應如〈檀公〉所言：「綜衣黃裏」，乃黃布作襯裏。而由裏轉爲裳，其失道更遠矣。

　　《詩經·魏風·葛屨》：摻摻女手，可以縫裳，要之襋之，好人服之。

　　毛《傳》曰：「女，婦未廟見之稱也。娶婦三月，廟見，然後執婦功。要，裳要。襋，衣領」

　　《詩經·唐風·山有樞》：子有衣裳，弗曳弗婁。

　　《正義》說，曳，是指衣裳在身，行必曳之，婁與曳同爲一事，皆是拉扯衣服之意。

　　《詩經·豳風·七月》：七月流火，九月授衣，一之日觱發，二之日栗烈，無衣無褐，何以卒歲。……載玄載黃，我朱孔陽，爲公子裳。

　　褐，《箋》云：「毛布也。」《說文》則曰：「褐，編枲襪，一曰粗衣。」此乃泛指粗布衣服，乃賤者之服。

　　《詩經·豳風·東山》：制彼裳衣，勿士行枚。

　　毛《傳》曰：「制其平居之服，而以爲自今可以勿爲行陳銜枚之事矣。」屈萬里說是歸裝也。❽可知非兵服也。

　　《詩經·小雅·大東》：西人之子，粲粲衣服。

　　粲粲，毛《傳》說是鮮盛貌。乃貴族之服也。

(五) 袍彙考

　　《詩經·秦風·無衣》：豈曰無衣，與子同袍。

　　袍，毛《傳》說是襺。《說文》曰：「襺，袍衣。以絮曰襺，以縕曰袍。」乃是以絮製成之長衣。形如斗蓬，行軍時，白天當衣穿，夜晚當被蓋。

(六) 裘彙考

　　《詩經·召南·羔羊》：羔羊之皮，素絲五紽……羔羊之革，素絲五緎……羔羊之縫，素絲五總。

---

❽　同❶，頁271。

毛《傳》曰：「小曰羔，大曰羊。素，白也。紽，數也。……大夫羔裘以居」屈萬里說此無據。❾但朱熹注也曰：「皮所以爲裘，大夫燕居之服。素，白也。紽未詳，蓋以絲飾裘之名也。革猶皮也。緎，裘之縫界也。縫，皮合之以爲裘也。總亦未詳。」《大全》：「錢氏曰，兩皮之縫，不易合，故織白絲爲紃，施之縫中，連屬兩皮，因以爲飾。……曹氏曰，裘必合衆皮而成，故其縫殺不一。……孔氏曰，皮去毛曰革，對文則異，散文則通。」

五紽、五緎、五總，高亨則說，都是結衣的絲繩，它的用處，等於現在結衣的紐扣。❿

五，古文作乂，像交叉之形，不是數名。陳奐《傳疏》：「當讀爲交午之午。《周禮·壺涿氏》『午貫象齒』，故書午爲五，此五、午相通之例。」

紽，陸德明《經典釋文》：「它，本作佗，或作紽。」因此可知，它是佗的假借字。〈小弁〉《傳》曰：「佗，加也。」五佗就是交加之意。所以，「素絲五紽」即是用白絲線將羔羊皮交叉縫成皮衣。

革，馬瑞辰《通釋》：「古者裘皆表其毛，而爲之裏以附於革謂之鬲裘。《詩》『羔羊之皮，素絲五紽』，皮言其表也。『羔羊之革，素絲五緎』，革言其裏也。『羔羊之縫，素絲五總』，合言其表與裏也。」

緎，《齊詩》作䩴。《說文》：「䩴，羔裘之縫也。」因此，五緎其義與五紽相近。

總，毛《傳》：「總，數也。」陳奐《傳疏》：「此《傳》數字當讀數罟之數。」數罟之數意爲細密。所以，五總乃言其交叉細密。

> 《詩經·邶風·旄丘》：狐裘蒙戎。

毛《傳》：「大夫狐蒼裘，蒙戎以言亂也。」朱注：「蒙戎，亂貌，言敝也，客久而裘敝矣。」這是言裘歷久而散亂也。

> 《詩經·鄭風·羔裘》：羔裘如濡，洵直且侯……羔裘豹飾，孔武有力……羔裘晏兮，三英粲兮。

---

❾ 同❶，頁31。

❿ 同❷，頁25。其言，紽即衣紐。紐是圈圓形，今語稱錘叫稱鉈。古語衣紐叫作紽，正是一個語根的擴展。緎是衣扣，緎與緒是一音之轉，或與有古音相同，《尚書·洪範》：「無有作好，遵王之路。」《呂氏春秋·貴公》引有都作或。《商頌·玄鳥》：「奄有九有。」《中論·法象》引九有作九域。《說文》：「緒，彈彄也」即彈弓中間的扣，引申之，衣扣也叫作緒。總，《廣雅·釋詁》：「總，結也。」五總，就是把五個紽結在五緎上。其章是有順序的。

鄭《箋》:「緇衣羔裘,諸侯之朝服也。」朱注:「羔裘,大夫服也,如濡,潤澤也。直,順。侯,美也。言此羔裘潤澤毛順,而美飾緣袖也。禮,君用純物,臣下之。故羔裘而以豹皮爲飾也。豹甚武而有力,故服其所飾之裘者,如之三英裘飾也,未詳其制。」《大全》:「程子曰,三英,若素絲五紽之類,蓋衣服制度之飾。」

三英,今人則言,即上章的豹飾。豹皮鑲在袖口上,有三排裝飾。⓫或說,中間兩邊縫三條絲繩,穿時結之皮襖對襟鈕扣,三條絲有穗,結後則垂下。⓬而屈萬里則引馬瑞辰說,三英,或即〈羔羊〉之五紽、五緎、五總。此說法與《大全》程子說相近,應較可信。⓭

《詩經·唐風·羔裘》:羔裘豹袪……羔裘豹褎。

朱注:「羔裘,君純,大夫以豹飾,袪,袂也。褎猶袪也。」豹褎,鑲豹皮的袖口。

《詩經·豳風·七月》:一之日于貉,取彼狐狸,爲公子裘。二之日其同,載纘武功,言私其豵,獻豜于公。

毛《傳》:「于貉,謂取狐狸皮也。狐貉之厚以居。孟冬,天子始裘。」

孔《疏》:「自此之後,臣民亦服裘也。孟冬已裘,而仲冬始捕獸者,爲來年用之。〈天官〉掌皮,秋斂皮,冬斂革,春獻之。注云,皮革踰歲乾,冬乃可用獻之以入司裘,是其事也。」

朱注:「豵,一歲豕,豜,三歲豕,蠶桑之功,無所不備,猶恐其不足以禦寒,故于貉而取狐狸之皮,以爲公子之裘也。獸之小者私之以爲己有,而大者則獻之于上,亦愛其上之無已也。」

這是言平民所得,多奉獻於貴族,連衣服,都只能服貉,而尊者則服狐狸裘。

《詩經·小雅·大東》:舟人之子,熊羆是裘。

舟人,毛《傳》:「舟楫之人。……言富也」鄭《箋》:「舟當作周,裘當作求,聲相近故也。周人之子,謂周世臣之子孫,退在賤官,使博熊羆。」這是言貴族後代衰落,以田獵爲職。

(七) 裘藝文

⓫　同❸,頁234。

⓬　同❷,頁113。

⓭　同❶,頁143。

《詩經·檜風·羔裘》：羔裘逍遙，狐裘以朝，豈不爾思，勞心忉忉。羔裘翱翔，
　　　　　　　　　　狐裘在堂，豈不爾思，我心憂傷。羔裘如膏，日出有曜，
　　　　　　　　　　豈不爾思，中心是悼。

毛《傳》：「羔裘以遊燕，狐裘以適朝。」皆大夫之服。

(八) 裘雜錄

《詩經·秦風·終南》：君子至止，錦衣狐裘。

毛《傳》：「錦衣，采色也。狐裘，朝廷之服。」鄭《箋》：「諸侯狐裘錦衣以褧
之。」陳奐《傳疏》：「〈玉藻〉：『君衣狐白裘，錦衣以褧之。』錦衣狐裘，諸侯之
服也。鄭注云：『君衣狐白毛之裘，則以素錦爲衣覆之。』」
這是指諸侯之禮服。

《詩經·小雅·都人士》：彼都人士，狐裘黃黃。

〈玉藻〉：「狐裘黃衣以褧之。」《白虎通·衣裳篇》：「諸侯狐黃。」所以，這
是指諸侯冬天衣狐裘，而罩黃衫。

(九) 蓑衣彙考

《詩經·小雅·無羊》：何蓑何笠。

毛《傳》：「何，揭也。蓑所以備雨，笠所以禦暑。」《箋》：「蓑，草衣。」
《疏》：「蓑，唯備雨之物，笠則元以禦暑兼可禦雨。」
這是指遮雨禦暑之具。

(十) 帶佩彙考

《詩經·衛風·芄蘭》：芄蘭之支，童子佩觿，雖則佩觿，能不我知。容兮遂兮，
　　　　　　　　　　垂帶悸兮！……芄蘭之葉，童子佩韘。

毛《傳》：「觿，所以解結，成人之佩也。韘，玦也，能射御則帶韘。」
鄭《箋》：「容，容刀也。遂，瑞也。紳帶三尺，韘之言沓，所以彄沓手指。」
朱注：「觿，錐也，以象骨爲之，所以解結，成人之佩，非童子之飾也。容、遂，
疏緩放肆之貌。悸，帶下垂之貌。韘，決也，以象骨爲之，著右手大指，所以鉤弦闓體。」
以上皆是成人佩物，但本詩中，則由童子佩之，是不合禮也。

《詩經·王風·丘中》：彼留之子，貽我佩玖。

《正義》：「玖，佩玉之名。」

《詩經·鄭風·女曰雞鳴》：知子之來之，雜佩以贈之。

毛《傳》：「雜佩者，珩、璜、琚、瑀、衝牙之類。」

朱注：「雜佩者，左右佩玉也。上橫曰珩，下繫三組，貫以蠙珠，中組之半，貫一大珠曰瑀。末懸一玉，兩端皆銳曰衝牙。兩旁組半，各懸一玉，長博而方曰琚，其末各懸一玉如半璧而內向曰璜。又以兩組貫珠，上繫珩，兩端下交貫於瑀而下，繫於兩璜，行則衝牙觸璜而有聲也。」

以上皆是說明佩玉的組合。

《詩經·鄭風·子衿》：青青子佩。

朱注：「青青，組綬之色。佩，佩玉也。」《大全》：「《禮記·玉藻》曰，所以貫佩玉相承受者，組綬一物也。孔氏曰，禮，不佩青玉，而云青青子佩者，佩玉以組綬帶之。」

這是言佩玉配以青組綬也。

《詩經·秦風·渭陽》：何以贈之，瓊瑰玉佩。

毛《傳》：「瓊瑰，石而次玉。」《箋》：「瓊者，玉之美名，非玉名也。瑰是美石之名也。以佩玉之制，唯天子用純，諸侯以下則玉石雜用。」

這是言玉石之別也。

《詩經·曹風·鳲鳩》：淑人君子，其帶伊絲。

《箋》：「大帶用素絲，有雜色飾焉。」參見前文：其帶伊絲，其弁伊騏。

《詩經·小雅·大東》：鞙鞙佩璲，不以其長。

毛《傳》：「鞙鞙，玉貌。璲，瑞也。」《箋》：「佩璲者，以瑞玉為佩。」《正義》：「鄭唯言佩璲云是玉也，故鞙鞙為玉貌。《釋器》文，郭璞曰，玉，瑞也。禮以玉為瑞信，其官謂之典瑞。」而朱注則言：「鞙鞙，長貌。璲，瑞也。」《大全》：「鄭氏曰，佩璲者，以瑞玉為佩。」所以，〈玉藻〉云：「古之君子，必佩玉也。」

《詩經·大雅·公劉》：何以舟之？維玉及瑤，鞞琫容刀。

毛《傳》：「舟，帶也。瑤言有美德也。下曰鞸上曰琫，言德有度數也。容刀，言有武事也。」

朱注：「舟，帶也，鞸，刀鞘也。琫，刀上飾也。容刀，容飾之刀也。或曰，容刀如言容臭，謂鞸琫之中，容此刀耳。」

此言佩刀及其裝飾。

(圭) 帶佩雜錄

《詩經・小雅・都人士》：彼都人士，垂帶而厲……匪伊垂之，帶則有餘。

毛《傳》：「厲，帶之垂者。」而，古而、如通用。鄭《箋》：「而亦如也。……而厲如觷厲也，觷必垂厲以爲飾，厲字當作裂。」《禮記・內則》鄭注引詩作垂帶如厲。《說文》：「裂，繒餘也。」

厲，就《說文》所言，本是指綢布的殘餘，此詩是形容冠帶的垂飾。

(圭) 履彙考

《詩經・豳風・狼跋》：赤舃几几。

《詩經・小雅・車攻》：赤芾金舃，會同有繹。

以上赤舃、金舃，參見前文冠服彙考。

(圭) 履雜錄

《詩經・齊風・南山》：葛屨五兩，冠緌雙止。

毛《傳》：「葛屨，服之賤者。冠緌，服之尊者。」

五兩，據屈萬里引丁惟汾《毛氏詩傳辭詁》云：「兩爲緉之初文。《方言》四：『緉，糸爽絞也。』今驗草履，前有一絞綦，左右各二，共數爲五，殆即所謂五緉者歟？」[14]

《說文》：「緉，履兩枚也。」段注：「〈齊風〉：『葛屨五兩』，履必兩而後成用也，是謂之緉。」

至於五，或如前文裘彙考所言，古文作乂，像交叉之形，不是數名。五兩，即交叉的兩隻鞋子。就如冠緌，指兩條下垂的帽帶。所以，朱注：「履必兩，緌必雙，物各有偶，不可亂也。」

《詩經・魏風・葛屨》：糾糾葛屨，可以履霜。

---

[14] 同❶，頁171。

毛《傳》：「夏葛屨，冬皮屨。葛屨非所以履霜。」《箋》：「葛屨賤，皮屨貴。魏俗至冬猶謂葛屨可以履霜，利其賤也。」嚴粲《詩緝》：「葛屨既敝，而以繩糾纏之，糾而復糾，行於霜雪寒冱之地，言其苦也。」

以上說明，乃指用麻布所作的葛屨，只適宜夏天穿。

(齿) 行滕彙考：

《詩經·小雅·采菽》：赤芾在股，邪幅在下。

邪幅，毛《傳》：「諸侯赤芾邪幅。幅，偪也，所以自偪也。」

《箋》：「邪幅，如今行滕也。偪束其脛，自足至膝，故曰在下。」

《疏》：「古今名異，欲以今曉今人，故曰邪幅，如今行滕。《說文》云，滕，緘也。名行滕者，言行而緘束之，故云，偪其脛也。又解在下之義，故云，自足至膝，故曰在下，因在下之文，從下而上言之，故云，自足，即腳跗也。」自足至膝，皆包纏著，也就是今日的綁腿。

三、結　語

從以上的討論，不難看出，《詩經》本身，除了具有溫柔敦厚，興觀群怨的詩教外，更能從其中的描寫，得以一窺當時的生活狀況，就以服飾而言，其所呈現的不只是服裝的種類、樣式、材質、功用，也能讓我們知道，服飾就是禮制的反映，不同的階層，有著不一樣的服飾，小至佩件，大至樣式、顏色；王、公侯伯子男，卿大夫、士、平民，各有一套相當完整的服飾體制（禮制）在運行著。

《易·繫辭傳》言：「黃帝堯舜，垂衣裳而天下治，蓋取諸乾坤。」蓋黃帝法天地玄黃，制爲衣裳，乃有服飾。據考古發現，新石器時代的仰韶文化，已有服飾制作的遺跡。若說周公制禮作樂後，禮制完備，那麼，《詩經》中所呈現的服飾狀況，正可作爲禮制之佐證。

除了在禮制上的貢獻外，從《詩經》的服飾，也能探究貴族與平民之間的差異，詩是人民的心聲，當生活上，人民與貴族差距太遠、太苦，都可透過詩歌表現出來，而提及服飾使用的差異過大，就是這種心聲的反應之一。

歷代研究《詩經》者甚多，對禮制探討者亦不乏人，甚至對服飾史作研究的，也大有其人，至於從陸璣《毛詩草木鳥獸蟲魚疏》後，對其修正補充者亦多，如宋代蔡卞《毛詩名物解》、明代毛晉《毛詩陸疏廣要》、清代毛奇齡《續詩傳鳥名》、焦循《毛詩陸璣疏考證》，以及如多隆阿《毛詩多識》、包世榮《毛詩禮徵》……等，都對《詩

經》博物學，作出一番成果，本文即在拾前人牙惠下，希望能對《詩經》的整體風貌，作一點貢獻，以尚友孔子「多識鳥獸草木之名」之用心。

繫與不繫之間──析林泠〈不繫之舟〉

何金蘭*

一

莊子〈列禦寇〉：「凡若不繫之舟，虛而遨遊者也。」

賈誼〈鵩鳥賦〉：「泛乎若不繫之舟」。

蘇軾〈自題金山畫像〉：「心似已灰之木，身如不繫之舟。問汝平生功業，黃州惠州儋州。」

二

林泠❶在她〈紫色與紫色的〉一詩中有下列數句：

「那延伸於牆外的牽牛花

像我的詩篇一樣，野生而不羈

·········

在氾濫的無定河邊，水流冷冷……」

此詩中「野生不羈」和「水流冷冷」幾乎就是林泠詩風格、形體和音調最恰如其分的詮釋和形容，那不但是她對自己作品、對自己的詩藝的自覺，同時也是大多數論者共同的看法❷。

---

* 淡江大學中文系教授

❶ 林泠，本名胡雲裳，廣東開平人，1938年生於四川江津，童年在西安和南京渡過，來台後在基隆和台北就學，入國立台灣大學化學系，1958年畢業後赴美，獲維吉尼亞大學（University of Virginia）博士學位。林泠為五〇年代著名女詩人，以婉約優美的抒情詩飲譽詩壇，著有《林泠詩集》（台北：洪範書店，民國七十一年五月初版，七十九年七月四版）。本文分析之〈不繫之舟〉收於此詩集中（第一首），為林泠最有名的作品。

❷ 如楊牧為《林泠詩集》所寫之長序〈林泠的詩〉（見《林泠詩集》序文頁17），藍菱〈詩的和聲──《林泠詩集》讀後感〉（前引書頁190，191，192）等。

三

　　在林泠許多優美動人的詩作中，〈不繫之舟〉應是她最為膾炙人口的一篇。這首完成於一九五五年的作品，十七歲的作者呈現的，不僅是年少輕狂的夢想，更表現了不喜束縛、不耐羈絆的個性和意志，以及詩人對「自我」、對「人生」的一種追求。這個夢想、這種追求建構在全詩最主要的意涵結構「有／無」之上，作者以「虛實」交替的手法表現，使得詩中的「舟」不斷擺盪在「繫／不繫」之間，讓全詩充滿一種撲朔迷離、虛實難定的幻象之美；詩人在這想像的場景之中，不停的作出「確定」隨即「否定」卻又立刻「肯定」的各種話語，充份地流露出少女（少年）嚮往自由、飄泊流浪的浪漫情懷，同時也展現人類本能的渴望、追求安定這兩者之間的矛盾衝突。本文擬從探討作品的意涵結構❸來分析〈不繫之舟〉，希望能在眾多不同的讀詩方法中，提供另一角度的詮釋❹。

四

　　本文所欲分析的文本全詩如下：

不繫之舟　　　　　　　林泠

　　沒有甚麼使我停留
　　——除了目的
　　縱然岸旁有玫瑰，有綠蔭，有寧靜的港灣
　　卻是不繫之舟

　　也許有一天

---

❸　本文所用之「意涵結構」（Structure significative）一詞係根據高德曼（Lucien Goldmann 1913—
　　1970）所制訂的「發生論結構主義」（Structuralisme genetique）中的一個基本概念，是文化創作一
　　個緊密一致且意義的結構。在一篇文學作品中，除了一個總的意涵結構外，還有一些部分的、比較小的
　　結構，高德曼稱之為微小結構或部份結構，或形式結構。請參閱拙著《文學社會學》（桂冠，台北，
　　1989年）第五章〈文學的辯證社會學——高德曼的「發生論結構主義」〉。

❹　除註❷中所提到的楊牧和藍菱的文章外，蕭蕭也寫過〈林泠的〈不繫之舟〉〉（刊於中央日報〈讀書週
　　刊〉233期，民86年3月5日第 21版），還有楊鴻銘的〈林泠〈不繫之舟〉析評〉（國文天地12卷 11期，民
　　86年4月號，頁93—97），唐捐的〈縱一葦之所如——讀林泠的〈不繫之舟〉〉（國文天地13卷2期，民
　　86年7月號，頁60—63），以及楊宗翰的〈剌人的黃昏——林泠〈不繫之舟〉的一種讀法〉（國文天地
　　13卷2期，民86年7月號，頁64—66）等，都企圖從不同的角度解讀此詩。

太空的遨遊使我疲倦

在一個五月燃著火焰的黃昏

我醒了

　海也醒了

人間與我又重新有了關聯

我將悄悄自無涯返回有涯，然後

再悄悄離去

啊，也許有一天——

意志是我，不繫之舟是我

縱然沒有智慧

沒有繩索和帆桅

　　這首〈不繫之舟〉錄自《林泠詩集》（洪範，台北，民國七十九年七月四版，頁三
～五），全詩分三節，第一節四行，第二節八行，第三節四行。

　　此詩最明顯、最突出的，是貫穿全詩的二元對立之意涵結構：「有／無」、「實／
虛」、「確定／否定（或不定）」、「繫／不繫」。

　　首先，以標題「不繫之舟」來說，「舟」固然有「不繫」而航行水上之時，但「舟」
也有「繫」於港灣、泊於碼頭之日；因此，「不繫」的「確定」語氣與「舟」本身可「
繫」可「不繫」的本質之間產生了一種懸疑：「舟」爲何「不繫」？「不繫」之「舟」
是什麼樣的「舟」？若以羅蘭・巴特（Rolord Barthes 1915－1980）的語碼解讀法❺來
讀〈不繫之舟〉，這四個字的題目蘊涵了豐富無比的意義；它既是文化語碼（見本文第
㈠段，「不繫之舟」一詞有深厚的文化背景，即莊子、賈誼、蘇軾等人的文句或詩句），
也是產生懸疑的疑問語碼，更是指涉明顯的內涵語碼，象徵意義濃厚的象徵語碼以及行
動不歇的行動語碼。事實上，「不繫之舟」在此詩中並不單指「不繫」之「舟」，而是
在「不繫」與「繫」之間不斷掙扎，甚至有時產生困惑、疑慮，表面上「不繫」，其實
仍「有繫」的小舟。這個「繫／不繫」的對立結構出現在許多元素之中，貫徹全詩，除
了詩中文字和音節本身的優美之外，這種對立還爲此詩帶來虛實難辨、意義多重的豐

---

❺　羅蘭・巴特在其著作《S／Z》一書中提出語碼解讀法的「閱讀」方法，他認爲在文本中可辨認出的代碼
　　有五種：闡釋語碼（或疑問語碼，謎語語碼code hermeneutique），行動語碼（code proairetique或
　　code des actions et des comportements），內涵語碼（Les semes或signifies de connotation），
　　象徵語碼（le champ symbolieque），文化語碼（codes culturels ou de references）。

富性，而錯綜的歧義更為讀者提供了在閱讀的同時也參與書寫的愉悅和快感❻。

在第一節的四句中，「繫／不繫」的矛盾不斷出現：

1. 「沒有什麼使我停留」：「沒有什麼」→無／「使我停留」→有，「沒有什麼」應是「不繫」，而「使我停留」卻是「有繫」。

2. 「除了目的」：「除了」→不繫，「目的」→繫；這一句使人不禁追問：什麼是「我」的「目的」？「目的」是那裏？是第二節的第二句「太空」的「遨遊」嗎？或是「太空」裏的什麼？

3. 在這一句中，作者用「縱然」二字來意圖強調「不繫」，可是流露出來的剛好相反；此句給人的感覺是作者注意到花草港灣，而且並不是視而不見，簡直是留心觀察，知道此處的花是玫瑰，樹有綠蔭，同時還有「寧靜」的「港灣」，若無心「繫」於港灣，如何知其「寧靜」？顯然「有繫」，是作者心底渴望（？）可以停泊的「寧靜港灣」；此外，此句不但是第一節最長的句子，也是全詩最長的，作者一口氣列出「可以」「使我停留」的一些元素，然後用「縱然」二字完全推翻，可是「縱然」並不是「確定」的語氣，只是一個「假設」之詞，因此，這一句應可視為洩露作者心底秘密的關鍵句，同時也是第二節中「疲倦」之後，「人間與我又重新有了關聯」的「人間」之伏筆。「縱然」→不繫，「玫瑰、綠蔭、港灣」→繫。

4. 「我是不繫之舟」：此句的語氣是「肯定」的，是作者「想」做到的境界；然而，事實在，這一句置於前三句之後，加上後面二節每一節都有「也許」二字，因此，這個「不繫」其實還是未確定的，一方面因為作者知道有一些使人願意停留繫泊的地方，另一方面，第二節和第三節的詩句證明這一句只是作者想像之中希望能做到的「不繫」而已，而那個「不繫」是存在於「也許有一天」目前未知的時間裏。表面上的「我是不繫之舟」，實際上在目前來說仍是「有繫」的。

第二節的八句，對立和矛盾更是明顯：

1. 「也許」：根本不確定，不存在。

「有一天」：表面直至目前未有。

這個不存在不但指涉第二節中的所有情事，當然也包括第一節所說的一切甚至第三節（第三節再重複一次「也許有一天」！）

2. 「太空的遨遊使我疲倦」：這一句讓我們想到第一節的「沒有甚麼使我停留／除了

---

❻ 「可寫性／可讀性」是《S／Z》一書中最重要的概念。筆者在〈《S／Z》：從可讀性走向可寫性〉（第三屆現代詩學術會議論文集，頁233－249，國立彰化師範大學國文學系出版，民86年5月）一文中曾對此概念作詳細的闡述。

目的」，「太空的遨遊」就是這個「目的」嗎？是它「使我停留」嗎？如果是「目的」就應該一直「停留」下去，爲何在第七句中說「返回」（「有涯」）？如果是「遨遊」，尤其是「不繫」之「舟」的「遨遊」應該是逍遙自在，如何會產生「疲倦」？遨遊≠疲倦，遨遊和疲倦是無法令人聯想到一起的兩種事物，爲何作者會放置在同一句之中？莫非心中仍偶然記起那「寧靜的港灣」，那「綠蔭」和那「玫瑰」？距離的拉長使滿心嚮往的「太空遨遊」也變得無趣，而當初一心想擺脫的「有涯」正以「燃著火焰」似的絢麗和熱情從心中升起，變得可愛，讓人清「醒」，催促「我」歸去？

3. 「在一個五月燃著火焰的黃昏」：前一句說明空間，這一句說明時間，作者從「不繫」回歸到「繫」的時空背景。選擇「五月」的「黃昏」，想必是有某種原因，這個「黃昏」還「燃著火焰」呢！是「返回」的好時刻吧？！或是與什麼人相約的時間？

4. 「我醒了」：醒了才想到「返回」，才想到「繫」；那麼「醒」之前，是處在什麼樣的狀態呢？睡？意識不清？

5. 「海也醒了」：海也和人一樣一起醒來。海因「舟」而醒，「舟」終於從「太空」「返回」了。

6. 「人間與我又重新有了關聯」：「有」、「重新」、「關聯」都是「繫」，「重新」表示本來就「有繫」。

7. 「我將悄悄自無涯返回有涯，然後」：「無涯／有涯」→「不繫／有繫」，爲何要悄悄？介意別人知曉？

8. 「再悄悄離去」：「返回／離去」，「繫／不繫」，在此二者之間擺盪。第三節中的四句，同樣的元素亦出現其間：

1. 「啊，也許有一天」；再次重複「也許」和「有一天」，證明目前未是（不繫之舟）。

2. 「意志是我，不繫之舟是我」：「意志」＝「不繫之舟」嗎？是「意志」要成爲「不繫之舟」？

3. 「縱然沒有智慧」：再次重複縱然，但此次與前次的意義與作用不同。「沒有智慧」在此指「不繫」。

4. 「沒有繩索與帆桅」：「繩索」和「帆桅」是「繫」，而「沒有」表示「不繫」。與上一句對照，「智慧」＝繩索和帆桅嗎？

第一節中，讀者可能會誤以爲作者是「不繫之舟」（「我是不繫之舟」：肯定，自信），在第三節中才知道不是（「也許有一天／不繫之舟是我」，不確定）。

五

全詩在「繫／不繫」之間，「有／無」和「實／虛」之間徘徊往返，在嚮往無拘無束的自由和人類本能求定的意念之間擺盪，決定了「不繫」，卻又在「疲倦」時重回「人間」的「有繫」。從「有涯」到「無涯」，再從「無涯」返回「有涯」，然後又再離去。

參 考 書 目

林　泠，《林泠詩集》，洪範書店，台北，民79年（1990）七月四版。

楊　牧，〈林泠的詩〉《林泠詩集》序文，洪範書店，台北，民79年。

藍　菱，〈詩的和聲──《林泠詩集》讀後感〉，收入《林泠詩集》，洪範書店，台北，
　　　民79年。

何金蘭，《文學社會學》，桂冠圖書公司，台北，1989年。

蕭　蕭，〈林泠的〈不繫之舟〉〉，中央日報，民86（1997）年3月5日第21版〈讀書週
　　　刊〉233期。

楊鴻銘，〈林泠〈不繫之舟〉析評，《國文天地》12卷11期，民86年（1997）4月號，
　　　頁93－97。

唐　捐，〈縱一葦之所如──讀林泠的〈不繫之舟〉〉，《國文天地》 13卷2期，民86
　　　年7月號，頁60－63。

楊宗翰，〈剌人的黃昏──林泠〈不繫之舟〉的一種讀法〉，《國文天地》13卷2期，
　　　民86年7月號，頁64－66。

Barthes, Roland，《S／Z》，Seuil, Paris, 1970。

何金蘭，〈《S／Z》：從可讀性走向可寫性──羅蘭・巴特及其語碼解讀法〉，收入
　　　《第三屆現代詩學術會議論文集》，國立彰化師範大學國文學系出版，彰化，民86
　　　年5月，頁233－249。

何金蘭，〈洛夫〈清明〉詩析論──高德曼結構主義詩歌分析方法之應用〉，《台灣詩
　　　學季刊》第五期，台北，1993年12月，頁104－112。

尹　玲，〈剖析向明〈門外的樹〉之意涵結構〉，《台灣詩學季刊》第十一期，台北，
　　　1995年6月，頁139－146。

再論西崑體衰落之因緣——
並說所謂「崑體工夫」

周益忠[*]

一

　　歷來對於西崑體，總囿於相沿已久的成見，以為西崑體就是「淫巧侈麗，浮華纂組」（石介·怪說中），要不就是「言之無物，專尚形式」[1]，甚或「內容單薄，感情虛假」[2]，要之，無甚可觀，但又不得不提，因為他正好為北宋詩文革新運動提供了一打擊的對象。不過大家卻每忽略他在宋詩中的地位，以及對於宋詩發展的正面影響。

　　即如歐陽修為宋代所謂詩文革新運動的領袖，都要稱讚楊劉之詩「雄文博學，筆力有餘，故無施而不可。」[3]進而嘆道：「先朝楊劉風采,聳動天下，至今使人傾想。」[4]歐陽修於西崑之詩文態度原是有所分別的。其後領袖宋代詩壇的黃庭堅（魯直），也都要「獨用崑體工夫，而造老杜渾成之境。」（朱弁·風月堂詩話），不敢輕廢西崑。至於南宋之人，時移事變，不明其因革，遂混義山詩與西崑體為一。如嚴滄浪，元好問等[5]。元好問《論詩絕句》亦因而云：「詩家總愛西崑好，獨恨無人作鄭箋。」，其中雖有待辨明者，但可見楊劉風采之西崑體有其與義山詩不可分者，才造成後世的不分。

　　近世治宋詩者，若鄭再時、曾棗莊、許總等於西崑之精微處多有發明[6]。曾棗莊氏且有《論西崑體》一書問世，然而不免拘於傳統，於西崑托怨之旨，似有未盡，而楊劉

---

*　彰化師範大學中文系教授

❶　諸如《宋元文學史稿》，第一章p.9，北京大學，1989，吳組緗等著，即如此說西崑。

❷　如北京社科院《中國文學史》，及台灣五南·游國恩之《中國文學史》皆有類似的話。

❸　〈六一詩話〉見《歷代詩話》，台灣，木鐸出版社點校本。

❹　《後村詩話》劉克莊即引歐陽修〈與蔡君謨帖〉而有言，詳後文。

❺　《滄浪詩話》〈詩體〉四，有云：「西崑體，即李商隱體，然兼溫庭筠及本朝楊劉諸公而名之也。」

❻　曾棗莊《論西崑體》，1993，台灣，麗文文化公司，鄭再時《西崑酬唱集箋注》，1986，齊魯書社。許總《宋詩史》，1992，重慶出版社。等於西崑皆有精闢之論。

苦心孤詣或仍未能點明。因不揣疏淺，撰《詩家總愛西崑好。——重新解讀西崑體》一文，❼盼能解釋此一現象，然猶未能解決何以西崑以其包蘊密緻的工夫，爲歷來詩家所樂道，卻未能擺脫其沒落的命運，更且爲後人妄加疵議相沿至今。因而實有必要對西崑當年何以遭忌、備受攻擊，以至於式微的原因，加以考察，盼能就外在的文學環境，及內在文學發展的走向，分別加以探究，以解決此一問題。

二

首先，當然要從《西崑酬唱集》一書的刊出來探討。

眞宗大中祥符元年，楊億編成《西崑酬唱集》❽，隔年正月而有文禁之詔，這在右文的趙宋朝可說是頭一遭，此篇文章很明顯的是針對《西崑酬唱集》而發：

> 近代以來，屬辭之弊，侈靡滋甚，浮艷相高，忘祖述之大猷，競雕刻之小技，爰從物議，俾正源流，咨爾服儒之文，示乃爲學之道。……今後屬文之士，辭涉浮華，玷于名教者，必加朝典，庶復素風。

西崑之所以驚動皇上而有此禁令，「爰從物議」一語，可知正因有人密奏和上言。❾而其關鍵則或以爲是〈宣曲二十二韻〉暗指眞宗宮掖事而來，然而〈宣曲二十二韻〉或指丁香，或指二妃，其事究難詳指，且孤證難立，若但就此而言，則宋代文網未免過密，有違右文的庭訓，且忽視了宋代朋黨相爭乃至於惡鬥的一面。西崑的遭忌，必然有其他篇章亦相關連，而爲小人所斷章取義、加以曲解附會的，而彼輩之所以急於告發，疾之若此，又可能和西崑集諸篇，觸痛其癢處，使之不能不起而反擊者相關，我們試觀集中前面幾篇，就可知其梗概。

首先是〈受詔修書述懷感事三十韻〉，此篇可爲楊劉之自白，作成時間頗有爭論。也許從它也被收在《武夷新集》來看，應作於景德四年十月之前。❿此詩爲表明其厭倦官宦生活而有「一麾終遂志，阮籍去騎驢。」等途窮之嘆作結。其中用事如「池籠養魚鳥，章服裹猿狙」、「秦痔疏杯酒，顏瓢賴斗儲。」前者言其受詔修書之不能自由自在，

---

❼　台灣淡江大學，《第五屆文學與美學研討會論文集》，1995。

❽　據曾棗莊《論西崑體》，p12～p14之考證，當以王仲犖所言爲是。

❾　李燾《續資治通鑑長編卷七十一》，即引王嗣宗的上言云楊億等「述前代披庭事，詞涉浮靡。」可參考。

❿　此詩鄭再時繫于景德二年，固然有誤，曾棗莊認爲「極有可能作于景德四年八月以後」基本上是對的，但他卻又繫年於祥符元年（1008），無視於景德四年十月《武夷新集》已刊出的事實，《武夷新集》既收有此篇詩自不當晚於此時（四年十月）才是。

後者且有譏刺他人所治愈下，得車愈多，《莊子·列禦冠》為秦王痔，並非癖典，他人
焉有不知之理，因而此集之受矚目亦可說由篇首即然。

至於劉筠和詩，則有「當仁如退讓，末跡定淪胥」之以弟子自居，言相隨之心。唱
和之作，知音相契，亦不免引起他人側目。

不獨如此，除序篇外，西崑集中所作第一首竟然是〈南朝〉❶，則更不免必遭物議。
要之，趙宋雖兼江南，號稱一統。然北方之契丹，其國力有過於我。澶淵之盟，但得苟
安而已。南北本為相對之詞。金陵之宋齊梁陳於北魏固為南朝，汴京的趙宋對於大遼來
說，恐亦不能倖免。此篇為唱和之首，或予人以暗諷君王若沉溺於苟安，則不免將如南
朝之感。於修《歷代君臣事跡》而先有此作，或可見其警省之深，然而偏安之譏，不敬
之論，較之〈宣曲二十二韻〉恐有過之而無不及。

若從〈南朝〉之作來看。楊億首唱，已用「五鼓端門漏滴稀」等言及南朝諸帝荒淫
之典，末則更以其招致亡國相警「龍盤王氣終三百，猶得澄瀾對敞扉。」於詩作來說，
深得義山詠史之妙，然於大宋君臣來說，卻不免覺得引喻失義。且他人所和則更有甚者。
如吳越王子錢惟演和道：「自從飲馬秦淮水，蜀柳無因對殿幃。」云云，則更點明由南
朝到五代時南方諸國之亡，亦有對真宗規誡之意。錢作於此詩題中最勝，然而「抱難言
之隱痛。」（馮班語）則他人未必能明白，而錢氏以其出身而有此言，則不可不謂其感慨
之深。而劉筠的「千古風流佳麗地，盡供哀思與蘭成。」庾信之哀江南賦誠可哀，其於
大宋則當如何說？王欽若等人要加以曲解並不難。❷

至於李宗諤的和詩更為露骨，第三句「于今瓊樹有遺音」即有杜牧「商女不知亡國
恨」之意在，末聯以「惆悵雷塘都幾日，吟魂醉魄已相尋」作結，更以隋煬帝之繼陳後
主相警。暗指真宗皇帝荒淫之行徑，恐亦將步此，言南朝而及於一統的隋帝，正如言五
代而及於大宋。方回「尾句妙絕」之語，正可以想到當時必有能知其意者，則可見諸人
因編《歷代君臣事跡》而效義山之「以議論運古事」，雖是「發於希慕」（序言），有
所寄託，然而有宋君臣之不自安當亦可得知。

接下來的〈禁中庭樹〉，楊億更以樹自比其孤高。末聯「歲寒徒自許，蜀柳笑孤貞。」
則於自許外，嘲彼佞幸輩之如蜀柳。〈槿花〉一詩，詠物之旨，當亦相同。楊億之和作
（此題劉筠首唱）「深情傳寶瑟，終古怨清湘」，則豈非自比屈原。而有宋詩人屈騷之情
懷也隱然見於其中。❸

起首數篇，述事、詠史、詠物之有寄託若此，既有寄託，則其微言大義之遭曲解當

---

❶ 〈南朝詩〉，引自漢京本《西崑酬唱集》（王仲犖注本）P.14，1984，台北。以下引詩同，不再注明。

❷ 王欽若的毀謗，「在大中祥符元年以後，這類讒毀更加嚴重。」詳見曾棗莊《論西崑體》p.31。

❸ 屈騷情懷，詳拙著《宋人論詩詩中的屈騷情懷》，1994，台灣成功大學出版。

必然。鄭再時之序言：

> 以鯁直之故，屢犯主顏，又遭王欽若、陳彭年等讒訴得行，鬱鬱不得申其志。然
> 志終不可閼，發而爲詩，即此集是，非「情動于中而形于言」耶？集中若〈受詔
> 修書〉之顯然，固無論。他如〈代意〉、〈禁中鶴〉、前後〈無題〉、〈直夜〉、
> 〈懷舊居〉、〈因人話建溪舊居〉、〈屬疾〉等題，隨處可見其感慨寄托。而晁
> 迥〈清風〉之慰勉有加，劉筠（宋玉）詩〈曾傷積毀〉一聯，尤不啻爲全集注腳。
> 非「言之不足而嗟嘆之詠歌之」耶？至〈漢武〉、〈明皇〉，深刺封祀之謬，非
> 「主文而譎諫」耶。

　　鄭再時可說是西崑體的功臣。楊劉的孤詣當亦在此，其言漢武、明皇等詠史之詩主
文而譎諫，可說出於詩經：言之者無罪，聞之者足以戒。宋人每言「本朝詩出于經」，
楊劉可謂無愧。然而我們更可由鄭氏之言其遭王、陳等人之讒訴而有其感慨寄託，得知
王、陳等輩必於西崑之集多所穿鑿，乃至於上書密奏者。

　　亦有甚者，諸人唱酬之作，非僅於修書之餘，且更繼之以休沐日的相與懷念，而詩
作不斷，則崑體之作，非僅一般的應酬，更有諸人相濡以沫的知音在焉。〈休沐端居有
懷希聖少卿學士〉的一作再作，且有五人參預，楊億之思錢惟演「謫仙冰骨照人清」，
劉筠的和詩：「思君祇欲傾家釀」等，皆可見此輩之情非泛泛可比。

　　非獨如此，西崑之學義山，亦有如愛情之艷體，王氏以爲追憶姬人之作，認爲是情
愛之詩，卻不知此亦楚辭體香草美人的寄託。於此鄭注說得好，第一首言：「少蒙君恩，
寵遇優渥，中途詎遭新進讒，恩遇日衰，雖有文章辭彩，亦懶于再試矣。」而次章亦
然：「這恩遇雖衰，臣節不渝，雖回天乏術，而實無頃刻忘君也。」我們細觀此詩之次
章：

> 短夢殘妝慘別魂，白頭詞苦怨文園。誰容五馬傳心曲，祇許雙鸞見淚痕。
> 易變肯隨南地橘？忘憂虛對北堂萱，回文信斷衣香歇，猶憶章臺走畫輈。

　　忠愛纏綿，眞有如鄭注所言者，否則「白頭詞苦」云云，豈非言一己之負心？自暴
其無情。且由他人之和作亦可參證。刁衎和詩之後半有云：「病餘公幹情多詠，秋晚安
仁鬢足霜。休道鮫人落珠淚，微波還擬託陳王。」以潘岳、曹植來自比，正見其不得於
君王。❶楊億有此身世之感，當與此時心境有關，因跟他甚爲相得的寇準，此時已遭讒

---

❶　曾棗莊更以劉筠之和詩爲言：「華池在崑崙山上，阿閣，軒轅黃帝之閣，首句顯然指不爲朝廷所容。」
　　（《論西崑體》P.105）亦可爲證。

罷去相位，楊億不免受到牽累，且編修《歷代君臣事跡》的過程橫遭王欽若的掣肘，自有恩寵日衰的慨嘆。⑮因而〈代意〉的自比失寵，實有所指。於此之所以有人說「追憶姬人飲作」，當是此詩早已爲其政敵模糊焦點，故意貶爲艷詞所致，所謂「浮艷」云云即是，若不看出楊劉托怨之深衷，自然會認爲這些是堆砌典故的無聊之作，甚或以爲其人是多情轉薄情的輕薄兒，而忘了詩人的用意。

至於〈漢武〉一章，結以「待詔先生齒編貝，那教索米向長安。」可見楊億自比東方朔之饑，而諷刺漢武求仙之費心力，而忽視人才之困境，自言遭遇甚爲明顯。劉筠和詩云：「相如作賦徒能諷，卻助飄飄逸氣多。」言才士進言之無用。而錢惟演和以：「甘泉祭罷神光滅，更遣人間譏玉杯。」作結。可說更高一層著眼，言縱以武帝之尊，死後陵墓不免被盜，而殉葬之器亦流落人間。亦運古事以議論。若不就當時君臣之事來說，則何以知其妙？

另外還有〈始皇〉、〈明皇〉、〈成都〉、〈舊將〉等詠史之篇，應皆修書有得，而借事發抒，「規撫義山，得其一體」宜其爲時人所艷稱，至於〈宣曲二十二韻〉，既爲史事，又有情愛之事可指當代宮掖者，「宣曲更衣寵，高堂薦枕榮」以下即皆甚爲可觀，而劉筠之和詩更言：「天機從此淺，國艷或非良。」此詩亦唯劉、錢二人有和，正見其曲彌高，其和彌寡。既爲眞宗皇帝之隱私，小人亦焉有不急于告發者，然禁詔甫下，卻反而收推波助瀾之勢，越禁越發，是又當事者所未逆料者。但是反西崑者之必欲除之而後快，當亦可以想見，石介於後來又以此爲言者，正見其流傳之廣，影響之深。⑯

詠物之作〈禁中庭樹〉、〈槿花〉外，〈館中新蟬〉、〈鶴〉等亦爲有寄託之作，他如〈淚〉詩等雖模仿義山之跡可見，卻不能但以義山可以有作爲言，因義山有其身世之感，而楊億翠被索居的憂讒畏譏，實亦不遑多讓，此正如棄婦可以哭訴，而深居冷宮者亦可以有怨一樣，只要有身世之痛者自可爲言，皆可以各成其是，不必逕以其後出爲劣。西崑集中詠物除純屬應酬之作如〈樞密王左丞宅新菊〉外，均有其寄託，詠物之作如此，自成其佳篇，然身處危疑之地，則詩篇之啓人疑竇而遭致羅織，則當又不可免了。

至於友朋往來的宴飲、贈答，既相濡以沫，足見諸人的情誼，卻也不免引人側目。諸如〈寄靈仙觀舒職方學士〉、〈與客啓明〉等。錢惟演之〈與客啓明〉首唱：「干時不爲侏儒米，樂聖猶銜叔夜杯。帝右豈無楊得意，漢宮須薦長卿才。」則以東方朔、司馬相如相比，此等本可爲泛泛之比，然既用東方朔之譏，及帝右無人等似又不能不正視

---

⑮ 《續資治通鑑長編》卷六十七，所載可知，王欽若與楊億的矛盾日深，且此時寇準已被逐，楊億孤掌難鳴。詳見曾書P.32及P.105。

⑯ 《怪說》中言：「今天下有楊億之道四十年」可知西崑風行之久。石介另有〈祥符詔書記〉分析西崑體盛行之故。

此等作品的殺傷力及反彈。

他如詠古才士中但有宋玉，然亦足矣。劉筠之和作：「曾傷積毀亡師道，祇託微辭蕩主心。」鄭注已多有發明，以之爲「全集注腳」，此詩實可與義山〈宋玉〉一詩相參，亦惟三人有作。正見此輩自許所在。

綜上所述，西崑集中不論情愛、詠史、詠物、述事、懷人諸作皆有其托怨之旨趣。司馬遷之修史而《太史公書》竟被視爲「謗書」，則西崑集中諸人唱和之作，可說是相互較勁，彼此發明，若不被視爲結黨營私，公然訕上者，可說是不可能了。但不殺文士既爲宋室祖訓，則對於此輩的言論自由似又有所保障。因而不得不迂迴側擊，借題發揮，假「侈靡滋甚，浮艷相高」以抹黑此輩，達到打擊其聲勢的目的，則成爲唯一可用之方，也因而對手可說是無所不用其極的毀謗，然而在當時卻更爲世所重，使得西崑竟能歷時四十年而不衰。只不過這些毀西崑的論調，卻影響到後世對西崑的評價，積重難返，使得崑體蒙冤至今，則寧非怪事？然其中亦不無可探究者。

首先是歐陽修《六一詩話》所云：「蓋自楊劉唱和，西崑集行，後進學者爭效之，風雅一變，謂之崑體。」可見在楊劉之後，西崑仍然主盟風雅。因而直到至仁宗朝時，一時俊彥如晏殊、宋庠、宋祁兄弟，文彥博、趙抃、胡宿等皆爲西崑，此即王漁洋所謂「不知其後更有文忠烈、趙抃清獻、胡文恭宿三家，其工麗妍妙，不減前人者。」王漁洋之所言，或有過譽，然可見西崑之後勁猶強，這也就是石介要擒賊先擒王的以楊億爲攻擊對象，雖其時楊億已久不在世。然而怪說一出，卻也導致了西崑影響力的逐漸沒落。石介云：

> 今天下有楊億之道四十年矣，今人欲反盲天下目，聾天下人耳。使天下人目盲，不見有楊億之道，使天下人耳聾，不聞有楊億之道。……今楊億窮妍極態，綴風月，弄花草，淫巧侈麗，浮華纂組，刓鎪聖人之經，破碎聖人之言，離析聖人之意，蠹傷聖人之道。………

石介於慶曆年間，更有〈慶曆聖德頌〉攻擊當時政要，使慶曆新政遭致反彈而失敗。范仲淹且言「爲此怪鬼輩害事也。」（魏公別錄）可見石介其人，且其所論本就四六文而來，歷來亦以之爲北宋詩文革新運動之宣言，屢屢披載，在當時雖爲西崑文士「疾之如仇」，然而在石介的鼓吹下，卻也間接促成了歐陽修等人的成功。**⑰**而西崑也告別了

---

⑰ 石介任國子監直講於慶曆二年，有〈尊韓〉之論，推崇柳開，攻擊楊億，於上庠中形成「太學體」爲眾所疾，張方平《眞院請戒勵天下舉人文章奏》即黜此體，時爲慶曆六年，張氏方知貢舉，其後嘉祐二年歐陽修亦黜此體，可參考蘇軾〈謝歐陽內翰啓〉一文，北宋文革新運動即在此基礎下成功。

他在文壇宗主的地位。

三

宋初承五代之後，詩壇以白體爲主，當時作者如李昉「詩務淺切，效白樂天體。」（青箱雜記卷一），徐鉉「有白樂天之風。」（瀛奎律髓卷十六），王禹偁更有詩云：「本與樂天爲後進，敢期子美是前身。」以樂天後進自許。⓲皆可見學白之爲時尙。至於學姚合、賈島等晚唐體，則魏野、林逋、寇準而外，九僧爲最，俗亦樂爲之，因其不假才學，淺俗粗疏者多可致。《六一詩話》爲此有云：「非如前輩號詩人者，區區如風雲草木之類，爲許洞所困者也。」可見空疏不學之作，已漸不能滿足詩壇，宋代既獎佑文風，因而《西崑集》之包蘊密緻一出，自能風行草偃，領袖一世，此或可說爲「祥符中，民風豫而泰，操筆之士，率以藻麗爲勝。」所致。⓳西崑眞亦可謂應運而生。

然而楊億若僅領袖詩壇也就罷了，既爲文章宗主，其才學爲人所仰，不免詩文俱爲士子所孺慕。而他的文章又以四六爲主，自然影響一代的文風。邵博《聞見後錄》卷十六云：「本朝四六以劉筠、楊大年爲體，必謹四字六字律令。」可見他的駢文亦是宗主，雖然楊億之「用典貼切，行文暢達，富有氣勢和感染力。」然而後進效之，不免雕縟有餘，而內容不逮。於是在石介的極力抨擊下，因而先爲怪僻的太學體所取代，其後歐陽修的平易暢達的古文一出，既宗法韓愈，復儒家之道，與時代精神相應，四六之文自亦式微，而這時西崑體詩，受到波及而成爲被革新的對象，也就不可避免了。然而歐陽修對於崑體詩人畢竟是還頗敬重的。南宋劉克莊《後村詩話》即引〈歐陽修與蔡君謨帖〉之語：「楊劉風釆，聳動天下，至今使人傾想」，而對於歐陽修的態度有所分辨：

> 世謂公尤惡楊劉之作，而其言如此，豈公特惡其碑版奏疏，磔裂古文爲偶麗者，其詩之精工律切者自不可廢歟？

於此可見宋人對於歐陽修的去取態度，還是能了解的。因此《六一詩話》等等於崑體多所辨解的資料，是吾人不能忽視的。

但在那時，不可諱言的，崑體詩不免爲四六文所牽累，蘇軾〈謝歐陽入翰啓〉所云：「罷去浮巧輕媚，叢錯彩秀之文，將以追兩漢之餘，而漸復三代之故。」固亦就四六文爲言，讚楊歐陽修改革之功。然而歐陽修的盟友梅聖俞就不管這些了。他既是純粹的詩

⓲　王禹偁〈前賦春居雜興詩……予喜而作詩，聊以自賀〉詩。（四部叢刊本小畜集卷九）
⓳　蘇舜欽〈石曼卿詩集序〉言。（四部叢刊本蘇學士文集卷二）

人，對於詩壇的現像自然特別在意。〈答韓三子華、韓五持國、韓六玉汝見贈述詩〉所
云：

> 邇來道頗喪，有作皆言空。煙雲寫形象，葩卉詠青紅。人事極詼諧，引古稱辨雄。
> 經營唯切偶，榮利因被蒙，遂使世上人，只曰一藝充。（四部叢刊本宛陵先生集卷27）

這番話，正給詩壇上西崑的末流一重擊。而梅聖俞的這篇之所以具有宣示的作用，
正因其旨能與時代的精神相呼應。雖然「西崑體出現，代表了第一次的反省運動，以李
商隱的富縟，取代晚唐的枯淡。」[20]而主盟文壇數十年，但是時代的腳步不停，既至仁
宗朝，歐陽修等人不免想於開國氣象有所發揚，而「悲哀的揚棄」、「知性的反省」[21]
當更逐漸成共識。因而西崑的托怨到了此時不免只成「歌功頌德，流連光景」、或者空
洞無物、無病呻吟而已，但成其不合時宜，因而難逃被批判改革的命運。

只不過仍要辨明的是，大家一提到崑體，就想到楊億。卻不知楊億卒於1021年，距
其大中祥符元年（1008）西崑集刊行不過十三年而已。慶曆年間主盟文壇的實為西崑的
後起之輩，諸人學西崑，已不能再有楊億時的環境，諸如真宗之求仙，王欽若之奸諂等，
因而學西崑已難再得其精髓，但能引古稱雄，經營切偶而已。如此自然為梅聖俞等所不
滿，而走上式微之路。

當然，彼崑體詩人亦多有所改變，流傳至今所見已少有餖飣可厭者，唯以宋祁之才，
其〈臘後晚望〉詩不免猶有「凍崖初辨馬，昏谷自量牛」之句以牛馬為對。宜其「年至
六十，始悔少作。」（《直齋書錄解題》）宋祁另有〈落花〉詩為時人賞識，然紀昀不過說
其結語：「可能無意傳雙蝶，盡付芳心與蜜房。」為「神似玉谿，餘皆貌似也。」（紀
批‧瀛奎律髓）正可見此等崑體之難為，詩家若非才力富健、格調雄整，且又有遭時不偶、
身世之感，實難以企及，頂多貌似而己，既難能而又易遭譏，則其衰落當成不可避免者。

以宋祁之悔可見，崑體之佳，乃在其托怨之旨，諷諫之篇。而真宗皇帝的求仙邀福，
惑於佞幸，徒有好文之名，此時詩人自能有所發揮，而至仁宗朝，皇路正當清夷，諸人
備受重用，雖偶有浮沈，自亦不能以此為言，文士若猶株守於托怨，自易有撏撦、獺祭
之譏。因而《珊瑚鉤詩話》所云，實道出其路徑之愈來愈狹：「西崑體非不佳也。而弄
斧操斤太甚，所謂七日而渾沌死也。」而《風月堂詩話》也道：「西崑體句律太嚴，無
自然態度。」時代已非真宗朝，慶曆天子既為文士所期待，欲放言高論，有所建樹，自

---

[20] 龔鵬程《知性的反省，宋詩的基本風貌》，載《中國文化新論》，台北，聯經，P.271。

[21] 前者為日本吉川幸次郎言。見《宋詩概說》敘序章第七節P.32，（台北，聯經，1979，鄭清茂譯本。），
「知性的反省」一詞出自龔鵬程，引書同註[20]。

不願再束縛於句律。因而此時西崑的弊端就浮現了。梁昆所謂一、太雕琢、不自然;二、太堆砌,無意味者實在此。❷

抑有進者,崑體之行,所待為天下文風之盛,文選爛、秀才半之時,然而時日一久,不免流於俗套,日漸陳腐。陸游《老學庵筆記》所云正道出其關鍵:

> 國初尚文選,當時文士專尚此書,故草必稱王孫,梅必稱驛使,月必稱望舒,山水必稱清暉,至慶曆以後,惡其陳腐,諸作者始一洗之。

可知崑體詩也已經掉入浸染既久,不能自出新意,使得作者不得不另謀出路的文體變遷中,才高者另尋他路,而空疏不學者更樂於此,東坡所謂「後生科舉之士皆束書不觀遊談無根」(李氏山房藏書記·東坡前集卷三十二)云云皆可看出這種時代的趨勢,遂使得西崑更加乏人問津。而西崑若說衰落,這個因素是不可輕忽的。

四

然而「落紅非是無情物,化作春泥更護花。」西崑看似沒落了,卻並未消失,它仍深深地影響王安石、黃山谷以後的宋代詩壇。

欲去陳腐、深奧,追求清新平淡,固為慶曆詩壇的趨向。梅聖俞所謂「作詩無古今,惟造平淡難。」(讀邵不疑學士詩卷)正可見追求平淡為當時所趨,梅聖俞乃後世所謂開宋詩之風者,既有此言,當亦影響宋詩的走向。而「平淡」的追求正是徐復觀懷疑北宋詩人:「都有白詩的底子」的要因。❸然而宋詩如何擺脫初宋白體者淺俗之弊?則平淡的追求真是一大難題,也是詩作能否成功的關卡。於此《六一詩話》即引梅氏之言道:

> 詩家雖率意而造語亦難。……必能狀難寫之景如在目前,含不盡之意,見於言外,斯為至矣。

平淡之中如何有深遠的意味,如何寫景親切,正是一大挑戰。這也是當時詩家的體悟。如王安石即說道:「看似尋常最奇崛,成如容易卻艱辛。」(題張司業集)如何於尋常中蘊有最奇崛呢?工夫真是艱辛之至。黃庭堅也有言:「句法簡易而大巧出焉,平淡而山高深。」(與王觀復書)簡易中有大巧,平淡而高深,與荊公之言大致無異,可見這是宋代詩家的共同感受。至於如何到達呢?山谷於此文即道:「但熟觀杜子美到夔州後

---

❷ 於此梁昆《宋詩派別論》有敘述,P.29～P.30,台北東昇,1980。

❸ 徐復觀《中國文學論集續編》,〈宋詩特徵試論〉有詳述,台灣學生書局。

古律詩便得。」然而又如何可得杜詩的藩籬呢？

於此，荊公之言點出了門徑：「唐人知學老杜而得藩籬者，唯義山一人而已。」（蔡寬夫詩話）則義山詩可說欲到老杜門下者所應走的路，如此崑體工夫也就呼之欲出了。朱弁《風月堂詩話》可說點出了山谷的獨到的眼光：

> 黃魯直深悟此理，乃獨用崑體工夫，而造老杜渾成之境，今之詩人少有及者，此
> 禪家所謂更高一著也。

至於崑體工夫云云，《石林詩話》有說：「以其用事精巧，對偶親切，黃魯直詩體雖不類，然亦不以楊劉爲過。」用事精巧等等於奪胎換骨及點鐵成金，實有其不可忽者，平淡而山高水深的工夫，正在此等包蘊密緻，對偶親切中而能不死於句下，當然這又牽涉到了宋詩之所以重視句法、詩法之學而成爲詩學者。論者所述已多❷這裏不再詳論。

要注意的是崑體詩何以爲王黃諸人所看重？吳調公所云：「脈絡細緻，律法謹嚴，黃庭堅講究章法，首先固然得力於詩律細方面的學杜，但也未嘗不是由於受了李商隱的影響。」❷固然只是推崇義山，然而義山的影響山谷，西崑諸公當亦爲媒介。山谷自己即說：「元之如砥柱，大年若霜鶚，王楊立本朝，與世作郛郭。」（次韻楊明叔見贈之七，山谷詩內集卷七）雖然這不免有重視人格的一面，但宋詩出於經，在講求人格與詩風一致下，則人品學養與詩品往往不可分，❷且此詩一則提到王禹偁，一則爲楊億，前者以平淡著，後者寧非崑體山高水深的包蘊密緻？正好是山谷所追求的目標，只不過在崑體沒落後，言詩者少有人公然道及而已。

更且到了王安石、黃山谷的時代，外在的環境的改變，實又不可忽視。經過了仁宗、英宗二朝，宋代積弱不振的沉痾已一一浮現。王安石於政治上銳意改革，哀國憂時，人世的關懷，政治的論議皆不得不發而爲詩。❷此時崑體的諷諭、寄託，又爲詞章家所賴。

---

❷ 參見註❷所引書。而這已形成治宋詩者的共識，論者頗多，徐復觀、龔鵬程之外，如錢鍾書《談藝錄》，繆鉞〈論宋詩〉，曾克耑〈唐詩與宋詩〉等等皆有道及，台灣復文《宋詩論文選集》，1988，已有收錄，可參看。

❷ 吳調公〈李商隱對北宋詩壇的影響〉，原載《李商隱研究》，上海古籍出版社，1982，引自《宋詩綜論叢編》，1993·台灣，麗文。

❷ 論者頗多，其著者如徐復觀〈宋詩特徵試論〉「黃山谷的詩論」一節討論平淡而山高水深即說：「這是由意境之高深，而出之以精約的語句，才可以達到的，於是山谷不能不重視人格，不能不重視學問，不能不重視句法與用字。」正可加以說明。

❷ 《宋詩鈔》〈臨川小集序〉（台灣，世界書局）有云：「安石遣情世外，其悲壯即寓閒淡之中。獨是議論過多，亦是一病矣。」直至晚年猶不免如此，又可見議論入詩爲荊公一生的堅持，當亦影響後學者。

宋詩的「以文字爲詩，以學問爲詩」等❷實不可不正視此等時代的因素。於此《石林詩話》所載王荊公之言：「學詩者未可遽學老杜，當先學李商隱，未有不能爲商隱而能爲老杜者。」應也更可看出他頗能正視西崑得此義山托意深婉的精妙。

宋初學義山詩自以西崑爲最。其後荊公既有其體認，因而「其思深妙，更過於歐。」（昭昧詹言卷十二）可見王安石之有得於崑體工夫者。此時已非慶曆之時「滿心而發，肆口而成」的風氣，運用崑體的包蘊密緻，揚棄其陳腐及雕縟，自可糾正慶曆以還以議論爲詩的流弊，及「白詩的底子」所形成的膚廓疏淺的毛病，進而臻於平淡而山高水深的境界。❷此即世人所艷稱的荊公詩律：「王荊公晚年詩律尤精嚴，造語用字，間不容髮。然意與言會，言隨意遣，渾然天成，殆不見有牽排比處，如『含風鴨綠鱗鱗起，弄日鵝黃裊裊垂』讀之初不覺有對偶。……其用意亦深矣。」（石林詩話引）初不覺有對偶云云，乃自詩律尤精嚴而來，實可見此等對偶親切的崑體工夫。

至於山谷的詩律亦不遑多讓。其〈酴醿〉一詩：「露濕何郎試湯餅，日烘荀令炷爐香」即脫胎自李義山「謝郎衣袖初翻雪，荀令熏爐更換香。」皆「以美丈夫比花，魯直爲工。」（朱翌，《猗覺寮雜記》）而山谷之有得於義山者尚多，❸亦可證崑體工夫爲讓他成爲一祖三宗之一的要因。

所以，西崑雖在慶曆之後，漸不爲詩家宗主，然而欲窺宋代平淡而高深的詩境，則又拾崑體工夫不爲功。這就是紀昀所道：「然其組織工緻，鍛鍊新警之處，終不可磨滅，故至今猶有傳本焉」❸的理由，西崑的不絕如縷，剝極而復者實又在此。這也是宋詩之爲詩學，於言意之辨特別重視所致。既然「語思其工，意思其深。」自然於歐陽修的慶曆詩風亦不以爲足。歐公誡其子「三十年後，更無人道著我也。」（《曲洧舊聞》）可見這種演進的不可避免，真的是既領風騷數十年，即不得不讓予後人，西崑如此，歐梅亦然。

既重視言意之辨，自然要求如《藝苑雌黃》所云：「語意中的，親切過於本詩，不謂之奪胎可乎？不然，徒用前人語，殊不足貴。」親切過於本詩，或可與崑體的對偶親切參看，皆欲其不造作，自然而妙，這也許是王黃等人過於西崑之處，亦可見

❷ 嚴羽《滄浪詩話》：「近代諸公乃作奇特解會，遂以文字爲詩，以才學爲詩，以議論爲詩。」近代諸公云云可知此等宋詩大家的共同趨向。

❷ 「平淡而山高水深」的論述另可參看徐復觀之〈宋詩特徵試論〉等，及韓經太〈論宋人平淡詩觀的特殊指向與內蘊〉（《宋詩綜論叢編》，1993）

❸ 參見註❷所引文。

❸ 清《四庫全書簡明目錄》集類〈西崑酬唱集〉提要。引見漢京《西崑酬唱集》書末。

江西諸公有得於西崑者。鄭騫之論詩論及西崑體云：「精嚴組織開山谷，深婉風神近玉谿。莫道楊劉無影響，西崑一脈到江西。」❸正道出西崑不死，其精神借山谷等人的工夫而復活。或而也可說表面上西崑雖衰落了，卻仍以其包蘊密緻的工夫，化作春泥，而開出有宋一代詩壇中寒梅的孤傲。

---

❸ 鄭騫《清晝堂詩集》卷十一，1988，台北，大安出版社。

蘇軾的藝術論與「場」

高津孝*

一、序　言

　　最近，在中國史研究這一領域中，美國學者運用法國社會學家布狄厄的社會學方法，探討了中國明清時代的科舉制度與當時社會的關係，其研究成果已引起人們的注意。不過，可以說，與歷史相比，布狄厄的社會學理論對文學具有更大的意義。這是因爲，正像副標題「判斷力的社會批判」所顯示的那樣，布狄厄的主要著作《卓越的特徵》其實是立足于社會學的角度，對現代法國社會中的趣味判斷與階級之關係所做的總合分析，也是對存在于社會性的場中的趣味所做的普遍性論述。本文試圖從本質主義批判（現代思想的新動向之一）以及布狄厄的有關美的社會學視點出發，重新審視北宋時代以蘇東坡爲中心的「場」。

二、布狄厄的社會學視點

　　按照布狄厄的觀點，在現代思想的領域中，美學研究大體分爲以下三類。即，始于康德（Immanuel Kant）的近代美學，海德格爾（Martin Heidegger）和加達默爾（Hans-Georg Gadamer）的存在主義美學、以及始于維特根斯坦（Ludwig Wittgenstein）的遊戲理論。對于前兩者，布狄厄引用了熱戀中的男子的那句話——「是由于自己愛她，她才美麗呢？還是因爲她美麗，自己才愛她？」批評它們陷入了主觀主義和現實主義的二者擇一或是相互循環的困境，並公開宣稱自己是站在遊戲理論一邊的。關于藝術作品的意義與價值，布狄厄這樣指出：

> 藝術作品所以能被人們付與意義和價值，是同一歷史性制度的兩個側面、即互爲基礎的自然化的歷史與藝術場相一致的結果。藝術作品暗中要求鑒賞者具備一定的美學傾向和審美能力，鑒賞者具備這些傾向和能力而鑒賞藝術作品，藝術作品才被認定爲「藝術作品」、也就是作爲被付與意義和價值的象徵性對象物而存在。

＊　鹿兒島大學

那麼認定其爲「藝術作品」的，正是審美家的眼睛。不過，必須指出的是，只由當這審美家自身是漫長的集團的歷史、所孕育出來的「行家」，並且在個人歷史中，又與藝術作品長期接觸的場合，他才能做到這一點。這種循環式的因果關係、信仰與信仰對象的因果關係，就是下述的所有制度的特徵：若不在被社會性遊戲的客觀規則制度化的同時，被參加和關心遊戲的意欲制度化的話，這制度便無法發揮其功能。……經驗豐富的遊戲參加者，是制度通過遊戲而形成，因之具有遊戲感覺，並進行游戲，使遊戲存在下去，所以遊戲通過這個過程使遊戲參加者產生投身遊戲的更大熱情。（《藝術的規則》第三部第一章）

關于布狄厄的理論裝置，英國的馬克思主義文學批評家特里·依格爾頓認爲，與阿爾丘塞爾的繁複的思考方法相比較，布狄厄的理論基本上是作爲意識形態的細微構造來記述日常生活的。即，在某種意義上，布狄厄的理論具有明顯的決定論色彩。

法國社會學家布狄厄所關心的是，在日常生活中檢驗具有強大力量的意識形態的結構。在研究這個問題的過程中，布狄厄所做出的貢獻是提出了「自然化的歷史」（habitus）這一概念。布狄厄想試圖透過這個概念告訴人們：一系列的長期持續的行動傾向產生了單個的習慣實踐，影響並塑象著人。處于社會中的個人，都依據這樣的結構（文化無意識）來行動，縱使個人有意識地想要違背社會的諸規則，但客觀上個人的行動將被調整被規則化。……按照布狄厄的看法，像這樣，主觀和客觀相一致，換言之，我們的自發的行動與我們所處的社會狀況對我們的要求相一致，通過這些，權力的支配性才得以實現。……布狄厄說，所謂正當性的認知，其實不過是「咨意性的誤認」而已。……任何社會生活領域都是通過一系列的規則而構築起來的，這規則確定了該領域中的有價值的東西是什麼，怎樣才能被確認爲有價值等等。而且，這些規則以「象徵暴力」的方式發揮機能。由于象徵暴力是正當的東西，所以一般不被認爲是暴力。……例如，在教育領域中，象徵暴力是通過教師而發揮作用的，但這教師並不是專向學生講授意識形態的教師，而是具有一定量的「文化資本」（學生自身也想獲得這樣的文化資本）的教師。因此，教育系統不是用所教育的內容，而是通過規則化的象徵資本分配，爲社會秩序的再生產做出貢獻……同樣的象徵暴力的形式也作用于整個文化領域，沒有一個「正當的」嗜好的人，將被從文化的領域排除出去，只剩下恥辱和沈默。（《何謂意識形態》第五章）

不過，布狄厄卻劃清了自己的理論與結構主義的決定論界線，提煉出了「自然化的歷史」這一概念。在亞里斯特德以來的概念中，自然化的歷史被賦與下述含義，「（它）屬于能被教育影響的心理傾向，但不是無意識的、意志行爲不能到達的東西，也不是單純被社會決定的，當然更不是只由在社會結構中所處的位置所規定，顯然，這樣的性質

傾向也不能機械地決定主體的表象與行爲。其實毋寧說，無論難與易，對主體而言，「自然化的歷史」首先是克服上述局限的一種結構或者指針」。（《拉魯斯社會學辭典》）

布狄厄對文化的分析受到人們的批判，諸如世界觀的決定論圖式、過于單純的還元性思考、以及歷史觀點的缺乏等等。這是由于他的社會學方法論只是共時性地考察某一場，切斷了歷史性的聯繫的緣故。但是，關于美學分析，布狄厄是非常清楚地把它作爲歷史的產物加以考察的。

法國哲學家克里斯張・德根的下述見解充分表明了本論文的立場：「布狄厄的工作的整體，……並不是單純的決定論，他是要竭力正視一個對自身也是很難的問題——我們怎樣被連自己也不知道的決定因素影響著。」（《法國現代哲學的最前線》）

三、東坡的繪畫論

蘇軾（1036～1101），字子瞻，號東坡居士，生于四川省眉山，嘉祐二年（1057）考中進士。他是北宋時期代表性的文學家，也是政治家。作爲政治家，他在新舊法黨的爭鬥中履經沈浮，曾遠被流放到海南島。作爲詩人、散文家和書法家，他的名聲很大。作爲宋代以後富有教養的文人官僚的典型，蘇軾給予後代非常大的影響。以至于在金朝，南宋朱子學傳來之前，闡釋蘇軾學問的蘇學曾風靡一世。

唐末五代，出現了一批新的畫家，他們借鑒唐代後半期產生的「潑墨」這一繪畫技巧（把墨散潑在畫紙上，以得到的偶然的形象爲表現主軸），嘗試完成描寫水、火這種沒有確定形態的不定形對象的穩定技巧。（《日本美術指南》）對于這由唐末五代開始的中國繪畫史上的新潮流——不定形主題表現的變革，蘇軾有下列論述。

> 古今畫水、多作平遠細皺、其善者不過能爲波頭起伏。使人至以手捫之、謂有窪隆、以爲至妙矣。然其品格、特與印板水紙爭工拙於毫厘間耳。唐廣明中、處士孫位始出新意、畫奔湍巨浪、與山石曲折、隨物賦形、畫水之變、號稱神逸。其後蜀人黃筌、孫知微、皆得其筆法。始、知微欲於大慈寺壽寧院壁作湖灘水石四堵、營度經藏、終不肯下筆。一日、倉皇入寺、索筆墨甚急、奮袂如風、須臾而成。作輪瀉跳蹙之勢、洶洶欲崩屋也。知微既死、筆法中絕五十餘年。近歲成都人蒲永昇、嗜酒放浪、性與畫會、始作活水、得二孫本意。
>
> （《蘇軾文集》卷十五《畫水記》）

元豐三年（1080），即蘇軾以誹謗朝政罪流放黃州的時期，他談到不定形主題表現的出現和傳承問題。同一時期，他還這樣論到：

余嘗論畫、以爲人禽宮室器用皆有常形。至於山石竹木、水波煙雲、雖無常形、而有常理。常形之失、人皆知之。常理之不當、雖曉畫者有不知。故凡可以欺世而取名者、必託於無常形者也。雖然、常形之失、止於所失、而不能病其全、若常理之不當、則舉廢之矣。以其形之無常、是以其理不可不謹也。世之工人、或能曲盡其形、而至於其理、非高人逸才不能弁。　　（《蘇軾文集》卷十一《淨因院畫記》）

這些論述是以不定形主題表現技巧的出現與傳播爲前提的。蘇東坡舉出文同、字與可的描寫竹、石、枯木的繪畫，說明他們確實得到了理。關于文同的畫，他說：

各當其處、合於天造、厭於人意、蓋達士之所寓也歟。

(《蘇軾文集》卷十一《淨因院畫記》)

並稱「必有明于理而深觀之者，然後知余言之不妄」。總之，繪畫的常理最重要，常理不是單單功于技巧的匠人、而必須是「高人、逸才、達士」才能表現出來的。鑒賞也同樣如此。

五代到北宋，是中國繪畫史上重大的變革期，首先是經歷了表現不定形主題的變革，隨後，爲了實現在二次元的畫面上創造出闊大空間的夢想，山水畫捨棄了色彩的眞實性，而獲得了色調的眞實性。（《日本美術指南》）蘇東坡的繪畫論正是上承這一巨大的變革而出現的。蘇東坡的繪畫論並非是否定技術，而是主張在技術之上存在著常理，常理又若非「高人、逸材、達士」所不能表現。布狄厄認爲，「藝術作品只對這樣的人——藝術作品被符號化時的符號所有者——才有意義，只有這樣的人才能被喚起對藝術作品的興味」，並且，「感情的融通和移入——熱愛藝術的喜悅——實際上也以認知行爲、解明、解讀作業爲前題，而且在這個過程裡既有作爲遺產繼承下來認識方法，也有主體文化能力的充分運用。」（《卓越的特徵》）那麼，對蘇軾的繪畫論而言，符號的所有者是些怎樣的人呢？

布狄厄社會學的特徵之一便是資本這一概念的擴張。說到資本，一般都是指經濟而言，但布狄厄卻提出了文化資本的概念，具體包括㈠身體化的資本——知識、教養、趣味、感性；㈡客體化的文化資本——書籍、繪畫；㈢制度化的文化資本——學歷資格等。在東坡的繪畫論中，「高人、逸材、達士」這些具有身體化文化資本的人，首先被作爲符號的所有者，但時常也包括繪畫——客體化文化資本——的所有者。（《卓越的特徵》）

追求常形就是追求「形似」，而另一方面，追求不定形主題，要求追求「形似」（常形）之上的東西。中國繪畫在經歷了表現不定形主題的變革以後，十分看重如何超越「形似」的問題。蘇軾的繪畫論即以輕視形似聞名。

論畫以形似，見與兒童鄰。

（《蘇文忠公詩合註》卷二十九《書鄢陵王主簿所畫折枝》二首其一）

這是對六朝隋唐以形似為主的繪畫論的反逆。比如，中唐的白居易（772～846）在貞元十九年（803）三十二歲時寫的《記畫》一文中，就極力推崇形似。白居易的這種以「形似」見真的看法，令人想起布狄厄的話——「庶民階級的人們期待所有形象都能明確地發揮一種機能——縱使是作為符號的機能——，並在判斷中不斷清楚地表明他們對道德和快樂規範的參照」。（《卓越的特徵》）

作為一個重要人物，文同對東坡繪畫論的影響很大。文同，字與可（1015～1079），四川梓州人。皇祐元年（1049）考中進士。曾作過邛州、漢州、晉州、陵州、湖州的通判、知事。以墨竹、山水畫聞名。文同沒後不久的元豐二年七月七日，蘇東坡曾作文論及文同的墨竹，稱文同完全把握了竹子的生命力，在他的筆下誕生了非凡的墨竹，同時，否定了文同以外的畫家以形似為主的畫竹方法。

> 竹之始生、一寸之萌耳、而節葉具焉。自蜩腹蛇蚹以至于劍拔十尋者、生而有之也。今畫者乃節節而為之、葉葉而累之、豈復有竹乎。故畫竹必先得成竹於胸中、執筆熟視、乃見其所欲畫者、急起從之、振筆直遂、以追其所見、如兔起鶻落、少縱則逝矣。與可之教予如此。予不能然也。

（《蘇軾文集》卷十一《文與可畫篔簹谷偃竹記》）

即使是在《畫水記》這樣的文章中，蘇東坡也絕沒有否定技巧。可是，正像他的下述文章所說，士人的畫首先是「意氣」的表現。

> 觀士人畫、如閱天下馬、取其意氣所到。乃若畫工、往往只取鞭策、皮毛、槽櫪、芻秣、無一點俊發、看數尺許便倦。漢傑真士人畫也。

（《蘇軾文集》卷七十《又跋漢傑畫山》二首其二）

在這裡，所謂「士人」已被特權化，士人與庶民相對，指文化人，其中心是科舉中舉者，也包括具有同等文化水準的人。像宋子房（字漢傑）自身是不是中過舉，已無法確認，但他的叔父是舉人，又是畫家，只能通過這些推測他的文化背景。

關于文同，蘇東坡在《文與可畫墨竹屏風贊》（《蘇軾文集》卷二十一）中這樣論說：

> 與可之文、其德之糟粕。與可之詩、其文之毫末。詩不能盡、溢而為書。變而為畫、皆詩之余。其詩與文、好者益寡。有好其德如好其畫者乎。悲夫。

　　顯然，蘇東坡是說，比起繪畫來，文同的詩文德行評價不高，可是即使詩文與書法繪畫有所差異，其背後仍有一貫相通的東西。也就是，作爲藝術，詩文書畫是一體性的，蘇東坡的美學就是在這裡形成的。

　　蘇軾自身並非出身于名家名門，據說他的家族只能數到上五代，他的祖父也不識字。蘇軾一生學問的開始，是和村裡的孩子一道在道士張簡易的私塾學習。所以，蘇軾的中舉，在取得制度化文化資本這一點上有著極大的意義，必然地影響到他的文學。另一位與蘇軾有相同嗜好的黃庭堅也是如此。當然，在身體化文化資本、客體化文化資本這些方面，蘇軾沒有任何優勢。特別是繪畫，在蘇軾周圍有不少有著身體化文化資本和客體化文化資本的名家子弟，因此蘇軾有可能比他們更注意這些文化資本。

　　在東坡的友人中，有一位著名的畫界人物——李公麟（1049～1106）。此人字伯時，號龍眠山人，出身並州。據施註稱，李公麟係南唐先主的後代，熙寧三年（1070）或元豐三年（1088）考中進士。作爲畫家，有人稱他「身爲北宋末年道釋人物畫家、畫馬大家，可稱北宋白畫的集大成者……是北宋末、元祐、紹聖時期出現的士大夫畫家之一。針對當時不少士大夫畫家以遊戲的態度創作墨竹和山水畫，李公麟熱心致力于自己作爲職業畫家所擅長的白畫，以專業畫家的暢達的線條描繪馬的形象。也就是說，他把本來屬于畫匠畫師的描寫形式變成了士大夫文人的東西，這樣，後世才能將這些描寫形式作爲職業畫家和文人畫家皆應採用的畫技來處理」。（《中國繪畫史　上》）李公麟的父親李虛一是位書畫收藏家，李公麟自幼就喜愛書畫，漸漸領悟了古人的用筆。當時的時代，出色的繪畫具有極高極罕見的價值，遠遠超出現代的我們的想像。所以，那時有資格談論繪畫的人，除了富裕和地位以外，還必須有接觸繪畫的環境，並進入繪畫收藏家的網絡中。與繪畫相比，書法方面有拓本的技術，至于詩文，書籍已進入製版印刷的全盛期。繪畫的原物模寫的特權性格特別明顯。換言之，作爲客體化文化資本的繪畫，如果人們不屬于某一繪畫收藏家的網絡，就無法被人欣賞。李公麟和東坡的交流集中于元豐三年（1088），即蘇軾身爲翰林學士的時期。四年後的元豐七年（1092）二月左右的詩《步吳傳正枯木歌韻》（《蘇文忠公詩合註》卷三十六）云：

　　　古來畫師非俗士、妙想實與詩同出。
　　　龍眠居士本詩人、能使龍池飛霹靂。

　　上面的詩句是說，龍眠居士李公麟身爲畫家的同時又是詩人，詩人是與俗士對立的存在，畫家也同樣如此，詩與畫的妙想實本同出一源，這與當時畫家的社會地位不高有關。如人所知，唐代著名畫家閻立本曾告戒兒子，「吾少好讀書屬詞、今獨以丹青見知。躬廝役之務、辱莫大焉。爾宜深戒、勿習此藝」。（《歷代名畫記》卷九，《增補津逮秘書》

所收）宋代也一樣，宋初畫家李成對某人招他作畫家憤憤不平：「吾本儒生、雖遊心藝事、然適意而已」。（《宣和畫譜》卷十一，《增補津逮秘書》所收）他的子孫做了高官以後，竭力收買李成的畫，以致世間很難再見到他的畫。再有對李公麟的評價。《宋史》李公麟傳引黃庭堅的話，「其風流不減古人、然因畫爲累、故世但以藝傳云」。從這些可以看出，與士大夫相比，當時畫家的社會地位還是低一層次的。因此，可以認爲，蘇軾的這首詩是爲了提高士大夫的畫業的社會地位而展開的戰略言說。作爲自我抒寫的詩在士大夫間確立起其地位，是後漢建安年間，書法是在東晉王羲之時代，而繪畫則是在北宋蘇東坡時代。

四、東坡的書法論

熙寧七年（1074）正月，三十九歲的東坡在潤州做詩，其中有云：

> 退筆如山未足珍、讀書萬卷始通神。
> 君家自有元和腳、莫厭家雞更問人。
>
> （《蘇文忠公詩合註》卷十一《柳氏二外甥求筆跡》二首其一）

蘇軾表姊妹的兩個孩子柳閎、柳闢向他索字，于是蘇軾便寫了上面的詩。因爲是寫給自己的後輩，不免帶有教育的意味，總歸是強調學問比技術更重要。在論說秦觀的書法時，蘇軾說：

> 少游近日草書、便有東晉風味、作詩增奇麗。乃知此人不可使閒、遂兼百技矣。
> 技進而道不進、則不可、少游乃技道兩進也。（《蘇軾文集》卷六十九《跋秦少游書》）

「道」這一表現有些抽象，但可以說是學問主義和道德主義的統一吧。

將蘇東坡的書法論更進一步的，是黃庭堅。黃庭堅這樣評論蘇軾的書法：

> 東坡書、隨大小眞行、皆有嫵媚可喜處。今俗子喜譏評東坡。彼蓋用翰林侍書之繩墨尺度。是豈知法之意哉。余謂東坡書、學問文章之氣、鬱鬱芊芊、發於筆墨之間。此所以他人終莫能及爾。（《山谷題跋》卷五《跋東坡書遠景樓賦》）

無論蘇軾還是黃庭堅都不否定技術，但比較起來他們更重視學問，更重視通學問才能獲得的道義。對于只在技術上拘泥于王羲之的機能主義的做法，他們斥之以「俗」。對蘇軾而言，繪畫上的形似、書法上唯王羲之的技巧而從，都是同一層次的問題。

五、東坡的文學論

在《宋詩選註》「王安石」一條裡，作者錢鍾書列舉了古人對中國詩的缺點的批評，並稱六朝以來這些缺點一直受到人們的批判。其實，除了王安石以外，包括蘇軾在內的許多宋代詩人也都存在著這些缺點。作為一代貴族科舉官僚的極為顯著的特徵，這種炫耀學識的學問主義傾向是難以否定的存在，蘇軾也不例外。還是在宋代便有人解釋蘇軾等人的詩的出典，刊行註釋書，這無疑是最好的證明。

前面已經指出，在這個時代，東坡網絡中，出現了詩畫一致論。以創作翰林院的大畫面春山圖屏風而聞名的神宗朝第一畫家郭熙曾說：

更如前人言詩是無形畫、畫是有形詩、哲人多談此言、吾人所師。

（《林泉高致》畫意，《美術叢書》所收）。

當然，這一見解也沒能超出前人，同時代的蘇軾在元豐二年還是翰林學士的時候，這樣論說郭熙的畫：

目盡孤鴻落照邊、遙知風雨不同川。

此間有句無人識、送與襄陽孟浩然。

（《蘇文忠公詩合註》卷二十九《郭熙秋山平遠》二首其一）

這令人想起蘇軾的著名的文章《書摩詰（王維）「藍田煙雨圖」》（《蘇軾文集》卷七十），文中說到：

味摩詰之詩、詩中有畫。觀摩詰之畫、畫中有詩。詩曰、藍谿白石出、玉川紅葉稀。山路元無雨、空翠濕人衣。此摩詰之詩、或曰非也。好事者以補摩詰之遺。

蘇軾的審美價值判斷是以學問為前提的，只有與精神主義相聯的，畫家才會得到蘇軾的高度評價，所以，對他來說，被視為有學問的郭熙正是一個合適的對象。即、對畫給予高度評價的前提，是精神主義、是學問、是與道相關的東西。當這一點內在化、詩與畫的目標一致的結果，就產生了詩畫一致論。詩畫一致論又與對形似的輕視聯繫著。

論畫以形似、見與兒童鄰。

賦詩必此詩、定非知詩人。

詩畫本一律、天工與清新。

邊鸞雀寫生、趙昌花傳神。

何如此兩幅、疏淡含精勻。

誰言一點紅、解寄無邊春。

（《蘇文忠公詩合註》卷二十九《書鄢陵王主簿所畫折枝》二首其一）

詩說的是，邊鸞、超昌這些寫生名家的作品，追求形似，目標十分明確，相比之下，倒是王主簿的「疏淡」的繪畫更好一些，就好比詩裡面的題詠詩本不是真正的詩一樣。蘇軾的意見是否定那些只要磨練技巧就能創作出來的、機能明確的詩畫。

蘇軾美學的本質首先在于遠離機能主義。所謂機能主義，是這樣一種主張，即期待一切形象都能發揮某一明確的機能。關于書法，蘇軾批評單純追求一定典型的技術為俗，強調克服學習王羲之過程中的偏面性；關于畫，他重視多表現不定形主題的山水畫中的常理；並進一步向詩畫一致論傾斜，一幅詩畫也許並不是什麼都好，但看其詩是山水詩，畫是山水畫，也就意味著擺脫了某種過分確定的意義。存在于這種看法背後的，是精神主義，換言之，是「道」。

像從《日喻》（《蘇軾文集》卷六十四）中看到的那樣，東坡的「道」，比起儒教思想來，更接近老莊思想，由此又進一步趨向詩禪一致論。熙寧四年（1071），王安石進行改革，將詩賦從科舉考試科目中取消，蘇軾反對這一舉措，寫了《日喻》一文。文章說，以比喻向盲人說明太陽是很困難的，但說明抽象的「道」困難更大，那麼如何才能到達「道」呢？蘇軾的答案是：「道可致而不可求」。《論語》中不也有「君子學以致道」的嗎？

昔者以聲律取士、士雜學而不志道。今者以經術取士、士求道而不務學。

蘇軾的「道」不是一個只要努力就能到達的明確目標。可是，它的前提是學問這一點不能否定，只要有了深厚的教養，致力于學問，「道」就會來臨，「道」就在否定機能主義的彼岸。

六、結　語

眾所周知，在中國繪畫史上，自唐末五代開始，在表現不定形主題方面發生了重大的變革。蘇軾正是在此基礎上，提出了下述見解，即：有常形者，其價值基準為形似，但對不定形主題而言，形似便不再具有價值基準的意義。反之，常理將變得十分重要，常理又若非高人、逸材、達士所不能表現。這見解否定了那種期待形象發揮明確機能的所謂機能主義，主張不應將藝術的價值基準定位于具有明確指標的「技術」方面，藝術

的價值只有那些具有高水準文化資本的高人、逸士、士人才能表現並享受。這種理解繪畫的思想構造，在蘇軾的書法和文學論中也同樣存在，有名的詩畫一致論就是這一見解的延長。即：對詩來說，不能簡單地將其本質當成政治性意圖和儒教倫理，對繪畫和書法而言，也不能將其本質輕易地歸結爲形似或明確的典型，這是東坡美學的要諦。支撐東坡美學的集團是讀書人，是擁有〈制度化〉文化資本的科舉合格者以及擁有〈身體化〉文化資本的名家子弟。在蘇軾周圍已構成網絡的同人、詩友是蘇軾的藝術論的重要背景。從東坡美學來看，王安石的科舉改革將詩賦從科舉考試中取消，把科舉考試變成一種與政治、倫理直接聯接的制度，這是應該否定的。同時，東坡美學與洛黨（這一派把一切都同儒教倫理聯繫起來）也是對立的。正是在這種對立中，蘇軾展開了其〈言說戰略〉。所以，正像從《日喻》中看到的那樣，東坡的所謂〈道〉，並不是某種明確的、應該到達的目標，而是通過廣汎深入地積累學問，自然而然產生出來的；〈道〉不單是儒教性的，老莊思想的因素也很強。

　　蘇軾的詩畫一致論把地位不高的繪畫作爲讀書人的東西來看待，並在這個過程中提出了否定機能主義的繪畫論，即標榜輕視形似，聲稱只有具有文化資本的人才能表現、理解繪畫。這種對機能主義的否定，與山水詩同樣，都以〈道〉爲前提，並在這當中產生了詩畫一致論。

參 考 文 獻

1.鈴木敬（1981）《中國繪畫史　上》吉川弘文館。

2.錢鍾書（1958）《宋詩選註》人民文學出版社（1979年北京第三次印刷）。

3.戶田禎佑（1997）《日本美術指南》角川書店

4.Pierre Bourdieu, LA DISTINCTION Critique Sociale du Jugement、 1979。日譯，皮坡爾‧布狄厄《卓越的特徵》石井洋二郎譯、藤原書店（1990）。

5.Pierre Bourdieu, LES REGLES DE LART Genese et structure du champ litteraire、1992。日譯，皮埃爾‧布狄厄《藝術的規則》石井洋二郎譯、藤原書店（1996）。

6.Terry Eagleton, IDEORLOGY An Introduction、1991。日譯，特里‧依格爾頓《何謂意識形態》大橋洋一譯、平凡社（1996）。

7.Christian Descamps克里斯張‧德根《法國現代哲學的最前線》廣瀨浩司譯、講談社（1995）。

8.R. Boudon P. Besnard M. Cherkaoui B-P. Lecuyer, Dictionaire de la sociologie、1993。日譯，R‧布登他《拉魯斯社會學辭典》宮島喬他譯、弘文堂（1997）。

9.Benjamin A. Elman, Political, Social, and Cultural Reproduction via Civil Servise Examination in Late Imperial China、1991。日譯，本傑明‧A‧埃爾門（1991）《作爲再生產裝置的明清科舉》（《思想》810號、岩波書店）。

10.清‧王文誥《蘇文忠公詩編註集成》（1979年、台北、學生書局）。

11.黃賓虹、鄧實編《美術叢書》（1986年、揚州、江蘇古籍出版社）。

12.朱金城箋校《白居易集箋校》（1988年、上海、上海古籍出版社）。

13.宋‧蘇軾《蘇軾文集》（孔凡禮點校、1986年、北京、中華書局）。

14.元‧脫脫等《宋史》（1977年、北京、中華書局）。

15.清‧馮應榴《蘇文忠公詩合註》（1979年、京都、中文出版社）。

16.明‧毛晉《增補津逮秘書》（1979年、京都、中文出版社）。

東漢《河圖》、《雒書》與「經讖」 關係之探討

黃復山*

　　東漢初，桓譚云：「讖出《河圖》、《洛書》。」又稱：「今諸巧慧小才伎數之人，增益《圖》、《書》，矯稱讖記。」❶其後，王充循其意，斷曰：「神怪之言，皆在讖記，所表皆效《圖》、《書》，『亡秦者胡』，《河圖》之文也。」❷蕭梁劉勰於《文心雕龍·正緯》中則曰：「原夫圖錄之見，迺昊天休命，事以瑞聖，義非配經。」「圖錄」多即「《河圖》、《雒書》」之泛稱。三家所言《河圖》雖有「神怪」、「瑞聖」之異，其指稱「《河圖》、《雒書》」爲「讖記」所出之源則一，且此類「圖錄」「義非配經」。然而三家所稱述之「讖記」，是光武官定之「經讖」？抑民間傳流之謠讖？「讖出《河》、《雒》」，是漢代方士、流俗所奢言之圖讖，皆摘錄《河圖》、《雒書》而成？抑方士效法《河》、《雒》而自造讖語？更或乃光武之「經讖」皆源自《河》、《雒》？所指稱之「《河》、《雒》」有無定本？是皆影響讖緯論斷之礎石，則未見三家之具實舉證。故後世讖緯學之論述，如《隋書·經籍志》等，多循此意，排除光武官定圖讖之《河圖》、《雒書》於「七經讖」外，遂使原編無明顯區別之「官定圖讖」，憑生「解經」、「預言」兩種。蓋光武官定之時，本即雜取方士圖讖、星占及諸經傳注而成；官方編定之前，諸多圖讖（包括《河》、《雒》）實無特定之篇名，亦非專爲解經而作也。❸

　　此項議題，尚未見學者論述，故不忝駑鈍，詳蒐《河》、《雒》與「經讖」佚文，試爲爬梳董理，以探討其本原，並論證「讖出《河》、《雒》」究竟何指？其實質意義

---

*　淡江大學中文系

❶　分別見於桓譚《新論·啓寤第七》（引自馬總《意林》卷3，頁9，臺灣中華書局仿宋刻本）；《後漢書》卷28上，＜桓譚列傳＞頁959，北京：中華書局標點本。

❷　《論衡校釋》卷26，〈實知篇〉頁1070，北京：中華書局標點本。

❸　詳見黃復山《漢代尚書讖緯學述》第一章＜漢代讖緯學流衍＞考論，輔大中研博士論文，民國85年6月。

又如何？所言容有不周，尚祈方家不吝指正。

題中「經讖」一詞，《隋志》嘗分別「讖、緯」之異同，李賢注《後漢書·樊英傳》遂於八緯之中，取「七經讖」為說，而摒除《論語讖》。實則細繹光武、明、章諸帝詔書及大臣奏言，並鄭玄、宋均之緯書注文，可知光武初編圖讖八十一卷，原無「緯」名，更未摒除《論語讖》於「七讖」之外，是以下述行文之際，只用「經讖」一詞，指稱《河》、《雒》以外八種「經讖」，不再附從舊說。

引述所據之歷代《河圖》、《雒書》佚文輯本中，以黃奭《黃氏逸書考·通緯》較佳，民國二十四年經由江都朱長圻補刊（以下簡稱「黃奭本」），徵實性較高，凡輯得《河圖》八六三條、《雒書》一八六條。近年則以日本學者安居香山、中村璋八二位先生編纂之《重修緯書集成》鉛排本（以下簡稱「安居本」），收錄最屬完備，《河圖》得一二九九條、《雒書》三一九條，較黃奭本多出五六九條。

黃奭本考證頗為精詳，避免似異實同佚文之重覆收錄，而於每條之中，夾注異文出處及校勘異字，條末則注明該條佚文出典，條後並附鄭玄、宋均注文及清代學者按語，故最利於後學覆查稽覈。安居本收錄雖多，惟詳考其實，乃羅列歷代輯本為其主體，不棄涓滴而以龐雜為務，各類古籍所引之同一佚文，皆各立一條，未作覈校，故或流於浮泛，甚或致有誤收之例；又於句讀之際，偶有不明文法，以致誤讀之例。❹惟安居本頗收中土亡佚而僅見於日本之佚文，是又優於中國輯本之處。

本文所引述之讖緯佚文，若未特別注明出處，概出自「黃奭本」及「安居本」，並逐條標示號次，以利查覈；引自安居本者，更於號次前加英文字母「a」作為「安」字之簡稱。若《易緯》、《春秋緯》因佚文條數過多，故依各篇自行編號。至若比較《河》、《雒》與「經讖」文句之際，為醒眉目及易於檢索，捨傳統行文之敘述，改採框表分欄、列行排比方式，由上下欄對應關係，以查見佚文字句之異同。

壹、《河圖》、《雒書》複見例

今人皆知《河圖》、《雒書》不同，惟以緯書中之《河》、《雒》而言，則無獨特之內容差異也。粗略校覈之下，黃奭本《雒書》佚文一八六條中，四十餘條文字相同，當屬重覆收錄者，其餘一四〇餘條中，三十餘條文字與《河圖》相同，三十餘條文意相類。所餘七十餘條，又有與其經讖書相同或相類者。以是可知，《雒書》之獨特性，於光武官定圖讖中，並不明顯。以下略述四例，以見二者內容文字相同之實。

---

❹ 拙著《漢代尚書讖緯學述》第二章，頁162，已引張師以仁、鍾肇鵬先生所論明之。

（一）五行帝兆象

《河圖說徵》205：蒼帝起，天雨粟，青雲扶日。

《雒書靈準聽》91-96：蒼帝起，天雨粟。蒼帝起，青雲扶日。赤帝起，赤雲扶日。黃帝起，黃雲扶日。白帝起，白雲扶日。黑帝起，黑雲扶日。

> 按：五行帝之占驗，為圖讖所常言者。此組之《河圖》僅見一句，當據《雒書》補缺。

（二）甲兵傳說

《龍魚河圖》731：天之東西南北極，各有銅頭鐵額兵，長三千萬丈，三千億萬人。天之東西南北極，各有金剛敢死力士，長三千萬丈，三千億萬人。天中太平之都，有都甲食鬼鐵面兵，長三千萬丈，三千億萬人。

《雒書甄曜度》131：天之東西南北極，各有銅頭鐵額兵，長三千萬丈，三千億萬人。

> 按：除上引二條外，《河圖玉版》706、《河圖帝覽嬉》a530亦皆有金剛力士之載言。疑其衍變自蚩尤神話而來。《龍魚河圖》740又云：「蚩尤兄弟七十二人，銅頭鐵額，食沙石，制五兵之氣。」所言與此相類。《雒書》僅有一句，當可據《河圖》補足。

（三）太微星占驗

《河圖》a1262：西蕃將執，威誅不順，東蕃相執，美拒王侯。月犯，出其門為使。

《洛書》a283：太微，西蕃將執威，誅不順，東蕃相執美，拒侯王。

> 按：二條佚文皆出自安居本，而斷句不同，蓋因初讀者乃不同二人所致。其說意實指：太微座中有東、西二藩星，西藩為將星，執威誅不順；東藩為相星，執美拒侯王。乃取傳統觀念而成者，1977年於安徽阜陽出土之西漢「太乙行九宮式盤」（西元前165入土），即取三相在左、七將在右之形式。

除上引三組十一條佚文外，尚有數十條文意相同、相類之佚文。緯書佚文中又常見引述「龍圖」、「龜書」、「丹符」等籙命文句，亦未在內容與旨意上與《河》、《雒》有所差別。是皆可證知光武所編定之《河》、《雒》選文，實未明確訂定二者之異同，故下文論述之際，將二者合編，以考覈與「經讖」之關係。

貳、「經讖」稱引《河》、《雒》事例

光武官定之圖讖八十一卷，取自哀、平以後之傳世方士讖文爲多，方士圖讖多藉《河圖》、《雒書》而發，故讖文輒以《河》、《雒》爲辭。由緯書佚文中，可以觀知「七經讖」與《論語》、《孝經》等讖文，皆與《河》、《雒》關係深切。以下即依此論述。

一、稱引《河圖》、《雒書》名詞

（一）泛稱共名

1. 《尚書帝命驗》136：河龍圖出，洛龜書威，赤文象字，以授軒轅。
2. 《尚書中候握河紀》212：神龍負圖出河，虙犧受之，以其文畫八卦。
3. 《禮含文嘉》54：伏羲惪治上下，天應以鳥獸文章，地應以《河圖》、《洛書》，伏羲則而橡之，八作八卦。
4. 《易乾鑿度》142：初世者戲也，姬通紀，《河圖》龍出，《洛書》龜予，演亦八者，七九也。
5. 《春秋說題辭》47：河以通乾出天苞，雒以流坤吐地符。河龍圖發，洛龜書威，《河圖》有九篇，《洛書》有六篇。
6. 《孝經援神契》227：惪至深泉，則黃龍見，醴泉湧，河出龍圖，洛出龜書。
7. 《論語撰考讖》48：堯修壇河洛，擇良議沈，率舜等升首山，道河渚，五老游焉，相謂「《河圖》將來，告以帝期」。

以上七條泛言《河》、《雒》之經讖，有《尚書帝命驗》、《尚書中候》、《禮含文嘉》、《易乾鑿度》、《春秋說題辭》、《論語撰考讖》、《孝經援神契》等七種，僅《孝經緯》一種未見。可見論及《河圖》、《雒書》之專名者，爲諸經讖之常言也。

至若《河》、《雒》亦頗引此類名義，如《龍魚河圖》a539云：「伏羲氏王天下，有神農（龍），負圖出於黃河，法而効之，始畫八卦，推陰陽之道，知吉凶所在，謂之《河圖》。」《河圖》127亦曰：「黃帝云：余夢見兩龍挺白圖，即帝以授余於河之都。……魚汎白圖，蘭菜、朱文，以授黃帝，舒視之，名曰《錄圖》。」《雒書靈準聽》82則謂：「氣五、機七、八合提、九交結，八九七十二，《錄圖》起。」是則論述《河》、《雒》名義者，實亦多見光武編定之《河圖》、《雒書》中也。由此益可證明：光武之《河》、《雒》，絕非古《河》、《雒》之原身也。

（二）述說形制

1. 《尚書璇璣鈐》150：《河圖》命紀也，圖天地、帝王、終始、存亡之期，錄代之矩。

2. 《春秋命歷序》29：《河圖》，帝王之階，圖載江河、山川、州界之分野，後堯壇於河，受龍圖，作《握河紀》，逮虞舜、夏、商，咸亦受之。

3. 《尚書中候》a309：堯時，龍馬銜甲，赤文綠色，臨壇上，甲似龜背，廣袤九尺，圓理平上，五色文，有列星之分，斗正之度，帝王錄紀，興亡之數。

4. 《春秋運斗樞》96-101：圖以黃玉爲匣，長三尺，廣八寸，厚一寸，四合而連，有戶，白玉檢，黃金繩，紫芝爲泥，封兩端，章曰「天黃帝符璽五帝」。廣袤各三寸，深四寸，鳥文。舜與大司空禹、臨侯望博三十人，集發圖，元色而綈，長三十三尺，廣九寸，中有七十二帝地形之制，天文官位度之差。

5. 《尚書中候摘雒戒》326-26：成王觀於洛，沈璧禮畢，王退，有玄龜青純蒼光，背甲刻書，止蹟于壇，赤文成字，周公視，三公視。其文言周世之事，五百之戒，與秦、漢事。周公援筆，以時文寫之。

6. 《論語比考讖》79：仲尼曰：「吾聞堯率舜等升首山，觀河渚，乃有五老遊渚，五老曰：『《河圖》將浮，龍銜玉苞，刻版題命，可卷，金泥玉檢，封書成，知我者，重瞳黃姚視。』」

七條佚文出自《尚書緯》、《尚書中候》、《春秋緯》、《論語讖》等五種，所言圖書之材質，有以龜背爲說（廣袤九尺、五色），有以匣中可舒卷之玄綈爲說（長三十三尺、廣九尺）。圖書之內文，則因受命帝王不同，而各有差異：堯所受者「有列星之分，斗正之度，帝王錄紀，興亡之數」；周成王所受者「言周世之事，五百之戒，與秦、漢事」。概而言之，不外「圖天地、帝王、終始、存亡之期，錄代之矩」，「載江河、山川、州界之分野」也。

　　比覈諸緯所言之圖書形制，實與《河》、《雒》無差。《河圖》133-134謂：「黃帝坐於玄扈之閣，黃龍負（圖），鱗甲成字，以授黃帝。帝令侍臣寫之，以示天下。」侍臣所寫者，當即帝王受命、山川形勢之類也。至若舜、禹、武王，亦嘗有此類河、雒受命圖之事，如《河圖挺佐輔》381：「河出龍圖，雒出龜書，紀帝錄，列聖人所紀姓號，興謀治平，然後鳳皇處之。」《河圖》143：「天與禹，洛出書，謂神龜負文，列背而出。」《雒書靈準聽》117：「武王伐紂，度孟津，中流，白魚躍入王舟，王俯取魚，長三尺，目下有赤文成字，言紂可伐。寫以世字，魚文消，燔魚以告天。」此類言及圖書形制及其中載字之讖文，實不勝枚舉。可知光武官定之《河圖》、《雒書》，亦多引古《河圖》、《雒書》之傳聞也，而其所言圖書形制，又與經讖無差，可知二者亦實同也。

二、稱引《河圖》、《雒書》內文

由《尚書中候立象》261所言：「（禹）受舜禪，即天子之位，天乃悉（錫）禹＜洪範＞九疇，洛出龜書五十六字。此謂洛出書者也。」可知「龜書」本有誥辭，以戒受命帝王。至若其內文之實情，則可由諸讖緯中，略窺斑豹。至若引文之方式，則有「不書篇名」與「直書篇名」二種。

㈠ 無篇名之內文

1. 《尚書中候握河紀》211：黃帝巡洛，河出龍圖，洛出龜書，曰：「赤文象字，以授軒轅。」

2. 《尚書中候握河紀》197：粵若堯母曰慶都，遊於三河，龍負圖而至，其文要曰：「亦受天佑，眉八采，鬢髮長七尺二寸，圓，兌上豐下，足履翼宿。」既而陰風四合，赤龍感之，孕十四月而生於丹陵，其狀如圖，身長十尺。

3. 《春秋元命苞》328：唐帝遊河渚，赤龍負圖以出，圖赤色如錦狀，赤玉為柙，白玉為檢，黃珠為泥，元玉為鑑，章曰「天皇大帝，合神置署，天上帝孫，伊堯龍潤滑，圖在唐典。」右尉舜等百二十臣發視之，臧之大麓。

4. 《尚書帝命驗》121：季秋之月甲子，赤雀衔丹書，入於鄷，止於昌戶，其書云：「敬勝怠者吉，怠勝敬者滅；義勝欲者從，欲勝義者凶。凡事強則不枉，不敬則不正；枉者廢滅，敬者萬世。以仁得之，以仁守之，其量十世；以不仁得之，以不仁守之，不及其世。」

圖書載錄之文句，黃帝、慶都、唐堯、虞舜、文王等，皆親眼得見。堯母慶都所見龍圖，繪有堯之圖像，並以文字敘述其形貌；文王所見丹書，戒其施政以德；黃帝、唐堯所見，則純為受命之徵無他。

此類載記，亦見於《河》、《雒》佚文中，如《雒書靈準聽》111-112云：「黃魚雙踴，黑鳥隨魚，止于壇，化為黑玉，又有黑龜，並赤文成字，言：『夏桀無道，湯當代之。檽杌之神，見于邳山，有人牽白狼，衔鉤而入，商朝金德將盛，銀自山溢。』」《雒書靈準聽》114亦謂：「有鳳皇衔書，游文王之都，書文曰：『殷帝無道，虐亂天下，皇命已移，不得復久。靈祇遠離，百神吹去，五星聚房，昭理四海。』」是皆以靈龜、鳳皇之書文為受命之符驗。

然而此類「龜書、龍圖、丹書、麟圖」所載文句，實與讖緯論者所引、光武官定圖讖八十一卷中，有特定篇名之《河》、《雒》四十五篇，截然不同，證以《墨子·非攻》篇文：湯將伐桀，有神來告曰：「夏德大亂，往攻之，予必使汝大堪之。」武王伐紂，

亦夢見三神曰：「予既沈漬殷紂于酒德矣，往攻之，予必使汝大堪之。」則緯書中所言之圖籙命文，實乃先秦以來所傳流者。是以陳槃先生亦謂：「古《河圖》與讖緯之《河圖》名同實異。」❺

(二) 有篇名之內文

1. 《易乾鑿度》141：《洛書靈準聽》曰：「氣五、機七、八合、提九，爻結，八九七十二，錄圖起。」
2. 《易辨終備》1：孔子表《河圖皇參持》曰：「天以斗視，日發明皇，以戲招始，掛八卦談。」
3. 《易通卦驗》26：孔子表《洛書摘亡辟》曰：「亡秦者胡也。丘以推秦白精也，其先星感，河出圖，挺白，以胡誰亡。」
4. 《春秋命歷序》曰：「《洛書摘亡辟》曰：『次是民沒，六皇出，天地命易，以第絕。』」❻
5. 《尚書運期授》引《河圖》曰：「倉帝之治，八百二十歲，立戊午蔀。」❼

五條佚文，分見於《易》、《尚書》、《春秋》三緯，而所引之《河》、《雒》，則有《河圖皇參持》、《雒書靈準聽》、《雒書摘亡辟》等。此類篇名，概未見於光武編定圖讖之前，可知絕非西漢已有之書。至若內文所述，皆不出帝王受命之類。《運期授》所引之《河圖》，證以《易乾鑿度》110：「入戊午部，二十九年伐崇侯，作靈臺，改正朔，布王號於天下，受錄應《河圖》。」可知《書》、《易》二緯，皆有取自《河圖》此一觀念者。

由此類「經讖」引《河》、《雒》篇名，而《河》、《雒》絕無引錄「經讖」篇名之例，可證光武編定圖讖凡三十餘載，《河》、《雒》部分必先竣稿，其餘「經讖」始可迻錄已成之篇文。

參、《河圖》、《雒書》與「經讖」相同

緯書中，《河》、《雒》成編先於其它「經讖」，是以《河》、《雒》多有與經讖雷同之處，如宋羅苹註《路史·太昊》，謂：「《詩含神霧》云：『巨迹出雷澤，華胥

---

❺ 〈秦漢間之所謂「符應」論略〉，見陳槃先生《古讖緯研討及其書錄解題》頁17，臺北：國立編譯館。
❻ 《初學記·獸部·麟第三》卷29，頁700，北京：中華書局。
❼ 《詩經正義》卷16之1，〈大雅·文王之什序〉頁2，臺北：藝文印書館。

履之。』《河圖》亦云。」❽又註同書＜泰皇氏＞曰：「《洛書摘三辟》云：『人皇別長九州，離艮地精，生女爲后，夫婦之道始此。』又見《春秋命歷序》。」❾可知南宋時，學者尙見《詩含神霧》與《河圖》、《春秋命歷序》與《雒書摘亡辟》（原誤作摘三）有雷同之文句者。

再者，唐李善注＜長楊賦＞「高祖奉命順斗」，引：「《雒書》曰：『聖人受命，必順斗極。』宋均《尙書中候》注曰：『順斗機爲政也。』」❿所引《雒書》讖文，與宋初《太平御覽》引《詩緯》者相同：「《詩含神霧》曰：『聖人受命必順斗，張握命圖授漢寶。』宋均曰：『聖人謂高祖也，受天命而王，必順旋衡法，故張良受兵鈐之圖命，以授漢爲珍寶也。』」⓫二條讖文皆附宋均注，可知漢代宋均爲官定圖讖作注時，確嘗見知此二條讖文。

由此類所述，可知唐、宋皆有《河》、《雒》與他緯文句重覆雷同之例無疑。以下更舉實例，詳明其事，並作析論。對照之佚文，分爲「文句雷同」與「互可補闕」兩大類別，每類之中，各以「感生神話」、「帝王傳說」、「天文地理」、「各類占驗」次列先後。

一、《河》、《雒》與「經讖」雷同之例

(一) 帝王感生說

【第一組】帝王感生（伏羲氏），《詩緯》、《孝經緯》與《河圖》雷同：

《河圖》120 燧人之世， 大跡出雷澤， 華胥履之， 生伏羲。	《河圖握矩記》670 燧人之世， 大跡出雷澤， 華胥履之， 生伏羲。	《詩含神霧》55 大跡出雷澤， 華胥履之， 生庖犧。	《河圖稽命徵》783 華胥於 雷澤履大人蹟， 而生伏羲於成紀。	《孝經鈎命訣》402 華胥 履跡， 怪生皇犧。

按：《河圖》與《河圖握矩記》文字相同，當爲黃奭本輯錄時，原出處一作《河圖》，一有篇名，是以重覆收錄，第120條可刪。《詩緯》缺首句，或爲前賢未作全引之

---

❽　《路史·後紀》第1卷，頁1，臺灣中華書局仿宋刻本。

❾　《路史·前紀》第2卷，頁3。

❿　《昭明文選》卷9，頁3，臺北：藝文印書館。

⓫　《太平御覽》卷806，＜珍寶部一＞頁1，臺北：臺灣商務印書館。

故。《孝經緯》文義簡要,末句不同,似為方士為求怪異而造作者。有前四條以供較覈,其怪豁然可解。

【第二組】帝王感生（黃帝）,《詩緯》、《孝經緯》與《河圖》文意相同:

《河圖稽命徵》785	《河圖》123	《詩含神霧》56	《孝經鉤命訣》404
附寶見大電光 繞北斗權星, 炤郊野,感而孕, 二十五月而生黃帝軒轅於壽丘。	黃帝母曰地祗之子,名附寶 之郊野,大霓繞北斗樞星, 感附寶, 生軒轅。	大電光 繞北斗樞星, 照郊野,感附寶 而生黃帝。	附寶出, 降大靈, 生帝軒。

按:《孝經緯》之「降大靈」,實即《河圖》及《詩緯》之「大蜺」、「大電光」;《稽命徵》之「權星」,《河圖》、《詩緯》作「樞星」,考《春秋運斗樞》21「樞星散為虹蜺」,則以作「樞星」者為是。

【第三組】帝王感生（帝舜）,《詩緯》、《孝經緯》、《尚書中候》與《河圖》雷同:

《河圖著命》198	《河圖稽命徵》792	《詩含神霧》59	《尚書中候立象》242	《孝經援神契》190
握登見大虹, 意感生舜于姚墟。	握登見大虹, 意感生舜於姚墟。	握登見大虹, 意感而生舜于姚墟。	握登 生舜於姚墟,	舜生姚墟。

按:《詩緯》與《河圖著命》、《河圖稽命徵》文字相同,《中候立象》較簡略,而《孝經緯》則僅存一句。惟所言感生之事,皆無差異。

【第四組】帝王感生（后稷、文王）,《河圖握矩記》言后稷感生,與《春秋緯》、《禮緯》相同;又《河圖》三條言文王感生,與《詩緯》相同:

《河圖握矩記》680	《春秋元命苞》215	《春秋元命苞》216	《禮緯》16
姜原履大人之迹, 生后稷。	周先姜嫄履大人跡, 生后稷扶桑。	姜嫄遊閟宮,其地扶桑, 履大人跡而生稷。	祖以履大人跡 而生。
太姒夢大人死 而生文王。	《河圖著命》201 太任夢長人感己, 生文王。	《河圖稽命徵》796 大任夢長人感己, 生文王。	《詩含神霧》63 太任夢長人感己, 生文王。

按:后稷感生之說,四條佚文相類,而《春秋元命苞》加「閟宮、扶桑」地名以徵信。

文王感生說，《握矩記》之「死」字，疑爲「感」字傳寫訛誤所致。綜合七條佚文，
原編或如《握矩記》以二人感生合言者。

除以上四組帝王感生傳說外，《河》、《雒》尚有述及神農（神龍）、朱宣（大星精）、
顓頊（瑤光）、帝堯（赤龍）、夏禹（流星）、商湯（白氣），等「感生說」。此類偉人誕生
神話，實見諸於世界各地多數原始部落中。再覈經讖佚文中，亦有許多感生載錄，如：
契（卵生）、皋陶（虎生）、孔子（黑龍生）、孟子（乘雲神人生）、高祖（赤龍生），惟以不
見於《河》、《雒》佚文中，故不作論列。以下更條述緯書中古代帝王事蹟，以見《河》、
《雒》與經讖之關係。

(二)帝王概述

【第五組】帝王概述（天皇職掌）：《河圖始開圖》與《春秋內事》文字相同：

《河圖始開圖》371	《春秋內事》4
伏羲以木德王，天下之人未有宅室，未有水火之和， 於是乃仰觀天文，俯察地理，始畫八卦，足天地之位， 分陰陽之數，推列三光，建八節，以文應瑞，凡二十四， 消息禍福，以制吉凶。	伏犧氏以木德王天下，天下之人未有室宅，未有水火之和， 於是乃仰觀天文，俯察地理，始畫八卦，定天地之位， 分陰陽之數，推列三光，建分八節，以爻應氣，凡二十四氣， 消息禍福，以制吉凶。

按：《河圖》與《春秋緯》言伏羲王天下，畫八卦，以應福禍吉凶。說事相同無異，可
知二緯編撰之初，必取自同一讖文。其中《河圖》「以文應瑞」，當從《春秋緯》
作「以爻應氣」爲確。

【第六組】帝王概述（人皇職掌）：《春秋緯》佚文三條，與《雒書》二條文意雷同：

《雒書靈準聽》102 人皇	《雒書摘亡辟》172 人皇	《春秋命歷序》11 人皇	《春秋運斗樞》a6 人皇九頭，	《春秋保乾圖》35 天皇、地皇、人皇，
別長九州， 離艮，地精， 生女爲后， 夫婦之道自此始。	兄弟九人，別長九州 離艮，地精， 女出之爲后。	兄弟九人，別長九州， 離艮，地精， 女出爲之后。	兄弟九人，別長九州。	九人兄弟，分爲九州， 長天下。

按：此類載錄乃圖讖文中常見者。《運斗樞》、《保乾圖》只載人皇職掌，而《雒書》
二條及《命歷序》，更言及帝女爲后之事，則文意較爲完整。

【第七組】帝王概述（帝舜形貌）：《春秋緯》與《雒書》文句雷同：

《雒書靈准聽》105	《春秋合誠圖》a157
舜長九尺，太上員首，龍顏日衡，方庭甚口，面頤亡髦，懷珠握褒，形卷裏色，鬐露，目瞳重眸，故曰舜，而原曰重華。	舜長九尺，員首，龍顏日衡，方庭大口，面頤亡髮，懷珠握褒，形擲裏色，鬐露，目童重明，衡眉骨圓起，頤含。

按：以二文校之，《雒書》多「太上」、「故曰……重華」數字；而「面頤亡髦」指「頦下頸上無鬚髭」，較《春秋緯》以「面頤（頰）無髮」為宜；「形卷」易解，而「形擲」或為訛鈔所致。惟《春秋緯》之「衡眉」句，自可補《雒書》之不足。

【第八組】帝王概述（夏禹形貌）：《尚書緯》、《春秋緯》、《論語緯》、《孝經緯》
與《雒書》所言相同或相類：

《雒書靈準聽》106	《尚書帝命驗》132	《春秋合誠圖》a158	《論語摘輔象》40	《孝經援神契》185
禹身長九尺有六，虎鼻、河目，駢齒、烏喙耳三漏，戴成鈴，裏玉斗玉骭履己。	禹身長九尺，有只虎鼻、河目，駢齒、烏喙耳三漏，戴成鈴，裏玉斗玉骭履己。	禹九尺有咫，虎鼻、河目，駢齒、烏喙耳三漏，戴鈴，懷玉斗，玉肝，履己。	禹虎鼻、山準。	禹虎鼻。
			《春秋元命苞》199 禹耳三漏，是謂大通。	

按：六條佚文中，《雒書靈準聽》最為完備，稱禹高「九尺又六」，《尚書緯》誤「六」
作「只」，《春秋緯》依「只」作「咫」，訛誤之迹，班班可考。可見歷代迻錄讖
文之際，輒有謄抄筆誤之處，傳鈔既久，終致讖文殘敚，因而窒澀難解。

【第九組】帝王概述（武王受魚鳥之瑞）：《尚書緯》、《尚書中候》、《春秋緯》佚文
凡六條，皆與《雒書》文句相類：

《雒書靈準聽》117	《尚書中候合符后》313-15	《尚書璇璣鈐》147-49	
武王伐紂，度孟津，中流，白魚躍入王舟，王俯取魚，長三尺，目下有赤文成字，言紂可伐。	周大子發渡孟津，中流，受文命，待天謀，白魚躍入王舟，王俯取，魚長三尺，赤文有字，題目下名授右，曰：「姬發遵昌。」	武王得兵鈐，謀東觀，白魚入，王俯取魚以燎，八百諸侯順同不謀。魚者視用無足翼從，欲紂如魚，乃謀。	《春秋璇璣樞》a1 魚無足翼，紂如魚，乃討之。

| 寫以世字，
魚文消，燔魚以告天，
有火自天，
止於王屋，流爲赤鳥。

鳥銜穀焉。

穀者，紀后稷之德；
火者，燔魚以告天，
天火流下，應以吉也。
遂東伐紂，勝於牧野。
兵不血刃，而天下歸之 | 王蟠以告天，
王維退寫成以世字，
魚文消。

有火自天，
止于王屋，流爲赤鳥。
流爲鳥，其色赤，其聲魄，
五至，以穀俱來。
至於孟津，不期而會者，
八百諸侯，
咸曰：「紂可伐矣。」
尚父禁之，武王乃不從。
及紂殺比干，囚箕子，微子去之，乃伐紂。 | 鳥以穀俱來。
火者陽也，鳥有孝名，
武王卒父業，故鳥瑞臻。
赤者，周之正色也；
穀，記后稷之惠。 | 《尚書帝命驗》122
太子發渡河，
中流，
火流爲鳥，其色赤。 |
| | | 《尚書中候合符后》317-18
赤鳥成文，雀書之福。
穀以記后稷之德。 | 《春秋元命包》242
火流爲鳥，
鳥，孝鳥。 |

按：本組佚文中，以《中候合符后》所言最完備，惟末段「流爲鳥」以下，與《雒書靈準聽》互有短長，可作參校。文中「白魚、鳥、穀」之兆，爲先秦迄漢之經傳、神話所常言者，《墨子》、《呂覽》、《尚書大傳》、《春秋繁露》、《史記》等，皆有引述。由此組六條佚文觀之，圖讖中與經義有關之說辭，實無《河》、《雒》、「經讖」之分別也。

【第一○組】帝王概述（秦始皇受命符）：《尚書緯》與《河圖》文字相同：

| 《河圖考靈曜》209
趙王政以白璧沉河，
有黑公從河出，謂政曰：
「祖龍來授天寶開。」
中有尺二玉牘。 | 《河圖天靈》215
趙王政以白璧沉河者，
有一黑公從河出，謂政曰：
「祖龍來，天寶開。」
中有(尺)二玉牘也。 | 《尚書考靈曜》81
趙王政以白璧沈河，
有黑公從河出，謂政曰：
「祖龍來授天寶開。」
中有尺二玉牘。 |

按：《河圖》兩條佚文，與《尚書緯》文字如出一轍，當爲光武編撰圖讖時，以《河》、《雒》讖文雜入各篇之證。「趙王政」即秦始皇嬴政，蓋因其父早年嘗質於趙國，生之於趙，故云。「黑公」則爲秦水德之徵象也。

【第一一組】帝王概述（劉邦受命符）：《春秋緯》與《河圖》相同：

《河圖祿運法》782	有人卯金，握天鏡。
《春秋孔錄法》1	有人卯金刀，握天鏡。
《春秋演孔圖》63	有人卯金刀，握天鏡。

按：「卯金刀」即「劉」字也，「天鏡」即天命之意也。三條佚文皆相同，可見光武編
選圖讖之初，並未區分各篇圖讖之獨自特色也。

㈢ 天文地理

【第一二組】地理（地動說）：《尚書緯》與《河圖》兩條佚文相同：

	《河圖》94 地有四遊。 冬至，地上行，北而西，三萬里。 夏至，地下行，南而東，復三萬里。 春、秋二分，則其中矣。 地常動不止，而人不知。 譬如閉舟而行， 不覺舟之運也。	《尚書考靈耀》34 地有四遊。 冬至，地上北而西，三萬里。 夏至，地下南而東，復三萬里。 春、秋分，則其中矣。 地恆動不止，人不知。 譬如人在大舟中，閉牖而坐， 舟行而人不覺也。
《河圖祿運法》762 地恆動不止， 譬如人在大舟上，閉牖而坐 舟行不覺也。		

按：「地有四遊」，即一四組所言「地與星辰四遊」之意。「三萬里」之數，亦見前述。
讖文所言，蓋謂：地隨四季，來回游於四極之地，是終年皆游動不止。而人所以不
之覺之故，乃地甚廣闊，如大舟行於大海，浪雖不止，而舟中人不覺搖晃也。

【第一三組】地理（廣袤距離）：《詩緯》與《河圖》兩條佚文相同：

	《河圖括地象》283 八極之廣，東西二億三萬三千里， 南北二億三萬一千五百里。	《詩含神霧》37 天地東西二億三萬三千里， 南北二億一千五百里。 天地相去一億五萬里。
《河圖括地象》285 地南北三億三萬五千五百里， 地祇之位，起形高大者，……		

按：地之四方廣袤，爲秦、漢以來方士、雜家所常言者，惟所準據者不同，皆各言其是，
遂使數字難得一致。東漢圖讖中言及此類度數，皆有紛雜歧異之數字，有待釐清。

【第一四組】天文（日行九道）：《尚書緯》、《易緯》與《河圖》兩條佚文相同：

《河圖帝覽嬉》660 黃道一， 青道二，出黃道東；	《龍魚河圖》715 月有九行， 黑道二，出黃道北；	
		《易稽覽圖》

赤道二，出黃道南； 白道二，出黃道西； 黑道二，出黃道北； 日春東從青道， 夏南從赤道， 秋西從白道， 冬北從黑道。 立春星辰西遊，日則東遊； 立夏星辰北遊，日則南遊。 春分（星辰西遊）之極， 日東遊之極，日與星辰相去三萬里； 夏至則星辰北遊之極， 日南遊之極，日與星辰相去三萬里。 立秋星辰東遊，日則西遊； 立冬星辰南遊，日則北遊。 秋分星辰東遊之極，日西遊之極； 冬至星辰南遊之極，日北遊之極。 相去各三萬里。❷	赤道二，出黃道南； 白道二，出黃道西； 青道二，出黃道東。 立春、春分，月從青道東 立秋、秋分，從西白道； 立夏、夏至，從南赤道； 立冬、冬至，從北黑道。 天有四表，月有三道， 聖人知之，可以延年益壽 《尚書考靈曜》云： 「地與星辰四遊， 升降於三萬里之中，夏至之景尺又五寸。」❸	春日月行青道，曰東陸 夏日月行赤道，曰南陸 秋日月行白道，曰西陸 冬日月行黑道，曰北陸 《尚書考靈曜》36 春則星辰西遊， 夏則星辰北遊， 秋則星辰東遊， 冬則星辰南遊。

按：《河圖帝覽嬉》爲含意完整之緯文，《龍魚河圖》有其前段，《易稽覽圖》祇言四至行道，合以《考靈曜》36，則具原文之大半。日有「黃青赤白黑」九道者，考《漢書·律曆志》云：「九會：陽以九終，故日有九道。陰兼而成之，故月有十九道。陽名成功，故九會而終。」以「日有九道」、「月有十九道」爲說，則所云蓋爲漢代之天文觀念也。

(四) 占　驗

【第一五組】占驗（熒惑星）：《樂緯》與《雒書》文字相同：

《洛書甄曜度》a108聖王正律歷，不正則熒惑出入無常，占爲大凶。 《樂協圖徵》152　　聖主正律秝，不正則熒惑出入無常，占爲大凶。

按：先秦、兩漢之星占，皆謂：熒惑星逆行，出入不常，爲國之大凶。是以王者需正律歷，以避災害。

---

❷　又見《禮記正義》卷14，＜月令＞頁3，引《河圖帝覽嬉》，臺北：藝文印書館。

❸　《禮記正義》卷11，＜王制＞頁3＜疏＞引。

【第一六組】占驗（五色占）：《孝經緯》與《雒書》說意相同：

《雒書》14 日四直者，從謂四強， 色黃白潤澤，天子有喜，安定糧兵，國多幸臣； 其直色青，天子有憂； 赤，有兵； 白，多喪； 黑，主死國分。	《孝經內記圖》457 日珥， 赤，兵； 白，喪； 青，憂； 黑，死； 黃，有喜。不出三年。

按：五色之占驗，為陰陽五行家之常事，圖讖中言之者最多，除此二條以外，又如《易通卦驗》47：「雲青者，饑；赤者，旱；黑者，水；白者，兵；黃者，有土功。」同篇242：「霧白，兵喪；青，疾疫；黑，暴水；赤，兵；黃，土功。」《春秋緯》281：「辰星當効而出，色白為旱，黃為福，又為五穀熟，赤為兵，黑為水，青為疫。」《春秋握誠圖》10：「火入柱，旱；金，兵；水，水。」實不勝枚舉。惟所言五色占驗，亦有微異之處，非有一定之規律也。

【第一七組】占驗（星）《春秋緯》與《河》、《雒》讖文相同：

《洛書甄曜度》a79 流星入天梧，兵大起， 光長五丈，有戰，王者憂，期二年。	《河圖聖洽符》a866 慧星出天梧，兵大起， 五仗用，國有憂，期二年。	《春秋感精符》130 流星入天梧，兵大起， 光長五丈，有戰，王者憂，期三年。

按：三條讖文載事相同，惟《聖洽符》「五仗用」當校正為「光長五丈，有戰」，疑為前人引用時致誤。

㈤ 其 他

【第一八組】道家理念（少室山祥瑞）：《詩緯》與《河圖》文字相同：

《河圖》107： 少室之山，大竹堪為釜甑。 《孝經河圖》a634： 少室之山，大竹堪為釜甑。 《尚書璇璣鈐》172：少室之山，大竹堪為釜甑。		
《河圖玉版》710 少室之山， 其上有白玉膏， 服即仙矣。	《河圖》108 少室之山， 有白玉膏， 服即成仙。	《詩含神霧》53 少室山巔， 亦有白玉膏， 得服之即得仙道。世人不得上也。

按：以上二段，一言「大竹」，一言「白玉膏」，前者爲漢代常言之林產，❹後者爲升
　　仙登遐之仙藥。蓋皆漢代方士所好言者。

【第一九組】道家理念（命算）：《孝經緯》與《河圖》文字相同：

《河圖握矩記》689 孝順二親，得算二千天。 司祿所表事，賜算中功。	《河圖》136 孝順二親，得算二十天。 司祿所表事，賜算中功。	《孝經左契》35 孝悌之至，通于神明，致其憂，顛頷消形，求鹽異全， 孝順二親，得算二千天， 司錄所表事，賜算中功，社福永來。

按：此爲東漢末年道教所常言，如《太上感應篇》、葛洪《抱朴子》等，皆好言此類理
　　念。

以上雷同之例十九組，可見《河》、《雒》與「經讖」相同者，實非罕見特例。以此更
可確信：「讖出《河》、《雒》」當有其事也。

二、《河》、《雒》與「經讖」可互補漏敓

㈠帝王概述

【二〇組】帝王概述（神農）：《尙書緯》、《春秋緯》與《雒書》相同：

《雒書甄耀度》132 四海， 東西九十萬里， 南北八十萬里。	《尚書璇璣鈐》174 有神人，名石年， 蒼色大眉，戴玉理， 駕六龍，出池輔， 號皇神農， 始立地形，甄度四海， 東西合九十萬里， 南北八十一萬里。	《春秋命歷序》25 有神人，名石耳， 蒼色大眉，戴玉理， 駕六龍，出地輔， 號皇神農， 始立地形，甄度四海， 東西九十萬里， 南北八十一萬里。	《春秋命歷序》50 有人蒼色大眉， 名石年，戴玉理， 始立地形，甄度四海。

按：《尙書緯》與《春秋緯》文字相同，而《雒書》僅有末段十四字，當據二緯補足，
　　解說神農形貌之文意方契。

---

❹　如《山海經》：「舜林中大竹，一節可以爲船。」《續博物志》卷10，頁143引，四川：巴蜀書社。

【第二一組】帝王概述（帝堯五老）：《尚書中候》、《論語緯》與《河圖》文句相同：

(一)

《河圖祿運法》773	《尚書中候運衡》234-6
堯將歸功於舜，	歸功於舜，將以天下禪之，
乃齋戒於河洛，	乃潔齊修壇于河雒之間，
	擇良日 率舜等升首山，遵河渚，
有五老	有五老遊焉，蓋五星之精也。
相謂曰：「河圖將來，告帝以期。	相謂曰：「河圖將來，告帝以期。
知我者，重瞳黃姚。」	知我者，重瞳黃姚。」五老因飛為流星，上入昴。

(二)

《尚書中候運衡》234-6	《論語比考讖》80	《論語讖》72	《論語比考讖》78
歸功於舜，將以天下禪之，	仲尼曰：	仲尼曰：	仲尼曰：
乃潔齊修壇于河雒之間，擇良日	吾聞堯率舜等游首山，	吾聞堯率舜等遊首山，	吾聞堯率舜等升首山，
率舜等升首山，	觀河渚，	觀河渚，	觀河渚，
遵河渚，	有五老遊河渚，	有五老遊河渚，	乃有五老遊渚，
有五老遊焉，蓋五星之精也。	一曰：「河圖將來告帝期。」	一老曰：「河圖將來告帝期。」	五老曰：「河圖將浮，
相謂曰：「河圖將來，告帝以期	二曰：「河圖將來告帝謀。」	二老曰：「河圖將來告帝謀。」	
	三曰：「河圖將來告帝書。」	三老曰：「河圖將來告帝書。」	
	四曰：「河圖將來告帝圖。」	四老曰：「河圖將來告帝圖。」	
	五曰：「河圖將來告帝符。」	五老曰：「河圖將來告帝符。」	
	有頃，赤龍銜玉芭，	龍銜玉芭，	龍銜玉芭，
	舒禮刻版，題命可卷，		刻版題命，可卷，
	金泥玉檢，封盛書成，	金泥玉檢，封盛書，	金泥玉檢，封書成，
知我者，重瞳黃姚。」	曰：「知我者重童也。」	知我者重瞳黃姚祝。」	知我者，重瞳黃姚視。」
五老因飛為流星，上入昴。	五老乃為流星，上入昴。	五老飛為流星，上入昴。	五老飛為流星，上人昴。

黃姚視之，龍沒圖在，堯等共發，曰：「帝當樞百，則禪于虞。」
堯喟然曰：「咨汝舜，天之曆數在汝躬，允執其中。四海困窮，天祿永終。」乃以禪舜。

按：(一)組之《河圖》與《中候運衡》，皆言堯祭河洛，五老告命符之事。《中候》所言
　　較《河圖》詳細。然而蒐檢《論語緯》所載相同事蹟，則《比考讖》等五條，較諸
　　《中候》又更詳盡，列之為(二)，可由之參校，《河圖》所言，實有大段闕文，可據
　　《論語緯》補足之。

【第二二組】五行帝（性格）：《春秋緯》與《河圖》文意相同：

| 《河圖》24

歲星帥五緯聚房，青帝起；

太白帥五緯聚參，白帝起；
辰星帥五緯聚於北方七宿，黑帝以清平潔靜通明起；
辰星帥五緯聚營室，黑帝起。 | 《春秋運斗樞》126-130
歲星帥五星，聚於東方七宿，蒼帝以仁良溫讓起，皆以所舍占國。
熒惑帥五星，聚於南方七宿，赤帝以寬明多智略起。
填星帥五精，聚於中央，黃帝以重厚賢聖起。
太白帥五精，聚於西方七宿，白帝以勇武誠信，多節義起。
辰精帥五精，聚於北方七宿，黑帝以清平靜潔通明起。 |

按：《運斗樞》五條佚文併爲一條，則爲旨意完整之讖文，其分述五帝性格甚詳。《河圖》則僅言三帝，文句亦有欠缺，應據以補足。再者，《河圖》24末句十一字實覺冗複，而文句並不完整，查其原出處《開元占經》卷一九，「辰星」前有「又曰」二字，可知並非同一條中之讖文，此十一字當予刪除。

㈡ 占 驗

【第二三組】五星占驗：《春秋緯》與《河圖》文意相同：

春季	《河圖》a1220 蒼彗主滅不義，少陽之精，司徒之類，蒼龍七宿之域， 有謀反者，若恣虐爲害， 主失春政者，以出時衝爲期，皆主君之敗也，大人滅。	《春秋緯》184 皆少陽之精，司徒之類，青龍七宿之域， 有謀反，若恣虐爲害， 主失春政者，以出時衝爲期，皆主君微也。
夏季	《河圖》a1223 赤彗主滅五卿，太陽之精也，朱鳥七宿之域， 有謀反，若恣虐爲害，主失夏政者，期如上占，皆類名之。	《春秋合誠圖》113 赤彗滅五卿。
四季	《河圖》a1224 黃彗主女亂，皆土精斗七星之域，以張四方八卦之內，司空之類， 有謀反，若恣虐爲害者，期如上占。	
秋季	《河圖》a1209 辛起主虛亡，少陰之精，大司馬之類，白虎七宿之域， 有謀反，若恣虐爲害，主失秋政者，期如上占，應之。	
冬季	《河圖》a1221 黑彗主翟州，太陰之精，玄武七宿之域， 有謀反，若恣虐爲害，主失冬政者，期如上占，禍應之， 入天子之宿，主滅諸侯位，五侯伯。	

按：緯書中之五彗，實指歲星、太白等五星所變化而成之孛星，亦暗喻五行帝之行事。此亦圖讖中之常言也。本組《河圖》佚文五條，言五彗之精所象徵之政制，蒼彗為春官司徒，赤彗為夏官司馬，白彗（卒起）為秋官司馬，黑彗為冬官司空，黃彗未言；不知是否對應天地二官冢宰、宗伯？《春秋緯》佚文雖僅兩條，又有漏敚，惟依圖讖編撰體例推論，原編當有言五彗占驗之文句無疑。是以《春秋緯》當參校《河圖》以補足。

【第二四組】地理（岷山）：《易緯》與《河圖》、《雒書》文意相同：

《河圖》105 嶓冢山上為狼星(之精)。 武開山為地門，上為天高星，主圖圖。 荊山為地雌，上為軒轅星。 大別為地理，以天合地。以通。 三危山在鳥鼠之西南，上為天苑星。 岐山在崑崙東南，為地乳，上為天麋星。 汶山之地為井絡，帝以會昌，神以建福，上為天井。 桐柏山為地穴，鳥鼠同穴，山之幹也，上為掩畢星。 熊耳出地門也，精上為畢，附耳星。	《雒書甄曜度》151-154 嶓冢之山，上為狼星。 武開山為地門，上為天高星，主圖圖。 荊山為地雌，上為軒轅星。 大別為地理，以合天地，以通 三危山在鳥鼠之西南，上為天苑星。 政山在崑崙東南，為地乳，上為天麋星。 《易乾鑿度》162 岷山上為井絡。

按：《乾鑿度》為今存諸緯書中較副原貌之輯本，然而所存「岷山」一句，與此組《河》、《雒》佚文相較，則漏敚甚多，以致頗有不知所云之憾，當據《河圖》補足方是。「汶山」云云，又見《河圖括地象》a104：「汶阜之山，江出其腹，帝以會昌，神以建福。」可證「汶山」當屬原編所錄之山名也。

再者，《易緯》與《河圖》雖有「岷山」、「汶山」之異，惟覈以《河圖括地象》306：「岷山之地，上為井絡，帝以會昌，神以建福，上為天井。」《易緯》則僅存其首句而已。可知光武編定圖讖之時，此一星宿載錄，已有字句之差異矣。

結　論

桓譚言「讖出《河》、《雒》」時，光武圖讖八十一卷尚未編定，當時亦未有《河》、《雒》篇名，是以其意當泛指王莽時方士流俗所造生之讖文，多託名《河》、《雒》以重其身價。而王充以「亡秦者胡」為《河圖》文句，實見於輯本《易通卦驗》26所引《雒書摘亡辟》中，可知光武編定圖讖，將此句迻入《雒書》之中；王充又謂其「皆效

《圖》、《書》」，則所指當謂光武八十一卷圖讖中，神怪讖記，乃效《河圖》而來。《文心》指稱「義非配經」之《圖錄》，本即自列於光武圖讖之外。而《隋志》以降，乃多據此類述語，論斷光武圖讖之內容，實為斷章取義，不足效也。

　　《河》、《雒》佚文中，解經義之部分，已見於《白虎通》所論；經書傳注所云，亦有與《河》、《雒》相類者，如《春秋》文公十二年「秦人戰于河曲」，《公羊傳》云：「河千里而一曲。」《河圖絳象》222則謂：「河水九曲，長九千里，入于渤海。」《春秋繁露·同類相動》云：「周之將興，有大赤烏銜穀之種，而集王屋之上。」《雒書靈準聽》117則謂：「有火自天，止於王屋，流為赤烏。烏銜穀焉。穀者，紀后稷之德；火者，燔魚以告天，天火流下，應以吉也。」所解經義更詳於《繁露》。其餘類似《繁露》、京房《易傳》藉陰陽災異以說經義者，亦往往有之。以《河》、《雒》圖讖編定於「經讖」之前，可知此類《河》、《雒》解經之例，亦屬其原有之文句，並非強為配經而撰作。此皆可證《河》、《雒》與經讖之關係，於光武編定圖讖時，並未作嚴格之區分。

　　至於《河》、《雒》與經讖之文句相同處，經由上文分組比對後，可知五十八組雷同之例，《春秋緯》、《尚書緯》條數與篇目皆最多，其餘六緯亦無所遺漏。試言其目如下：

> 《河圖》類：《握矩記》、《稽命徵》、《著命》、《始開圖》、《祿運法》、《聖洽符》、《考靈曜》、《天靈》、《玉板》、《帝覽嬉》、《龍魚》、《括地象》等十二種，**《雒書》類**：《靈準聽》、《摘亡辟》、《甄曜度》等三種，**《尚書》類**：《帝命驗》、《璇璣鈐》、《考靈曜》等三種，**《尚書中候》類**：《立象》、《運衡》、《雒予命》、《合符后》、《握河紀》等五種，**《春秋》類**：《元命苞》、《命歷序》、《內事》、《考異郵》、《感精符》、《運斗樞》、《文曜鉤》、《保乾圖》、《合誠符》、《演孔圖》、《孔錄法》、《璇璣樞》等十二種，**《詩》類**：《含神霧》一種，**《易》類**：《稽覽圖》、《乾鑿度》等二種，**《禮》類**：《禮緯》一種，**《樂》類**：《樂協圖徵》一種，**《孝經》類**：《鉤命訣》、《援神契》、《左契》、《內記圖》等四種，**《論語》類**：《摘輔象》、《比考讖》等二種。總計四十六種。

　　上引《河》、《雒》篇目十五，近乎二者篇數三十二之半，而其餘八緯、三十一篇，以及前述「經讖稱引《河》、《雒》篇名」而不見於上列表中，如《易是類謀》引《雒書靈準聽》、《易通卦驗》引《雒書摘亡辟》、《易辨終備》引《河圖皇參持》、《尚書運期授》引《河圖》，則又有《易》、《書》緯四篇與《河》、《雒》文句相同，共

計五十篇，已逾今存緯書篇目之泰半。此乃限於字句相同者而言，其餘字句雖異而意旨實同之佚文，仍不在少數。

　　《河》、《雒》與「經讖」之具體關係，經分組論列後，可得下述四項：

1. 可相互補闕：多數佚文皆可藉由與其它佚文之比對，而得補足所缺字句，尚有可作大段文句補闕者。如本文僅存數句，經比對後，可藉由經讖知其詳文，得以補足文句，更有利了解篇義：

　　(1)《河》、《雒》補足「經讖」：如第二三組「五星占驗」中，《河圖》可補《春秋緯》之闕；第二四組「星宿分野」中，《河圖》、《雒書》皆可補《易緯》之闕。

　　(2)「經讖」補足《河》、《雒》：二〇組「神農事蹟」中，《尚書緯》可補《雒書》之闕；二一組「五老告語」中，《論語緯》可補《河圖》之闕。

2. 校字以利解讀：佚文多有因謄鈔訛誤，以致解讀、論斷之際，憑生郢書燕說之弊。藉由比對，許多疑惑或可迎刃而解。

　　(1)《河》、《雒》校正經讖：第八組《尚書緯》「禹身長九尺，有只虎鼻」，《春秋緯》言「禹九尺有咫，虎鼻」，得《雒書》校正，當作「禹身長九尺有六，虎鼻」。

　　(2)經讖校正《河》、《雒》：一七組《河圖》「五仗用」，得《春秋緯》校正，當作「光長五丈」。

3.《河》、《雒》佚文言及「河圖、雒書」之形制，與「經讖」所言並無差異。可知光武編撰圖讖之初，已有方士泛述「圖書」形制，而為編選之資。是則緯書之《河》、《雒》只為八十一卷官定圖讖之書，原本即與傳說中之《河》、《雒》內容不同。

4. 輯本誤收佚文，以致誤斷之例：如安居本因未詳覈佚文出處，以致憑添《河》、《雒》篇目；其餘解讀之際，亦偶有難於確認今古文經義之歸屬者。

　　綜理上文所述，古《河》、《雒》與緯書中《河》、《雒》與經讖之關係，可藉由下表，略示三者關係如后：

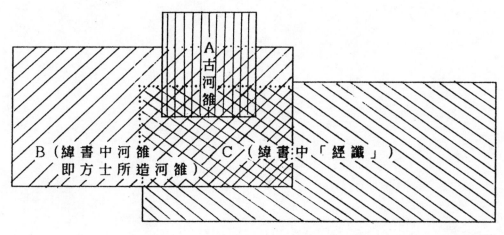

A（｜線部分）爲王莽以前相傳之《河》、《雒》概念，偶或言及圖、書內文與形制，如《墨子》、《呂氏春秋》所言。

B（／線部分）爲西漢哀、平之際以迄光武即位，方士與好事者據古代《河》、《雒》概念，附會星象占驗、神話傳說、儒經傳注等，所造生之圖讖文字。光武時乃擇選可用者編入官定圖讖八十一篇中。

C（＼部分）爲緯書中其餘「經讖」，既取自方士造生之圖讖文，故成書較《河》、《雒》晚，容亦有重覆雷同者。

　　三者之內容，有全部交集與二者交集，以及各自獨有者三類。此亦即「讖出《河》、《雒》」之表釋也。惟本論文所論述，著重於文句比對之表象，至若其思想內涵異同之探討，則俟諸異日矣。

再論董仲舒思想與黃老之學

鄧　紅

緣　起

筆者先前發表了〈董仲舒思想與黃老之學〉❶一文，在該文中筆者比較了董仲舒思想的根本點：「天」「自然天地」「陰陽（五行）」與黃老之學的相應思想後，認爲兩者之間有較緊密的關連。該文特別強調，董仲舒所說的「天」之哲學本體性源於黃老之「道」。

小論想在「其一」的基礎上，繼續對董仲舒的「天」思想與黃老之學的相應思想進行比較，證明「天」這一董仲舒思想的最高概念在形象和人格神性上由來於黃老之至上神「黃帝」，並說明董仲舒之建「天」道以立人道這一理論構造也是參考了黃老之學的。

一、黃帝的形象

我們都知道，先秦儒家，如孔子、孟子、荀子也講「天」，但都是「天何言哉，四時行焉，百物生焉」之類的，不是作爲最高至上的神祇和哲學本體。❷

到了漢代，以董仲舒爲首的漢儒都經常言及「天」，而且說得和以前不一樣。如陸賈講「（天）潤之以風雨，曝之以日光，溫之以節氣，降之以隕霜，位之以衆星，制之以斗衡，苞之以六合，羅之以紀綱，改之以災變，告之以禎祥，動之以生殺，悟之以文章」（《新語·道基篇》）。賈誼則大講「天命論」「天不可預慮兮，道不可預謀」（鵩鳥賦），「天」開始帶有了哲學本體性和萬能的人格神性。

筆者在「其一」中曾提出，董仲舒欲爲儒家樹立哲學本體而參考了黃老之「道」，建立了一個比自然天地更高一個層的「天」，從而使儒家變身成了儒教。同時，「天」

<hr>

❶　載《原學》第五輯所收（中國廣播電視出版社1996年版）。以下稱其爲《董仲舒思想與黃老之學》「其一」。

❷　本文對董仲舒思想的把握，均依據拙著（日文版）《董仲舒思想の研究》（人と文化社，1995年4月版）。關於先秦儒家的「天」思想概念的變化，參見該書「天道篇」第一節。

和「道」的最大區別，在於「天」爲「百神之大君」，也就是說，天有一張人格神之宗教性外衣，而「道」幾乎沒有人格神性，而只有形而上之「道體」性。如果說董仲舒的作爲哲學本體之「天」受黃老之「道」的影響而成立的，「天」之至上的人格神性又是從何所由來，或者說是參考了什麼而來的呢？

這裡我們想把結論先說出來，董仲舒所說的「天」的人格神的原形，當然是「人」而不是先秦儒家所依賴的自然天地的「天」，這就是發祥興起在戰國後期，風靡於漢初七、八十年間的黃老的至上神～黃帝。

確實，黃老之「道」是被當作萬事萬物之本體的，並不帶人格神性。然而，我們想請大家注意的是，流行於漢初之黃老非先秦的純粹道家，而是據說同黃帝有千絲萬縷牽連的道家傍流。而且，創造出黃帝之古王形象與系統的，更非老莊之原始道家。

本來，「老子」與「黃帝」是不同「人物」，也可以說是起源不一，內容也不盡然相同的流派的教祖。關於這兩個流派什麼時候，以什麼形態形結合起來的，有多種說法。最極端的一說，如余明光所說，漢初流行的「黃老之學」實際上只是「黃（帝）之學」，而非「老學」。讓「黃」和「老」結合，誤稱「黃老」的始作俑者是太史公之《史記》，只是後人沒有辨別出來而已，才有「黃」「老」混同的局面。❸

查春秋以前的所有資料（含甲骨，金文或五經經文）裡，並沒有關於黃帝的記載。到戰國時代，從《左傳》開始，《國語》、《戰國策》、《山海經》及秦漢諸子的著作中，黃帝陸續登場，其形象和古史系統漸漸膨脹。複雜且膨大的傳統套路，亂雜多樣但不斷昇進的黃帝形象，給了當時人們寄託自家思想留下了極大的餘地，這也是當時許多書籍自稱「黃帝（或臣子）」之要因。這就給後人帶來了麻煩，連和董仲舒同時代的司馬遷寫史書的《史記》時，也感到極大的困惑，於是說「學者多稱五帝，尚矣。然《尚書》獨載堯以來。而百家言黃帝，其文不雅馴，縉紳先生，難言之」（〈五帝本紀〉，卷末）。

到了近代，自胡適始，許多學者考證了黃帝的由來、形象和古史系統，取得了一定的成果。❹總合這些研究，與其說是道家，還不如說儒家和陰陽家在黃帝的形成上起了

---

❸　請參見余明光「黃老思想初探」（《湘潭大學學報》1985年第一期揭載）。

❹　這一段參照了以下著作。
　　1.胡適《中國中古思想史長篇》。
　　2.楊寬「中國上古史導論」，《古史弁》第七冊上篇。
　　3.吳光《黃老之學通論》浙江人民出版社1985年版。
　　4.陳麗桂《戰國時期的黃老思想》，臺灣聯經出版社1991年版。
　　5.淺野裕一《黃老道の成立と展開》（日文），創文社1992年版。
　　關於董仲舒的陰陽五行說，參照註❷之拙著《董仲舒思想の研究》的〈陰陽五行篇〉。

重要作用。

那麼，到董仲舒時，也就是說在漢之意識形態從黃老之學轉換爲儒教之際，黃帝到底是什麼形象呢？

日本學者金谷治先生曾對黃帝的形象，作過如下概括。❺

1.理想的古帝王。

2.文化的創始者。

3.以武力破邪顯正者。

4.道家思想的實踐者。

5.神僊。

金谷先生還說，「與其說這些是黃帝的普遍性格，不如說這是道家思想的信徒利用黃帝的權威而產生的狹窄範圍」，也就是說，以上的說法是將「黃帝」與道家思想加以結合的產物。

淺野裕一先生也對黃帝象作了以下描述：

1.始爲萬物命名，予人民以社會生活指針之文明創始者。

2.建立周王朝之姬姓的始祖。

3.打敗炎帝的軍事勝利者。

4.眾多古帝王之首。

他還說，以上的形象是以古代天道思想爲起源，陰陽家及天文曆法家的自說向黃帝之假託的結果。❻

如果以上說法成立，「始推陰陽，爲儒者宗」（《漢書·五行志》）之董仲舒，其生涯有一大半生活在黃老思想占支配地位的時代，又傾倒在陰陽家腳下，並爲力主漢爲土德之「三統」之「黃統」的曆法家，其思想受黃帝影響可想之大。

那麼聯繫到本文所要討論的問題，即「黃帝」和「天」之人格神性的關係時，在當時，即董仲舒的時代裡黃帝的形象到底如何呢？

首先，黃帝在眾多流派中，均爲無所不在，創造古文化文明，支配著世界宇宙的至上神。《史記》〈五帝本紀〉總合各家之說，把黃帝作爲了中華民族共通祖先神（這一信仰一直延續到今天，前面加了一個被黃帝打敗了的炎帝）。在此之上，司馬遷稱讚黃帝：「順天地之紀，幽明之古，死生之說，存亡之難。時播百穀草木，淳化鳥獸蟲蛾，傍羅日月星辰水波，土石金玉，勞動心力耳目，節用水火材物。有土德之瑞，故號黃

---

❺ 據金谷治著《秦漢思想史研究》第二章第三節〈黃老の術について〉。（平樂寺書店）

❻ 據淺野裕一《黃老道の成立と展開》第一部〈黃老道の形成〉（創文社東洋學叢書1992年版）。

帝」，從正面對黃帝的權威和神聖性作了最大級地歌頌，再現了當時黃帝的權威形象。總而言之，黃帝在當時無疑是自然神和祖先神合體之至上神。

同時，黃帝又是發明了陰陽五行說，究明天道的聖人。據說黃帝「考定星曆，建立五行，起消息」（《史記·曆書》），「明天道，察地理」，「辨五方」（《管子·五行篇》），以建立「人道」。故在陰陽家的始祖鄒衍之逆算曆史的系統中，以黃帝為起點，為五德終始說之發祥源地。「先序今以上至黃帝，學者之共術，大並世之盛衰」（《史記·孟子荀卿列傳》）就是此說。

黃帝還是一「天」。據陰陽家之說，黃帝生陰陽，處五行之中司中央，「中央土，……其帝黃帝，其神后土」（《呂氏春秋·季夏紀》）。黃帝並主宰五行的一行，「其色尚黃，其事則土」（《呂氏春秋·應同篇》）。不僅如此，漢武帝在郊祭時，以天為五，設立黃、青、赤、白、黑五帝，各司一「天」。（請參照顧頡剛《秦漢的方士和儒生》）就這樣，黃帝在五行式的天神系統中，處中央而制馭四方，所謂「中央之帝」是也。

二、「黃帝」和作為人格神的「天」

以上，我們根據諸子百家學說，剝開了黃帝的種種神奇的外衣，展示了在漢武帝初期即董仲舒賢良對策時流行著的黃帝之真象。為此我們不能不想到，黃帝之至上的人格神和哲學本體之形象，與董仲舒論述的「天」之形象與作用，有著驚人的相似。

在「其一」筆者已論述過，在關於哲學本體之方面，黃帝是陰陽五行之起源，發祥地、中心，故是凌駕陰陽五行，「執道」之聖人，使「經法」成立之根源。換言之，在形而上問題上，黃帝本身就是「道」，是為「唯執道者，能上明天之反，而中達君臣之畔，（下）察密萬物之所終始，而弗為不主。（中略）然可以為天下正」（《黃老帛書》〈經法〉道法篇），「聖人不朽，時反之守。優未愛民，與天同道。聖人以正待天，以靜須人。不達天刑，不縟不傳，當天時，與之皆斷」（〈十六經〉觀篇）。同時，「知天之所始所，察地之理，聖人彌綸天地之紀，獨見廣乎」（《稱》第十四篇），就和陸賈所說「先聖乃仰觀天文，俯察地理，圖畫乾坤，以定人道」（《新語》〈道基篇〉）一致，都是以天之道為「人道」「天地之紀」之根本。

而董仲舒所說的「天」的至上人格神形象，首先表現在於其帶有自然神與祖先神的機能。「天者群物之祖也。故偏覆包涵而無所殊，建風雨日月以和之，經陰陽寒暑以成之」（對策三），與前揭黃帝之「順天地之紀，幽明之古，死生之說，存亡之難。時播百穀草木，淳化鳥獸虫蛾，傍羅日月星辰水波，土石金玉，勞勤心力耳目，節用水火材物。

有土德之瑞，故號黃帝」（《史記·五帝本紀》）相同，都讚美著兩者超自然之神力。而「天地者，萬物之本，先祖之所出」（〈觀德〉第三十三），「天者，百神之大君也」（〈郊語〉第六十五），則可說「天」被當作的人類之祖先神❼。故董仲舒說「為生不能為人。為人者天矣。人之為人者本天，天亦人之曾祖父矣。此人之所以乃類上天也」（〈為人者天〉第四十一）。這樣的說法，就和關於黃帝的「生，民得其利百年，死，民畏其百年，亡，民用其教百年」（《大戴禮》五帝德）傳說同樣，是把黃帝作為中華民族的祖先神來謳歌的。

在這之上，管子所說「黃帝，得蚩尤而明於天道，得大常而察於地理，得蒼龍而辯於東方（中略）黃帝，得六相而天下治，神明至矣」（《管子·五行篇》），是以黃帝把握天道地理六合而治天下。對此，董仲舒說「君臣，父子，夫婦之道取之此（天）」（〈觀德〉第三十三），于是天「道」就在「明」「察」中，為人間綱常「道」理之源泉。

鄒衍之五德終始說，講黃帝發明陰陽五行之「序」，並以自己為推算五德的起點。在董仲舒的陰陽五行說中，則把同樣的使命賦與給了「天」。「天地之氣，合而為一，分為陰陽，判為四時，列為五行」（五行相生第五十八），就是講，天地是陰陽五行的發生地。這和「無晦無明，未有陰陽。陰陽未定，吾未有以名。今始判為兩，分為陰陽，離為四時……」（《十六經》觀），不但指向一致，連語言也類似了。

黃帝「數日，曆月，計歲，以當日月之行」（《十六經》立命），或「考定星曆，建立五行，起消息，正閏余」（《史記·曆書》）都是說黃帝為了人類顯現天道，發明了天道的具體的形象，如曆法、陰陽、五行。而董仲舒所說「天」之「偏覆包涵而無所殊，建風雨日月以和之，經陰陽寒暑以成之」（對策三），「天出至明，眾知類也，其伏無不昭也」（〈觀德〉第三十三）之天行為，「凡舉歸之以奉人」（王道通三第四十四），和黃帝一樣，是以「人」為終極目的。是以「天有十端。天地陰陽五行木火土金水，九，與人十者，天之數畢也」（〈天地陰陽〉第八十一），以人為「天」的「一端」。一方面，陰陽五行也是「天」的「十端」之一，為表現天意之道具。故說「天有五行。一曰木，一曰火，一曰土，一曰金，一曰水。木為五行之始。水為五行之始。土為五行之中。此天次之序也」（〈五行之義〉第四十二），以五行為天授之「序」或「（天）數」（同上）。

在董仲舒創作的五行系統中，「土」行又最為重要。色為「黃色」，位置居中央，天帝為黃帝，四季中為夏秋間之「季夏」，而「土為五行之最貴」（〈五行之義〉第四十二）。而且其排列是「土居中央，以之為天潤。土，天之股肱也。（中略）土者，五行之主也，五行之主土氣也」（同上），被抽象成了關於五行的一般性原理，所謂「天道」「天序」

---

❼ 以下引用董仲舒《春秋繁露》時，只記入篇名和順序。

「天數」。

　　人格神之「天」的原形是「黃帝」這一點，還可以從董仲舒在《賢良對策》和《春秋繁露》中，「黃帝」一詞基本上沒有出現一事尋到蛛絲馬跡。

　　「對策」中董仲舒一句也沒提到黃帝。《春秋繁露》僅在四個地方提到「黃帝」，而都是在古帝王系統中，講解軒轅等於黃帝時。然而，董仲舒至六十歲前後一直生活在黃老之學流行時代並著作活動著❽，其時代黃老思想不但是朝廷的官方意識形態，在戰國末，秦和漢初關於黃帝傳說五花八門，許多著作動輒稱「黃帝」，其著作主旨多「依託」「黃老」，著作多冠以「黃帝」。據《漢書·藝文志》，自稱黃帝之著作有十二類二十一種，達四百四十七篇，託名黃帝臣子的著作也有百二十九篇。儘管如此，且不說「對策」❾，《春秋繁露》中不提「黃帝」一點就非常奇怪了。

　　但如果站在董仲舒所說的「天」的原形就是「黃帝」這一立場來考慮的話，以上的疑問可迎刃而解。也就是說，我們可以作一個假設：《春秋繁露》的文章，如是「對策」之前寫的，也即在黃老之學流行時代所作的文章，並和自稱黃帝著作的著作同樣以「黃帝」爲最高至上的人格神和本體之處，「對策」後，也即儒教確立之後，這些地方就被改爲了「天」。所以，在《春秋繁露》的一些地方，「天」就和活生生的人一樣登場。

　　例如，「四法修於所故，祖於先帝。故四法如四時然，終而復始，窮則反本，四法之天，施符授聖人王法，則性命形乎先祖，大昭乎王君」（三代改制質文第二十三），這裡，「天」和王族之祖先神已一體化了。

　　同時，「天」帶有和人類一樣的主體意識，關心著世界萬事萬物。「仁之美者在於天，天仁也。天，覆育萬物，既化而生之，又養而成之。……人受命於天也，取仁於天而仁也」（王道通三第四十四），是「天」象人。再者，「天之生人也，使人生義與利。利以養其體，義以養其心」（身之養重於義第三十一）「天生民性，有善質而未能善。於是爲之立王以善之。此天意也」（深察名號第三十五），這些都意味著，「天」和人在肉體上形式上是「天人合一」的，在倫理道德上也心心相印，在精神感情上層層相通。

　　衆所周知，董仲舒哲學思想的中心是「天人合一」論。其中，說「人」象「天」，也可以說「天」就是一個大「人」。在其構思「天人合一」理論時，董仲舒意識到了什麼呢？我在〈董仲舒思想和黃老之學〉（其一）中這樣寫道：

---

❽　如以董仲舒的生年爲高祖九年即紀元前一九八年，「賢良對策」之年爲元光元年即前一三四年，（據周桂鈿著《董學探微》，北京師範大學出版社1989年版），董仲舒到六十歲前後時，都生活在武帝期之前的黃老之學占優勢的時代裡。

❾　如以「對策」爲標準來衡量《春秋繁露》，把和「對策」一致的文章看作是對策以後的作品的話，「離合根三篇」明顯地與「對策」的主旨不合，可看作是「對策」以前即黃老之學流行時的早期作品。

董仲舒發明的「天」是其新儒教體系中的最高至上之神祇和哲學本體。他前半生生活在黃老之學占優勢時期，並在武帝初年最先提出「天」是「百神之大君」與「群物之首」的主體。對「天」這一至上神和本體的省悟需要一段「暫悟」或「頓悟」的過程，也需要一個喝破「真諦」的契機。對董仲舒來說，黃老之「道」就是這樣一個契機。

繼而言之，黃老之學的「道」如是讓董仲舒認識到「天」之哲學本體性的契機的話，「黃帝」則可說就是使董仲舒覺悟到「天」是至高無上之人格神的原形和「機緣」。

三、「法」道與「因」天

那麼，黃老之學有什麼特徵呢？對此學者們眾說紛紜。這裡，我僅想取其中有代表性的說法，探究一下其共通點。

金春峰氏說「黃老思想」是老子思想發展「一個側面」（還有一個是莊子式的強調人與自然的對立，否定人之社會性和社會意義之傾向，即「出世」主義），「面向社會和政治，由否定文化、道德、教育的作用和價值，而全面傾注於成敗、禍福、得失的研究」即向兵家和法家發展結合，❿也即老子思想的「入世派」。

一方面，余明光氏說，漢初流行的「黃老之學」，實際上是「黃（帝）之學」，和「老學」思想全然沒有關係。誤合「黃」「老」，始稱「黃老」的是《史記》，後來的人不弁此疑，故有「黃」「老」混同之局面。⓫

以上兩說在「黃」～「老」學的兩個極端，但都認為馬王堆出土的帛書是《黃老四經》，是研究黃老之學最重要的資料。其他學者均在這兩端徘徊，只是偏向不一。

例如前面提到的陳麗桂，認為黃老之說的特徵是「從天道講治道，下降老子之『道』去牽合刑名，為『刑名』取得合理的根源」。並且吸收陰陽家、儒家的理論，調和修飾因道全法理論，「用『刑名』來解釋老子的『無為』」，即歸結為從「天道」講人道。也就是說，黃老之說是對老子思想進行改造之上形成的。而關於黃老之學的資料，首先舉戰國秦漢間的所謂道家後期思想，除《老子》以外，尚散在上至《管子》〈內業四篇〉，申子、田駢、韓非子等道家法家的《荀子》《莊子》外雜篇之關連篇章，下至《呂氏春秋》《淮南子》而達完備成熟，由帛書《黃帝四經》集大成。

內山俊彥氏則主張黃老之學的二元論。他說黃老之學被黃老帛書四篇和『老子』的

---

❿　參照金春峰著《漢代思想史》〈黃老帛書的思想和時代〉。（中國社會科學出版社1987年版。）

⓫　請參照註❸余明光著〈黃老思想初探〉一文。

二種類的書物所講說，「這一時期支配階級的世界觀和政治思想之主要傾向，即由這兩種書物所代辯」。**⑫**

前面提到的淺野裕一氏，則主張黃老之學的三元論（實際上是四元論）。即黃老思想和範蠡型（以古代天道思想爲起源，同老子合稱南方思想之雙璧）的思想和陰陽家及天文曆法思想的合體，假託黃帝而成立。資料除《黃帝四經》以外，和上面的陳氏之說有相同見解。

總合以上諸說之共通點，黃老之學的特徵，誠如王充所說「黃老之家，論說天道，得其實也」（《論衡・譴告篇》），在於建立（天或黃老之）「道」以確立人「道」。對「道」的內容的理解各家指意不一，但在老子道家思想之「道」和「天」掛上了鉤的這一點是沒有共通的。

根據私見，董仲舒天道論的基本特徵，集中在「王道之三綱取之於天」（〈基義〉第五十三），「唯人之道可以參天」（〈王道通三〉第四十四），「聖人之治國因天之性情」（〈保權位〉第二十）之「取」、「因」、「參」天道，才能建立起眞的人道之處。從這裡，我們就可以窺看到董仲舒思想和黃老之學的交接點。

眾所周知，先秦儒家的學說中，既然沒有最高至上之人格神和哲學本體，也就沒有究明「天道」以建人道之理論構造。漢初的儒者，如陸賈說「先聖，仰觀天文，俯察地理，圖畫乾坤，以定人道」（《新語・道基篇》），企圖探究天與人道的聯繫，而「天文」「地理」「乾坤」只能是大自然範圍的「天地」，如不確立「天」「天道」「人」「人道」等概念的範疇和內容等，這種「天」「道」思想就依然最多只是停留在天文曆法的思想範圍的泛泛議論上。

而董仲舒思想之中心在「上揆之天道，下質諸人情」（對策三，「對策」故稱「天人三策」），其「天」有至上的人格神性和哲學本體性，又是參照黃老之「道」而成立的，那麼因「天道」而建立人道之理論構造，也就有可能是參照了黃老之學而構築的。

具體而言，首先說一下道與天道的關係。在老子那兒，道爲宇宙萬物之本源，在天地萬物之先。而黃老則說「無晦無明，未有陰陽。陰陽未定，吾未以有名。今始判爲二，分爲陰陽，離爲四時」（《十六經》觀），道比（自然）天地萬物先存在，是一混沌狀態，分離成陰陽，四時始有自然天地萬物。

同樣，董仲舒說「天」比（自然）天地，陰陽，五行，人先存在，天地陰陽五行人構成「天」的一端。故「天地之氣，合二而一，分爲陰陽，判爲四時，列爲五行」時，就形成了世界萬事萬物。如是，天就和道同體，「道」成爲天之道。所謂天道，就是

---

⑫ 參照內山俊彥著《中國古代思想における自然認識》第七章。（創文社東洋學叢書昭和六十二年版。）

⑬ 本稿重視前人的研究，在比較黃老之學和董仲舒思想時，以《黃帝四經》爲主要資料，補以其他資料。

「天地之恒道」（《經法・論約篇》），即天之根本法則和規律。帛書《經法》篇的冒頭有「天地有恒常」，〈四度篇〉有「日月星辰之期，四時之度，（動靜）之位，外內之處，天之稽也」，《十六經》正亂篇有「天行正信。日月不處，啓然不臺，以臨天下」。都是講日月星辰之運行，四時之變化，晝夜陰陽的交替的後面都由「恒常」之規律和必然性來支配。這「恒常」之規律和必然性帶給人類社會秩序和倫理道德規則。

董仲舒說「道之大原出於天。天不變，道亦不變」（對策三），以「道」爲「天」之道。在黃老之學中，天道的自然的顯現爲「天之恒常」，董仲舒則稱「天道」之自然發露爲「天功」，「天之道，春暖以生，夏暑以養，秋清以殺，冬寒以藏。暖暑清寒，異氣而同功，皆天之所以成歲也」（〈四時之副〉第五十五）。也就是說「天常以愛利爲意，以養長爲事。春夏秋冬，皆其用也」（〈王道通三〉第四十四），天通過四季的變化將其「意」「用」「功」顯示於人類以秩序和規律。

在董仲舒那裡天之道是爲人類社會的倫理道德與法則之根源，故有「天有和，有德，有平，有威，有相受之意，有爲政之，不可不審也」（〈威德所生〉第七十九），「天之道，有倫，有經，有權」（〈陰陽終始〉第四十八）之說。這一說法和黃老之「道生法。法者，引得失以繩，而明曲直者也。故執道者，法生而弗敢犯也，立法而弗敢廢也」（《經法》道法）是一致的。

同時，在黃老之學，如不參「道」就人道就不能成立，故曰「參之天地之恒道，乃定禍福，死生，存亡，興壞之所在」（《經法》論約）。天道又「歷記成敗，存亡，禍福，古今之道」，說如要立人之正道，就必須參天道，是爲「明以正者，正之道也。適者，天之度也。信者，天之期也。極而（反）者，天之生也。必者，天之命也」（《經法》論）。這在董仲舒那裡就成了「參天」，「因天之性情」，「取天」，由此才有「聖人之治國」，「王道之三綱」，「人道」之成立。

於是，黃老之學「唯執道者能上明於天之反，而中達君臣之半」（《經法》道法），就和董仲舒「法天」「因天」「取天」同樣是說「唯人道爲可以參天」（〈王道通三〉第四十四）。兩者都以「人」（君主）有意識地參考「天」之道而立「人道」。故「富密察萬物所終始，而弗爲主。故能至素至精，浩彌無形，然後可以爲天下正」（《經法》道法），就和董仲舒之，「爲人君者，其法取象於天。（中略）天執其道，爲萬物主。君執其常，爲一國主」（〈天地之行〉第七十八）同旨。兩者都是說「法」「人道」即所謂人間社會的「法則」「綱常」，均非人間社會的產物，人從「道」「天」「取」來的，「道」「天」在人間社會的再現而已。

通過以上的對比，董仲舒的「天道」論和黃老之「道」說在邏輯上這樣接近。有一個冥冥之者在他界支配著人間社會的一切。黃老的場合是「道」，而董仲舒的場合是「

天」。兩個世界之間以什麼來聯繫的？兩者都力說人君對「道」「天」的參察因取。在這之上，建立了參察因取「道」「天」來處罰作惡者之災異論。「殊禁不當，反受其央」（《經法》國次）是黃老式的災異說，而「國家將有失道之敗，天乃先出災異譴告之」（對策一）則是董仲舒的災異說。關於這一點，在「其一」中已有論述，恕不贅言。

結　語

以上，我們圍繞黃老之學中的黃帝和董仲舒思想中「天」的人格神性，「參」道和「因」「法」「取」天等，對兩學派的共通點和邏輯上的一致性進行了論述。那麼，兩者的根本區別何如？

如上所述，董仲舒所說的「天」，與其說就是「黃帝」「道」，還不如說「天」是參照了「道」的本體性（其一）和黃帝象及其至上人格神性（本稿）而發想出來的。也即漢代初期流行著的黃帝象和「道」，是使董仲舒認識到「天」之至上人格神性和本體性之契機，所謂思想的源頭，導陰陽五行入儒學之所以。

再者，「道生法」是講人和「道」的交流是「道」單方面派生出「法」，而董仲舒之「因天」「法天」「取天」則是一種雙向性的方法論，人和「天」的聯繫上，人可以自覺地去「因」「法」「取」。故「參之天地之恒道，乃定禍福，死生，存亡，興壞之所在」（《經法》論約）有一種命定論的要素含在其中，在政治上就表現為「休息」「清靜」「無為」。而「五德修飭，故受天之祐，享鬼神之靈，德施方外，延及群生也」（對策一）則是承認人之「有為」的法天論，從而產生出儒教的治國論，才有儒教國教化之主體參與的理論基礎。

論明朝藍芳威的《朝鮮詩選》

朴 現 圭[*]

一、序　論

當今，韓國學被稱許多有關部分廣泛地推向於世界。針對這個現實，尋找分散於海外的韓國文獻，並介紹它，分析它，這可謂是非常有意義的課題。自古以來中國和韓國的關係最爲密切，固此通過正式或者私的途徑，韓國的許多文獻流進了中國（大陸和臺灣地區），並被珍藏在公共圖書館裏，從此中國學者也對韓國文獻表現出濃厚的興趣，甚至也有一些人直接到韓國收集、編纂資料。

中國文人曾編纂過被稱爲語言之花的朝鮮詩集，特別是在明末清初編纂了多種朝鮮詩選集，使大陸詩壇也了解海東的優秀文化，其代表作有明末焦竑的《朝鮮詩選》，藍芳威的《朝鮮詩選》，吳明濟的《朝鮮詩選》，清初孫致彌的《朝鮮採風錄》等單獨書籍，還有清初錢謙益的《列朝詩集》，朱彝尊的《明詩綜》，陸次雲的《譯史紀餘》等，也都以獨立的篇章介紹了朝鮮詩。當然，這之間酬唱和朝鮮詩歌雖被外交使節曾傳到中國，但因傳播者缺乏編纂目的和專業性，所以流傳至今的有關資料也甚少。

海內外學術界曾認爲藍芳威的《朝鮮詩選》也失傳了，而且言及的文獻又幾乎沒有，所以以前很難把握其眞實情況。筆者在數年前在中國北京大學圖書館藏書中找到了此書，並最近通過北京大學圖書館副研究員沈乃文拿到了此書的縮微膠片。[❶]

藍芳威的《朝鮮詩選》是現存最早的中國學者編纂的朝鮮詩選集，本文通過首次介紹此書，爲以後全面系統地整理，分析中國人編纂的朝鮮詩選集打下基礎，同時還論述在研究朝鮮詩選當中尚未被人知曉的事實與中國文獻之間的關係。

---

[*] 　順天鄉大　中文科

[❶] 　明末焦竑的《朝鮮詩選》，因僅見書名，並有關資料不夠；又清初陸次雲的《譯史紀餘》，只不過是據錢謙益的《列朝詩集》而轉錄的，所以在這個論文的範圍中都暫時略去。

　　朴現圭：〈明朝吳明濟《朝鮮詩選》的文獻整理〉，未發表稿子。

　　朴現圭：〈清朝初年中國人編纂的朝鮮詩選集〉，第2屆韓國傳統文化國際學術研討會論文集，杭州大學韓國研究所，1997.10.23～24〈語言文學卷〉頁158～177。

二、書誌狀況和著者考證

北京大學圖書館藏藍芳威《朝鮮詩選》的記載事項如下：著者爲「朝鮮藍芳威輯」，版本爲「清抄本」，冊數爲「1冊」，頁數爲「56頁」，請求號碼爲「李□1074」。

本書的書誌事項如下：

清初抄本，不分卷，1冊。

板　　式：四周雙欄，有界，本文9行20字，註小字雙行，白口，上黑魚尾，題：
「朝鮮詩選（上板口）／頁數（魚尾下）」。

卷首題：朝鮮古詩。

編校者：昌江藍芳威萬里識選，匯東祝世祿無功閱，莆口吳知過更伯・東萊韓初命全校。

藏書印：「菈／谷」（朱方印），「寶嘉／館人」（朱方印），「長太熙元／珍藏之印」（朱長印），「北京大／學藏」（朱方印）。

在壬辰亂期間藍芳威收集的《朝鮮詩選》資料，當時經過了祝世祿、吳知過、韓初命等中國學者的校閱。❷北京大學所藏本不是藍芳威稿本，而是清初抄本，所藏本上印章中的右下邊的「菈／谷」是孔繼涵的號，孔繼涵是孔子的滄六十九世孫，活躍於乾隆年間，是山東曲阜的藏書家。❸此書後經光緒年間熙元、李盛鐸的《木犀軒藏書》，收藏於北京大學圖書館，此收藏本缺藏第28頁後面和第29頁前面，對於缺頁的原因，北京大學沈乃文在信中寫到是北京大學收藏之前已有缺。

看一下書名，北京大學藏本卷首題寫的是《朝鮮古詩》，版心題記的是《朝鮮詩選》，朝鮮李德懋和韓致奫都稱此書爲《朝鮮詩選》。當時藍芳威選別和收錄的是朝鮮詩歌，而此書收錄的詩歌中不僅有古詩，也有律詩，從這兩點來看書名爲《朝鮮詩選》更能清楚地表達其內容。因此，筆者在本文中也採用了《朝鮮詩選》這一書名。

編著藍芳威是何許人也？可以查找幾個有關的朝鮮文獻，朝鮮申炅《再造藩邦志》卷5：

---

❷ 祝世祿，字延之，號無功，匯東人，生於明嘉靖十八年（朝鮮中宗34年；1539），萬曆初考中進士，後做過南科給事、尚寶司卿，他是耿定向門下修學的儒者，收錄於《明儒學案》，卒於萬曆三十八年（光海君2年；1610），著有《祝字小言》、《環碧齋詩集》等，關於吳知過和韓初命的生平沒有記載。

❸ 孔繼涵，字體生，一字誧孟，號菈谷，山東曲阜人，生於乾隆四年（英祖15年；1739），是孔子六十九世孫，二十五年（1760）中舉人，三十六年（1771）考中進士，做戶部河南司主事，編纂《日下舊聞》，因母病而回故鄉，卒於乾隆48（正祖7年；1783），他精通三禮、天文、算術、字義等，刻版有《微波榭叢書》。

> 芳威，號雲鵬，江西繞州府江西縣人，領兵四千人而來。

壬辰亂中藍芳威以明浙兵游擊將軍的身份派到朝鮮，雲鵬是他的號，萬里是他的字，對於他的故鄉，《朝鮮詩選》編校者中寫的是「昌江」（現湖南省平江縣），和申炅的記載不一樣。據《繞州府志》卷22〈人物志·武略〉所錄，藍芳威是萬曆年間當過了北京神樞營參將。❹所以我們可知藍芳威是江西繞州府人，其湖南昌江的記錄，筆者推測爲他的原籍，但因沒有找到更詳細的有關資料，所以無法確認。另外，關於藍芳威的國籍問題，北京大學藏目錄裏記載的是「朝鮮」，但應改爲「明」。

記述藍芳威在朝鮮以武將活動行蹟是這樣的。宣祖31年（萬曆26年；1598）3月，藍芳威做爲提督劉綎的游擊將軍，負責由西面進軍南原，8月在咸陽擊退敵軍，而獲勝。9月在南江戰鬥中又取得了勝利，次年3月在泗川戰鬥中做中路先鋒，戰敗，譴還本國，5月從南原來到漢城，6月上了歸國路途，7月過了鴨綠江。貴國後，遭譴責而左遷爲戍將。❺

藍芳威雖是武裝，但可能喜歡文學，另一部《朝鮮詩選》的編者吳明濟也是在壬辰亂中第一次來到朝鮮的。他們如果素沒有朝鮮文學的關心，則在戰亂混亂的漩渦中，不可能編纂《朝鮮詩選》，特別藍氏是明朝的上級將軍，按當時朝鮮對明軍的支援體系，須有隨身接伴使。❻這接伴使是有文學知道的朝鮮官人的。由此可知，壬辰亂這個國際戰爭雖是給朝鮮民族的不幸，並給朝鮮很多的被害，但給中國文人提供了更多了解朝鮮文化的極好的機會，同時拉上了兩個文學界的距離。

對於《朝鮮詩選》的編纂者另有記錄。朝鮮李德懋《清脾錄》卷3（《青莊館全書》卷34）〈朝鮮詩選〉：

> 藍芳威，字萬里，以游擊將軍，壬辰東援，編《朝鮮詩選》，此即吳明濟子魚東
> 來時所編，不知何故爲藍所有也。蓋多譌誤，非善本也。載李達〈步虛詞〉，…
> …藍萬里見東方女兒辮髮，錯解此詩。

李德懋主張本來《朝鮮詩選》是吳明濟編纂，後卻成藍芳威的，這是一個錯誤的判

---

❹ 錫惠修、石景芬《繞州府志》卷22〈人物志·武略〉：「藍芳威：萬曆間以勇力歷北京神樞營參將。」此方志爲清同治11年（1872）刊本。

❺ 藍芳威在朝鮮的行迹收錄在朝鮮和中國文獻，例如朝鮮申炅的《再造藩邦志》卷5，李肯翊的《燃藜室記述》卷17，趙慶男的《亂中雜錄》卷3、卷4，《宣祖實錄》卷19（32年10月條）等；明朝諸葛元聲的《兩朝平攘錄》（韓致奫《海東繹史》卷63〈本朝備禦考三·馭倭始末三〉引用本；但在臺北國家圖書館、北京中央民族大學等藏《兩朝平攘錄》卷4〈附朝鮮〉，《三朝平攘錄》卷5〈附朝鮮〉中未錄）等。

❻ 趙慶男《亂中雜錄》卷3戊戌年3月11日自注說：「游擊以上，皆有接伴。」

斷。其理由是北京大學藏本《朝鮮詩選》中很明確地記錄著藍芳威「識選」，而且吳明濟《朝鮮詩選》和藍氏的《朝鮮詩選》所收錄的詩歌不同。譬如月山大君李婷的〈古寺尋花〉❼和尹德馨的〈感懷·呈子魚吳參軍〉，❽已被考證爲收錄在吳氏《朝鮮詩選》，而藍氏的《朝鮮詩選》中卻未收錄此兩首詩。

筆者認爲這兩本書編於同一時期，❾書名又都是《朝鮮詩選》，所以可能200年後朝鮮正祖時期人李德懋混淆了此兩本書，他認爲藍氏的《朝鮮詩選》收錄了李達的〈步虛詞〉，但是藍氏的北京大學藏本裏並未收錄著此詩，倒是主要參考吳氏《朝鮮詩選》而編的錢謙益《列朝詩集》卻收錄了此詩。❿朝鮮純祖時編纂《海東繹史》的韓政韡在〈海東繹史引用書目〉中有「藍芳威《朝鮮詩選》」，但實際上他沒有得見，只引用了李德懋《清脾錄》所錄的記錄而耳。⓫

藍芳威和吳明濟以援軍明將或參軍身分同一時期來到了韓半島，並且爲編纂《朝鮮詩選》而所接觸的朝鮮文人中，他們兩人可能都接觸過其中一些文人，譬如許筬、許筠兄弟，從宣祖31年（萬曆26年；1598）至35年（萬曆30年；1602）間吳氏所編的《朝鮮詩選》，曾得到許氏兄弟和尹根壽，李德馨的幫助。⓬在藍芳威的詩選集裏收錄最多的也是許氏

---

❼ 朱彝尊《靜志居詩話》卷24〈朝鮮·月山大君婷〉說：「婷〈古寺尋花詩〉云：『春探古寺燕飛飛，深院重門客到稀，我正尋花花盡落，尋花翻爲惜花歸。』見吳子魚《朝鮮詩選》。」

❽ 尹德馨《甲辰漫錄》說：「壬寅仲夏——在朝廷見新印《朝鮮詩選》，乃吳明濟所纂，其中有令公別吳一律，——題曰：〈懷感·呈于魚吳參軍〉。」于魚，是子魚的誤記，錢謙益的《列朝詩集》記詩題爲〈感懷·呈子魚吳參軍〉。

❾ 從編校者祝世祿和李德懋的記載來看，藍芳威的《朝鮮詩選》可能編纂於壬辰亂或亂後不久之期，吳明濟的《朝鮮詩選》，在萬曆27年（宣祖32年；1599）編纂了基本草稿，並寫了〈朝鮮詩選序〉，到萬曆30年（宣祖35年；1602）才完成了最終稿子，並刊印了。

❿ 《列朝詩集》閏集第6〈朝鮮·蓀谷詩〉〈步虛詞〉第1首。
朴現圭：〈清朝初年中國人編纂的朝鮮詩選集〉第2屆韓國傳統文化國際學術研討會論文集，杭州大學韓國研究所，1997.10.23～24。

⓫ 《海東繹史》卷45〈藝文志四·經籍四·吳明濟朝鮮詩選〉說：「按又有藍芳威所輯《朝鮮詩選》，蓋藍於萬曆間以遊擊東援本國時所選者，而惜無從得見也。」
全書卷49〈藝文志八·本國詩三·李達〉〈步虛詞〉註說：「藍氏《詩選》作『嵯峨拂紫綃』」。
全書卷59〈藝文志十八·雜綴〉引用藍氏《朝鮮詩選》說：「李達〈步虛詞〉：三角嵯峨拂紫綃——故飾髮過纖腰也。」案：「按藍氏此語——藍嘗以游擊東援，見本國女子，辮髮錯解此詩。」
韓致奫在卷45中明確指出，無法求得藍芳威的《朝鮮詩選》，但在卷49和卷59所記得藍氏《朝鮮詩選》，只不過是引用李德懋《清脾錄》卷3〈朝鮮詩選〉的記錄。

⓬ 參照吳明濟的〈朝鮮詩選序〉。

三兄妹的詩。⓭由此可以看出其兩本書之間的關係。因此，李德懋和受其影響的韓致奫混淆吳氏的《朝鮮詩選》和藍氏的《朝鮮詩選》可能性是很大的。

三、收錄內容和特徵

本來採用了常用編輯詩選集的方式：先以詩體為編目，各編目又以人物別收錄詩歌，編目先分五言詩和七言詩，然後再細分古詩、律詩、絕句、對句。本書有〈五言詩（附四言詩）〉、〈七言古詩（長短附）〉、〈五言律詩（排律附）〉、〈五言排律〉、〈七言律詩〉、〈五言絕句〉、〈摘聯〉等七篇目。

從上述的編目名中，可以看出此書在整體上沒有形成統一體系，五言律詩中雖附有排律詩，而五言排律卻又可以獨立的編目存在，五言律詩後邊不留空白連接著五言排律，尚可以認為是同一編目，⓮但五言詩編目中有四言詩，七言古詩編目中有長短句，⓯這就是此書在體裁上沒有形成統一，有些地方還記錯了文體。例如：崔致遠的七言律詩〈秋日再經盱眙寄李長官〉收錄在五言排律編目中；李齊賢的五言律詩〈感懷〉（第1首：延祐己未……題四十字為識）原八句，卻被縮短成五言絕句四句，還有，編目名中沒有七言絕句和五言排律，而七言律詩編目裏只收錄了高麗時期的詩人。

收錄的作者姓名記在各編目第一首詩的詩題下邊，第二首以下省略。作者若是君主就記國號和廟號，只有真德女王記錄成「新羅女主勝曼」，如作者若是女性，記下姓和字，或者寫××夫人。

此書收錄作者的迄至年代，是由古朝鮮到朝鮮宣祖年間在文壇上的活躍的人，按箕子朝鮮說收錄了中國人箕子，也收錄了編纂時期的詩人，特別是大量選錄了藍氏曾可能直接或間接得到幫助的許家人物（許篈、許筠、許蘭雪軒）的詩文。

沒有特別區分君主、僧侶、女性等作者的身份，遵循了按作者的活動年代或生卒年代編排的原則，但顛倒了一些作者的順序。⓰對於作者的生活年代，藍芳威可能參考了朝鮮學者的助言或有關書籍，但做好全面細緻地收集，分析資料，做為外國人可能會

⓭ 藍芳威的《朝鮮詩選》中，收錄最多的是許氏3兄妹的詩，許篈有7首，許筠有7首＋@（缺頁部分處3～4首詩），許蘭雪軒有26首。

⓮ 其他的所有編目，是在上面編目結束以後留空白地方，然後另一行開始的。

⓯ 譬如箕子的〈麥秀歌〉、瑠璃王的〈涼谷歌〉等四言詩，收錄在五言詩編目中，還有鄭夢周的〈江南柳〉、金宗直的〈會蘇曲〉等為長短句，收錄在七言古詩編目中。

⓰ 譬如在七言古詩編目中，把高麗金克己排在新羅百結先生前面；在五言律詩編目中，把姜希孟（1424～1483）排在偰長壽（1341～1405）、卞季良（1369～1430）、魚變甲（1380～1434）等前面。

有些困難。

從作者和詩篇目的統計數字，可以看出此書的規模，從編目別來看：五言古詩（包括四言詩）收錄了31人67首詩；❶七言古詩（包括長短句）收錄了20人，除缺的一頁外收錄了40首，缺頁的一頁中，可能收錄了許筠的3～4首詩（用@表示）；❶五言律詩有37人85首，各種詩體中佔有數量最多，五言排律2人2首，七言律詩有11人16首，五言絕句有23人32首，摘聯篇目裏有7對句。

按朝代別來看，統一新羅以前有7人13首，高麗朝有31人76首，❶朝鮮朝有48人149首＋@（缺頁部分）。中國人箕子和無名氏2人4首（除去摘聯篇目）。共收錄作家數爲88人，詩數爲249首＋@。❷其收錄最多的詩許蘭雪軒的詩，有26首，其次是鄭希良（12首），李齊賢（9首），金淨（9首），許筠（7+@）。還有李崇仁（8首），崔致遠（7首），鄭夢周（7首），李益（7首），許符（7首），其他人均5首以下。

比較一下藍芳威《朝鮮詩選》和清初文人編纂的朝鮮詩選集，藍氏《朝鮮詩選》和錢謙益《列朝詩集》（朝鮮）中重複收錄朝鮮詩歌，多達60首；與朱彝尊《明詩綜》〈高麗〉、〈朝鮮〉中，只有10首而耳。❷這主要與清初文人所參考的書籍和選錄原則差異有關聯。

錢謙益的《列朝詩集》（朝鮮）中能看出他參考的是吳明濟的《朝鮮詩選》。❷如前所述，藍氏的《朝鮮詩選》和吳氏的《朝鮮詩選》編纂於同一時期，而且可以推測兩人都間接或直接分別從許氏兄弟那裏得到了有關資料。因此，兩本書所收錄的詩會有一定數量的重複，錢謙益的《列朝詩集》是主要參考吳氏的《朝鮮詩選》而編，當然也必免不了出現上述情況。

---

❶ 鄭道傳的〈遠遊歌〉2首被縮爲1首，鄭夢周的〈感遇〉3首增算爲4首，無名氏各算做1人，誤記作者和詩體部分，書後有商稅的圖表。

❶ 統計詩數的時候，也包括了北京大學藏本頁29前面（缺頁部分）和後面（現存部分）的許筠殘缺詩篇〔嘆別離〕。

❶ 高麗和朝鮮朝的區別，是以朝代交替時期1392年爲標準的，還有雖然是朝鮮建國後的人，但並未出仕的李穡（1328～1396），排在高麗時期。

❷ 摘聯編目雖沒有算作者人數，但各算做1首詩。

❷ 《列朝詩集》〈朝鮮〉編目中，收錄詩人42人（包括附南袞1人），詩170首；《明詩綜》〈高麗〉和〈朝鮮〉編目中，共收錄詩人 90人，詩136首（除解題詩外）。

❷ 《列朝詩集》〈朝鮮〉解題中，收錄了吳明濟的〈朝鮮詩選序〉和許筠的〈朝鮮詩選後序〉，在本文中詠吳明濟的有8首詩。

朴現圭：〈清朝初年中國人編纂的朝鮮詩選集〉，第2屆韓國傳統文化國際學術研討會論文集，杭州大學韓國研究所，1997.10.23～24。

　　朱彝尊編纂《明詩綜》的時期，比藍氏晚一百多年，比《列朝詩集》晚五十多年，而且編纂〈高麗〉、〈朝鮮〉篇章時所參考的書籍也比《列朝詩集》多，因而選錄對象也更廣泛，〈高麗〉、〈朝鮮上〉中選錄的重點，放在外交使臣的旅行詩和酬唱詩；〈朝鮮下〉中，主要收錄了孫致彌《朝鮮採風錄》裏選錄的詩歌，孫致彌的《朝鮮採風錄》（殘缺本）收錄的詩歌中，收錄於藍氏《朝鮮詩選》裏的只有偰遜的〈山中〉1首，❷所以朱彝尊參考的書籍中吳氏的《朝鮮詩選》比重很少，當然與藍氏《朝鮮詩選》重複收錄的詩也很少了。

　　考查一下藍芳威的詩歌收錄標準，很可惜我不得到序文和有關資料，無法做詳細的分析，但通過分析被收錄的詩歌，也大致可以了解，他全面重視了作品性，優先選錄了抒情、詠景的詩，歷史詩和樂府詩，而看不到在《明詩綜》裏成主流的外交使臣的詩歌。

　　藍芳威《朝鮮詩選》的價值，在於它是中國人現存最早編纂的朝鮮詩選集，並以完整的書籍形態保存下來，在這之前有外國使臣的酬唱集《皇華集》及有關書籍中收錄的朝鮮詩歌，還有以個人文集形式被中國文人介紹過的作品集，但所有朝鮮詩歌做爲選錄對象而編纂的詩集，並且流傳至今的詩集幾乎寥寥無幾，吳氏的《朝鮮詩選》和《朝鮮採風錄》均已失傳，只有殘缺的詩歌選集，藍氏的《朝鮮詩選》比《列朝詩集》、《明詩綜》，編纂時間早，收錄的詩也更多。

　　當然此書也存在著不盡人意的地方，首先，多處誤記了作者，把李齊賢的〈古風〉寫成是李奎報的，朴宜中的〈遣興〉寫成是偰長壽的，崔承祐的〈鏡湖〉寫成是崔致遠的，李仁老的〈山居〉寫成是金富軾的等等，有20多處記錯作者，在記錄作者姓名方面，鄭誧寫成鄭浦，李原寫成李源，安璲寫成安燧，李仁老寫成李仁世，崔壽峸寫成崔守峖等等，有多處誤記現象。

　　誤脫字，缺詩句，詩篇合綴等現象也處處可見，例如：崔致遠的〈江南曲〉。

《朝鮮詩選》〈江南曲〉	《孤雲先生文集》卷一〈江南女〉
江南春風動，有女嬌且憐。	江南蕩風俗，養女嬌且憐。
妖冶恥鍼線，粧罷調管絃。	性冶恥針線，粧成調管絃。
■■■■■，■■■■■。	所學非雅音，多被春心牽。
自謂芳菲色，長對豔■年。	自謂芳華色，長占豔陽年。
却笑鄰家女，終日弄機杼。	却笑隣舍女，終朝弄機杼。
機杼縱勞身，羅衣不到汝。	機杼縱勞身，羅衣不到汝。

❷　朴現圭：〈清朝初年中國人編纂的朝鮮詩選集〉，第2屆韓國傳統文化國際學術研討會論文集，杭州大學韓國研究所，1997.10.23～24。

上述現象到處可見，李穡的〈彊婦〉原是八句詩，但不僅刪掉前四句，只收錄後四句，而且作者也記錯了。㉔鄭希良的〈秋望〉第一句「秋■濃淡雨復晴」中脫漏了「光」字，許筠的〈送盧判官〉第二句「客意■悲涼」中脫漏了「已」字。㉕還有鄭夢周〈感遇〉第三首「淳風」和第四首「人心」被合二爲一首。

對於這種現象我們可以推斷爲它是全書異本，或者是現已失傳的文獻記錄等的緣故，而且此書籍編纂時期正處於大戰亂時期，必然會存在很多問題，特別是朝鮮學者所提供的作品可能只是口述的，沒有進行文獻考證，雖然藍芳威通過他們收集資料後，對有些作品作了解釋，但終因是外國人，具有一定的局限性，當然也不排除此書傳到中國後，在友人的校對，或流傳過程中產生脫漏或誤記的可能性，現北京大學收藏的是唯一的清初抄本。

由於種種原因《朝鮮詩選》留下一些遺憾，但並不影響此書的價值，此書中收錄了別的文獻中找不到的作品，崔致遠的〈書懷〉是在《桂苑筆耕集》、《崔文昌侯全集》中都沒有收錄的作品，李齊賢的〈感遇〉並未收錄在《益齋亂藁》中，鄭夢周的〈聞隴〉（第2首；半捲書窓曉）並未收錄在《圃隱集》，許蘭雪軒的〈弄潮曲〉在《蘭雪軒集》中也找不到，有些作品的字在現存文集裏的不一樣，這還有待於考證，即便是當時文人記憶的口述作品，也有自身的價值，特別是不能忽視這本書編纂的年代距今現在四百年前的事實。

四、結　論

本論文第一次向學術界介紹了藍芳威的《朝鮮詩選》，這是中國人編纂的朝鮮詩集當中現存最早的一部，明末文人祝世祿等校閱了此書，現珍藏於北京大學圖書館清初抄本是唯一存在的孤本，缺28頁後面和29頁前面部分。

藍芳威在壬辰亂中做爲游擊將軍來到朝鮮作戰的時候，對言語藝術的精華——詩歌產生了濃厚的興趣，便編纂了《朝鮮詩選》，當時可能受到接伴使在內的朝鮮文人的幫助。

《朝鮮詩選》按詩體分七部分，收錄了從古朝鮮箕子到朝鮮壬辰亂時期的88位詩人（摘聯編目除外，收錄的詩總共有249＋＠（缺頁部分　3～4首）。其中，收錄最多的是許蘭雪軒的詩，有26首；其次是鄭希良，有12首，作品中大部分是歷史詩、樂府詩及抒情、詠景

㉔　這首詩收錄在《牧隱詩藁》卷22。

㉕　《列朝詩集》裏校對了漏落的字。

的詩，這本書的價值在它是明末中國人編纂的朝鮮詩選集，而至今保存完好，可惜之處是有很多誤記和脫漏的地方。

　　對明末、清初人編纂的朝鮮詩選集，筆者已另有論述，濾過和本論文參照看，更能清楚地知道中國人編纂的朝鮮詩集的內容和特徵，最後在結束本論文之際，希望學術界有關學者對韓、中兩國之間古代交流部分有更多的關心和支持。

附一、朝鮮詩選　收錄詩表

東＝東文選，續東＝續東文選，青＝青丘風雅，國＝國朝詩删，列＝列朝詩集，採＝朝鮮採風錄，明＝明詩綜，數字＝卷數和編數，誤＝藍氏詩選誤記

五言詩　附四言詩

著　作	詩　　名	詩選集　　收錄與否	備　　考
箕　子	麥秀歌		四言詩
	至德歌		五、四言詩
瑠璃王	凉谷歌		四言詩
乙支文德	贈隋右翊衛大將軍 　　于仲文	東19	五絕詩
眞德女王	太平詩	東4	女王勝曼，東(無名氏)
崔致遠	書懷		
	江南曲	東4，青1	
金時習	快意行	續東3	無名氏(誤)
無名氏	野興2首		
李資玄	田家郎事		
崔惟清	雜詩2首	東1，青1<雜興><漢揚>	崔情清(誤)
李奎報	西郊草堂	東4，青1	
李齊賢	古風	東4，青1	李奎報(誤)
	詠史	東4，青1<澠池>	李奎報(誤)
李齊賢	感遇		
鄭道傳	遠遊歌	東5，青1，國7	李齊賢；2首(誤)，原 　　1首
李　穀	褓詩	青1<己未六月——>	
	妾命薄	東4，青1	
鄭　誧	結廬	東4，青1	鄭浦(誤)
李　穡	蠶婦	青1	
鄭　樞	污吏	東5，列閏6	鄭公權(改名)
鄭夢周	感遇4首	列閏6，第4，明94	原4首，3首(誤)
李崇仁	古意	列閏6	
	詠史2首	第2；列閏6	
卞季良	感興	青1，國7	青:卞季良　國:卞仲良

成 侃	田家		
	古曲	青1<龍門百年桐>	
成 侃	擬占	續東3，列閨6，明94	
申叔周	德陽驛	列閨6，明94	
鄭希良	有懷	列閨6	
	送友人		
	感懷寄澋之		
	輓歌	列閨6	
金 淨	遊鄭氏池亭	列閨6	
	禱龍潭	列閨6	
李慰孽	夢長源		
崔慶昌	晨霜		
尹根壽	感遇		
李 達	懷陽道中		
	庚戌秋夕同李順卿 翫月別後却寄		
	秋夜		
	夢友人		
許 葑	上元夫人		
	感遇	列閨6	
許 筠	聽康子野琴	列閨6	
	送盧判官	列閨6	
	平壤送南士還天朝	列閨6	
	2首	列閨6	
李玉峰	班竹怨	列閨6	李淑媛(趙瑗妾)
	採蓮曲	列閨6，明95	
許蘭雪軒	有所思		許景樊
	望仙謠	明95	
	鳳凰曲	列閨6	
	古別離	列閨6	
	感遇3首	列閨6	
	宿伯氏葑	列閨6	
	莫愁樂		
	築城怨		
	貧女吟2首	第2；列閨6	第2(列閨6：兪汝舟妻)

七言古詩　附長短

著　作	詩　　名	詩選集　收錄與否	備　　考
訥祗王	憂思曲		納祗王(誤)，長短句
金克己	醉時歌	東，青2	東：李仁老，青：金克己長短句
金宗直	鵄迷嶺	國9	古辭(誤)，長短句
	碓藥	國9	百結先生：碓藥(誤)，長短句
洪侃	孤鴈行	東6，青2	
	貧婦吟	東6，青2	
白元恒	白絲吟	東6，青2	
李齊賢	汾河	東6，青2	
	姑蘇臺懷古	青2，	
安軸	王昭君	東6，青2	
鄭夢周	江南柳	東8，列閨6	長短句
成侃	田父行	青2，國8〈老人行〉，列閨6	
成侃	木棉詞	續東5，列閨6	
徐居正	古意	續東4，國8，列閨6	
金宗直	會蘇曲	國9，列閨6	長短句
	黃昌郎	國9，列閨6	
鄭希良	夜雨	列閨6	
	秋望 2首	列閨6	
	江村	列閨6	
	秋月	列閨6	
金淨	秋閨	國8〈四時詞〉，列閨6	
魚無跡	流民嘆	國8	長短句
鄭惟吉	楊柳詞		
安璲	從軍行	列閨6	安燧(誤)
崔慶昌	李少婦詞	國8，列閨6	
許葑	牽情引	列閨6，明94〈熊州引〉	
	出山別元參學	國10，列閨6	
	鏡囊詞	列閨6	
許筠	江天曉思	列閨6	
	[결]		
	[嘆離別]		
許蘭雪軒	望仙謠	國10，列閨6	許景樊
	湘絃曲	國10，列閨6	
	四時歌 4首	列閨6	

許葑 許蘭雪軒	弄潮曲 山鷓鴣詞 山嵐	國10	許蘭雪軒(誤)，長短句

五言律詩　附排律

著　作	詩　　名	詩選集　收錄與否	備　　考
崔致遠	贈雲門蘭若智光上人	東9，青3	
高兆基	宿金壤縣	東9，青3	
金克己	田家	東9，青3	
李仁老	謾興	東9，青3	李仁世(誤)
李齊賢	九品寺	東9，青3	李仁世(誤)
	宿德淵院	青3，	李仁世(誤)
俞升旦	穴口寺	東9，青3	
鄭樞	宿清心樓	東10	鄭公權(改名)
	滿景臺望海	青3	
韓脩	次杜詩韻	東10	
偰遜	宵夢	東10	
金仲權	幽居即事	東10	
鄭夢周	聞鴈 2首	第1：列閨6	
李穡	早行	青3，列閨6，明94	
	浮碧樓懷古	東10，青3	
李崇仁	送權使君之忠州		
	送興教僧統還山		
	倚杖	青3	
	挽金太常	列閨6，明94	梘金太常(誤)
鄭道傳	山中	青3，國4	
	關山月	東5	東(五古詩)
	村居郎事		
李原	漫題		李源(誤)
	尋僧		
	贈鄭三峰		
柳方善	過僧舍 2首	第1；青3，，國4	李源(誤)
姜希孟	湘水驛		
	歸來亭 3首	第2；續東6	
朴宜中	遣興	東10，青3	偰長壽(誤)
	即事	東10，青3	偰長壽(誤)
李詹	潼陽驛	青10，青3，國4	

	偶成	東10	
卞仲良	寄副令	東10，國4	
卞季良	晨興	青3，國4	卞仲良(誤)
	春事	青3，國4	
	靈泉寺次壁上韻	東10	
魚變甲	題安氏園亭		
權 遇	禪興路上	東10	
	題西江亭	東10	
申叔舟	寄權正卿	列閨6	
曹 偉	桐花寺		
金 訢	遊梅林寺	續東6	
金時習	有客	續東6，國4	僧雪岑
	自適	續東6	
	山中		
成 氏	書懷次叔孫兄弟	列閨6	
李承召	田家		
	藍浦道中		
兪汝舟妻	別贈	列閨6，明95	
鄭希良	寄京落知已		
	過安氏園亭		
	春日即事		
金 淨	贈安上人		
	登金剛山		
李誠侃	遣興		
崔壽峸	登萬義浮屠	國4	崔守峸(誤)
申光漢	書事		
	憶馬浦別業		
林億齡	偶吟	國4〈秋村雜題〉	
崔慶昌	送李益之關外		
沈彥光	初出國門		
鄭士龍	送潘節使之咸鏡		
宋 㻩	豐基軒次韻		
梁大樸	別義原令		
李 益	與友人宿涵虛寺		
	寧越道中		
	贈雲上人		
	旅懷		
	村居		
	性衍上人禪舍		
	寄友人		
李玉峰	歸來亭	列閨6	趙瑗妾李氏

著 作	詩 名	詩選集 收錄與否	備 考
許 葑	鍾城		
許 筠	登義城	列閏6	
許蘭雪軒	出塞曲 2首	第1；國10	許筠(誤)
	寄女伴	列閏6	許景樊
	送兄筬謫甲山	列閏6	
	效李義山 2首	國10	

五言排律

著 作	詩 名	詩選集 收錄與否	備 考
崔惟清	賦得御花桃	青13	
釋圓鑑	幽居	東11	
崔致遠	秋日再經旴眙寄李長官	東12	七律

七言律詩

著 作	詩 名	詩選集 收錄與否	備 考
崔致遠	送吳進士巒歸江南	東12	
崔承祐	鏡湖	東12，青4	崔致遠(誤)
崔匡裕	憶江南李處士	東12，青4	崔致遠(誤)
金富軾	對菊有感	東12	
鄭知常	寄忠州刺史	東12	
	登高寺	東12	
	開聖寺八呎禪房	東12	
	蘇來寺	東12，青4	
朴椿齡	太原寺	東12	鄭知常(誤)
	雞足山定慧寺	東12	鄭知常(誤)
李奎報	重遊北山	東14，青4	
朴寅亮	朝宋過泗洲山寺	東14	
崔 滋	漫題		
金之岱	瑜珈寺	東14，青4	
蔡洪哲	月影臺	東14	金之岱(誤)

五言絕句

著　作	詩　　名	詩選集　收錄與否	備　　考
崔致遠	夜雨	東19	
	秋夜	東19，青6	
金富軾	聞子規	東19	
李仁老	山居	東19，青6	金富軾(誤)
	眼	東19	金富軾(誤)
李奎報	北山詠	東19，青6	金富軾(誤)
李仁老	鼻	東19	金富軾(誤)
釋圓鑑	褉詠 2首	東19	
李齊賢	感懷(第1首)	青3〈延祐己未—〉	原五律詩
洪　奎	感懷(第2首)	東19〈朴杏山金之宅有題〉	李齊賢(誤)
崔　瀣	雨荷	東19	
鄭　誧	送僧達竹遊中華		鄭浦(誤)
偰　遜	山中	東19，青6，採，明94	
李　穡	瀼浦弄月	東19，青6〈漢浦弄月〉	
李崇仁	碧瀾渡		
李仁復	西京感懷	東19	
徐居正	即事		
金宗直	佛國寺	續東6	佛圓寺(誤)，續東；五律詩
楊以時	題平陵驛亭	東19	
李達善	神勒寺	續東9	
金悅卿	途中		
金　淨	佳月	國1	
	送秋		
	暮景		
	絕句		
林億齡	絕句		
	贈玉上人		
羅　湜	泊江口	國1〈驪江〉	
崔慶昌	俠客行		
白光勳	弘慶感懷		
	登樓		

摘　聯

著　　作	詩　　　名	詩選集　收錄與否	備　　　考
未　詳	[花雨清齋供] [老松青拂牖] [門外題無鳳] [城市存丘壑] [掃苔侵鶴迹] [坐擁芸編時散帙] [臺榭晝薰花氣滿]		

附二　朝鮮詩選　詩人別表

著　　者	生　卒　年	五言詩	七言古詩	五言律詩	五言排律	七言律詩	五言絕句	摘聯	合計
箕　子	BC1122左右	2							2
瑠璃王	?～ 18	1							1
訥祗王	?～ 458		1						1
乙支文德	嬰陽王						1		1
5　眞德女王	?～ 654	1							1
崔致遠	857～ ?	2		1		2	2		7
崔承祐						1			1
崔匡裕						1			1
無名氏		2							2
10　朴寅亮	?～1096					1			1
李資玄	1061～1125	1							1
鄭知常	?～1135					4			4
金富軾	1075～1151					1	1		2
高兆基	?～1157			1					1
15　崔惟清	1095～1174	2			1				3
金克己	明宗		1	1					2
李仁老	1152～1224			1		1	3		4
俞升旦	1168～1232			1					1
朴椿齡						2			2
20　李奎報	1168～1241	1				1	1		3
釋圓鑑					1		2		3
崔滋	1188～1260					1			1
金之岱	1190～1266					1			1
洪侃	?～1304		2						2
25　洪奎	?～1316						1		1
白元恒	忠宣、忠肅王		1						1
蔡洪哲	1262～1340					1			1
崔瀣	1287～1340						1		1
李齊賢	1287～1367	3	2	3			1		9
30　安軸	1287～1348		1						1

	姓名	年代						合計
	李毅	1298～1351	2					2
	李仁復	1308～1374					1	1
	鄭誧	1309～1345	1				1	2
	偰遜	1319～1360			1		1	2
35	金仲權				1			1
	李穡	1328～1396	1		2		1	4
	權遇	1332～1419			2			2
	鄭樞	1333～1382	1		2			3
	韓脩	1333～1384			1			1
40	鄭夢周	1337～1392	4	1	2			7
	李詹	1345～1405			2			2
	李崇仁	1349～1392	3		4		1	8
	鄭道傳	？～1398	1		2			3
	朴宜中	禑王、太祖			2			2
45	卞仲良	？～1398			1			1
	李原	1368～1430			3			3
	卞季良	1369～1430	1		3			4
	魚變甲	1380～1434			1			1
	柳方善	1388～1443			2			2
50	申叔舟	1417～1475	1		1			2
	徐居正	1420～1488		1			1	2
	李承召	1422～1484			2			2
	姜希孟	1424～1483			4			4
	成侃	1427～1456	2	1				3
55	金宗直	1431～1492		4	1			5
	金時習	1435～1493	1		3			4
	成俔	1439～1504	1	1				2
	金訢	1448～？			1			1
	曹偉	1454～1563			1			1
60	鄭希良	1469～？	4	5	3			12
	申光漢	1484～1555			2			2
	成氏				1			1
	楊以時						1	1
	李達善						1	1
65	金悅卿						1	1
	安璡			1				1
	金淨	1486～1521	2	1	2		4	9
	李誠侃				1			1
	沈彥光	1487～？			1			1

70	林億齡	1487～1521			1			2		3
	崔壽峸	1487～1521			1					1
	羅湜	?～1546						1		1
	鄭士龍	1491～1570			1					1
	魚無跡	燕山君		1						1
75	兪汝舟妻	燕山君、中宗			1					1
	鄭惟吉	1515～1588		1						1
	白光勳	1537～1582						2		2
	尹根壽	1537～1616	1							1
	李慰擘		1							1
80	崔慶昌	1539～1583	1	1	1			1		4
	李達	明、宣祖	4							4
	宋瑧				1					1
	梁大樸	1544～1592			1					1
	李益	明、宣祖			7					7
85	李淑媛	宣祖	2		1					3
	許篈	1551～1588	2	4	1					7
	許景樊	1563～1589	12	8	6					26
	許筠	1569～1628	4	2+@	1					7+@
	摘聯								7	7
作 者 數			31	20	37	2	11	23	未詳	88+ 未詳
詩 數			67	40 + @	85	2	16	32	7	249 + @

宋澤萊的小説與宗教體驗

林慶文[*]

一、前言——以「書寫」自療的人

昔時，與可墨竹，見精縑良紙，輒憤筆揮灑，不能自己，坐客爭奪持去，
與可亦不甚惜。後來見人設置筆硯，即逡巡避去。人就求索，至終歲不可
得。或問其故。與可曰：「吾乃者學道未至，意有所不適，而無所遣之，
故一發於墨竹，是病也。今吾病良已，可若何？」然以余觀之，與可之病，亦
未得爲已也，獨不容有不發乎？（蘇軾，〈跋文與可墨竹〉）

　　前衛版台灣作家全集中，宋澤萊（以下簡稱「宋」）被劃入戰後第三代，這種以文學
發展編年爲次第的歸位，足以說明他在當前少壯陣營中的角色。事實上，他之所以特別
引人側目，主要在於一九七八年《打牛湳村》系列小說的發表，尤其是受到陳映眞的揄
揚：「不論他自己是否有意，他的《打牛湳村》已經把爭訟紛紜的「鄉土文學」推向一
個新的水平。」[❶]。此外，彭瑞金更讚揚他在小說層面上推闊了書寫的時代內容，能由
單一的農民或家庭，進而深刻反省農民生活的社會體制下實況[❷]。上述評析或閱讀介入
作品的角度，無疑也反映當前「台灣文學」的某一種研究氛圍——對作品社會功能的專
注，就以若干寫定或未寫定的對他的小說評論來看，大體均在反映這個現象[❸]。
　　施淑在〈大悲咒〉一文中指出「宋」是一位具有高度內省特質的作家[❹]，這種深層
的內省或自我觀照，在其作品中流露出來的是一位耽於內視深刻意識流變的作者形象，
尤其是七〇年代大學時期的三部短中長小說——〈嬰孩〉、《紅樓舊事》、《惡靈》，

---

[*]　淡江大學中文系兼任講師

❶　〈變貌中的農村〉，《夏潮》雜誌，五卷四期，1978. 10.。

❷　〈《打牛湳村》簡介：現代農民圖〉，《一九七八台灣小說選》，文華出版社，1979.05.。

❸　所謂未寫定者，比如已有撰述中的學位論文，是從政治社會轉變的角度，以宋澤萊的文學爲取樣，看當
代知識份子的性格。見《水筆仔》——台灣文學研究通訊第二期，1997.04.，清華大學中文系。

❹　〈大悲咒——宋澤萊集序〉，前衛出版社，1995.06.。

都可見到一位臨水自照或刳腸剖腹的焦慮青年，雖然其中映見的是作者所不忍見的鬼魅夢魘及心理陰霾，而這種反身而誠的耽溺基本上是對現實的疏離，但這卻使他可以輕易擺脫文學思潮逐浪兒的尷尬。當他最富深層心理及意識流手法或存在主義色彩的這三部小說發表時，台灣的現代主義已告退而鄉土文學運動方滋，彼時，打牛湳系列卻成爲鄉土文學的典範先立，又如《等待燈籠花開時》系列經張系國品題，才知道自己這些作品應貼上浪漫主義的標籤❺，這種脫序與無知其實恰足以說明他作品中理有暗合的多樣變化與才性。

　　「宋」對創作歷程及心理轉變的自述，在九一年康原的訪問記〈拆穿騙局的人——宋澤萊的文學與宗教情懷〉❻中提到的主要兩篇是〈從《打牛湳村》到《蓬萊誌異》——追憶那段美麗・淒清的歲月〔1975～1980〕〉及〈掙扎人間——寫在《禪與文學體驗》出版前〉，以上兩篇各見於該書的序，而要完整彌補一九八〇後的心路，則要以〈從《福爾摩莎頌歌》到《血色蝙蝠降臨的城市》——追憶那段紅塵吟唱與尋求超越的時光（1980～1996）〉這篇文章爲本（見《血色蝙蝠降臨的城市》序）。斤斤於創作流變「史」的紀錄與探討可謂亦是其特色之一，當然我們也不好附會史學訓練本是他大學所受的專業養成。這三篇文章裡，對其各篇小說雖有清晰的作品繫年，但毋寧多敲側於心理意識的呈現與自我省察，而更重要的是他向閱讀者明示「文學」、「宗教」如兩束葦互倚不倒而構成他的生命重心，「宋」彷彿也在他的文學歷鍊中「發現」了這條軌跡，文學於他不再只是修辭，環繞其中的主要是來自於心理及社會現實的調適，施淑在前揭文中也指出：「創作對他來說，是掙扎也是解救，這樣一來，他的作品基本上可以說是自省和探索的結果，是他個人心靈災難的記錄。這情形在他最早的現代主義階段的作品，……有著直接的表現，就是他後來以現實生活爲題材的小說，仍大致維持不變。」依此觀點，我們似乎可以說：「宋」對現實的關注與批判其實是來自於他進行「自我拯救」（〈從《打牛湳村》，到《蓬萊誌異》〉中語）或「自我治療」的工具性運用，這也回應了前面陳映眞所說：「不論他自己是否有意」那句話，如此分析其實無損於「宋」對農村社會體制運作的深刻批評及成績，但一個貫穿其各個時期小說中常流露的主題——宗教，似乎在作者清楚揭示之餘，讓我們也無法加以迴避，更何況這個主題在愈晚近的作品中有愈趨重要的現象。

---

❺　〈從《打牛湳村》到《蓬萊誌異》——追憶那段美麗，淒清的歲月（一九七五～一九八〇）〉，《打牛湳村》等三書之新版序，前衛出版社，1988. 5.。〉

❻　《自立晚報》，1991. 10. 4.。

二、心靈中的廢園

> 因為他不在我出母胎以前殺我，
>
> 好使我以母腹作墳墓。
>
> 我為什麼要出世呢？
>
> 難道只為著經歷辛勞、悲傷，
>
> 在羞辱中消耗我的歲月嗎？
>
> ——耶利米書廿·17～18（現代中文譯本）

「青年宋澤萊時期」（大學時代）的三篇小說——〈嬰孩〉、《紅樓舊事》、《惡靈》，據「宋」自承乃當時耽讀深層心理學及社會心理學之餘所產生的誤解，也是其心靈曾誤入歧途的見證，衡其小說的確滋蔓戀母、性倒錯、青春期對同性的愛慕等氤氳氣息，深染存在主義式的荒蕪或虛無感。（為對抗虛無而力求自己的實存體驗，卻可能誇大了肉體及心靈方面的苦楚。）而意識流、獨白或對意識的溯源等運用，讓我們窺見內在的豐富，只是相對地現實感則稍弱，因為對意識的剖析及溯源，其對象本就是無時間性的，所以有人將小說中的母親及父親的形象解釋成台灣在近代歷史上所遭受的悲運，就略顯過度詮釋❼。

〈嬰孩〉曾被誤認為英法文學的中譯而引以為談，主角「我」是一個無法認同怯懦的父親但母親偏又早逝的青年，使得他戀母卻又急於掙斷臍帶而自立，一方面又缺乏愛的灌輸而不能遂願，加以「我」對變化中身體的敏感與焦慮，因而構成一副沈鬱內省而神經質的性格，最終因為各種挫折，在不堪負荷之下飛奔掘開母親之墳而仆倒其中，象徵對生命之源回歸的徹底絕望。其中一位人物「楊雲龍」的角色，是一具有道德潔癖及偏執性格的類型，楊的告白是：自小寄住在舅父家，舅父從事教會中事務，但卻暗中與牧師爭權奪利，是一位口呼主名而惡事作盡的法利賽偽善者。楊在聖與俗對立煎熬下而有人格異常現象，這種內心衝擊引發他積極投入校園社團中的福音合唱團工作，甚而打算在校門口宣揚道德與愛，結果是因精神異常而休學。小說中的「我」因為楊交待他執行寫匿名信勸誡某位耽於淫亂的教授，最終也難逃被學校處罰或退學的命運。楊與「我」的性格在某些地方是有其同質性，在宗教上的固執、不妥協，卻又更彰顯一己的軟弱，使得陷入「律法主義」上的某種偏執。

《紅樓舊事》以第一人稱「我」自敘大學歷史系學生在生活上的「私德」與「失德」，技巧上採取對意識流逝的追憶，以環繞「性」的問題展開序奏，由對年長女考古學教授

---

❼ 〈解剖刀與社會良心——再論宋澤萊的小說〉，高天生，附《蓬萊誌異》後。

莫莉的情慾（知識上的考古與戀母的原慾有象徵上的關係），倒敘年幼失母而對女性角色的認識產生困擾，更由於自身性器上的病症，對男性陽剛健美發生欽羨，至於對父親角色的認識方面，「我」的父親是一位表面敬虔的牧師，能以生動激越提昇人的靈命的語言證道，卻偏有著廿世紀人類的印記：戰爭、流亡、漂泊、痙攣、焦慮等癥候，（其實由著血緣的遺傳或時代的習染，自己難道不也得列入此世紀的人物誌中嗎？）而父親對肉慾的耽溺（喪妻、續弦，趁妻子回娘家時召妓），在窺見父親狎妓行歡之餘，使初識罪惡況味的他由其父身上得到「罪行」落實的啓蒙，原來抽象的罪的潛能，是可以在鮮明的事件上彰顯的，由此，父親的敗德引發自身對遺傳上帶有惡的血質的恐慌與焦慮就更加深了。這種情節上的衝突設計與〈嬰孩〉中的楊雲龍舅父的偽善是相類似的。此外，小說中安排了一段學生對佛法的對話與討論（頁43～51），則可以看作是一場智力活動及對生活中迷惑的嘗試釐清，不過本篇在結尾上則異於〈嬰孩〉而採取較唯美凄絕的散場方式，小說中的「我」在經歷幾番心理周折而決定放手一愛女孩──吳靜蕙，終因精神病發而捨離。（精神病──又是一種遺傳上的宿命。）

《惡靈》是此時期的長篇，原名《廢園》，在遠景版時改名，其實《廢園》一詞很能點出異於前兩篇的旨趣，即將個人意識擴大到家族來討論，有點爲心靈意識尋根的意味，以「廢園」的傾圮滄桑意象來烘托鄙視自己血緣的企圖。在童年的銘記方面：族中年長二姨婆之喪、長輩教導幼童遠避死亡禁忌的異態、祭禮中的鬼怪、鄉間萬善祠的信仰及陰森氣氛均是幼時的心靈烙印。而對生命的疑惑不安恐怕是青年宋澤萊思想上的「死病」。當小說中的我，面對家教女學生──汪淑萍常久以來因兄長自殺而抑鬱且造成家庭不諧時，「我」的開導的長篇宣言是：

> 人在未察及他宿命的容顏時顯得何其的無知；而在窺得自己宿命的容顏時又顯得何其衰竭；而在正視自己的宿命後又裝著無所謂的態度則顯得何其虛僞；而不以此種虛僞爲虛僞的人又是何其顛頂；而此一顛頂再與他悟出的無所謂之道再回頭與人類的衰竭、無知、宿命聯結在一起，並以麻痺來扶持它，這便是偽善啦！籠罩人類千年的大幻象──宗教及其同質團體於焉誕生，那麼人類該如何去解決這問題呢？
>
> 發表你的救世之道如何，我要談些論調，是老套：今天，就是昨天也一樣，都沒有誰能拯救你，亦無任何神能讓你依靠，往日的幻像宗教要你去當爲一個神底下的人，完全是神創造出來的那種人，但今日的necrophilia先知瞭解那是千年大幻象，今日的necrophilia要求每一個人都成爲神，唯有你成爲自己的神你方得到救贖，唯有你成爲神方瞭解什麼是人，唯有你成爲神方才擁有內知的理智，唯有全

體人類都有全知的理智，這世界才有希望，necrophilia的大同世界才臻完成，人類們，焚毀你們的手中聖經吧！再用自己的筆調寫一本聖經！人類們，焚毀你們滿櫥的佛典吧，再用自己的語錄寫一本佛典！人類們，鼓起勇氣走入necrophilia的世界再走出去吧！一切都將太平！（頁163）

看！這篇出於不安靈魂的理直氣壯的闡述，是為宣揚與「生之歡悅」同樣值得尊敬的「死之權利」的理論指導，是年輕人帶著偏執與冒險去探索惡的領域所激發的快感或自以為是的嚴肅，結果懵懂的少女終於步上與其兄同樣的歸途——在書房中吞服安眠藥自殺，這時「我」如何自處呢？

在我的思想裏，我總以為necrophilia只是虛幻底下的我的觀念而已，而不知道觀念也會變成事實的我，卻意外地收到了這個成果，一下子美麗的事實幾乎撼動得我搖晃起來。

不是嗎？你是偉大的necrophilia的教主啦，你現在不是擁有一位堅信的受洗者嗎？你如同基督的教訓竟也有實現的可能，這下子，你的理論不是獲得了最高的證實嗎？你不再是空泛的人啦，你變成最實際的人類未來設計家，一切都無悔恨的必要，你鐵定成為necrophilia的創發者，你是先知。（頁218）

「我」眼看惡的理念能藉由宣導而有人去落實，心中實有狡獪的愉悅，但卻也難免教唆殺人或難贖前愆的驚恐。這是「宋」早期所擅長的意識的自我剖析與議論，在上引的這兩段中帶有無神論的色彩，類似的議論方式在後來的《打牛湳村系列》到《蓬萊誌異》已少見。

三、呼喊父名

〈花鼠仔立志的故事〉是《打牛湳村系列》的首篇，型式上仿古，內容則貼近農村的生活脈搏。前面有一段仿宋元白話小說的入話，「宋」則以說話人的角度見證農村社會「畸零人」花鼠仔的荒謬行徑。花鼠仔早孤，由姑母帶大，父親早年參加抗日被殺，成長後的花鼠仔一直在尋找父源，一度以為是韓信，又一度認荷蘭人為父，最後則又以為己身是彌勒佛之子，結果被法師順勢藉機利用為靈媒，當上乩童。說花鼠仔是農村社會的畸零人至少有兩層意義：一是由其對父源的尋求可以知道，在沒有經過對父親角色的模仿與學習之餘所產生的自卑與無法自振；其二，花鼠仔對自己的出身相當鄙夷，他終究是與鄉人同一風土，但卻不滿於鄉人的自足與自得，就這點而言，他其實很能洞徹

未來,看出了農村的不足與匱乏,或者,也可以說花鼠仔是農村的縮影,他對社會的適應不良何嘗不是印證農村在發展過程中的具體病症,他的顛狂其實是農村社會在吸收或抗拒外來觀念時,歷經激烈震盪而形成。再者「花鼠仔」一名或許還有混血或雜種的意思,從花鼠仔所誤認的父源來看,他追尋的似乎不是血緣的認同,倒毋寧是精神或文化上的法乳,所以這些父親的名字便格外有意義,韓信/漢,荷蘭人/荷人據台,生父/(被日人所殺),又對西洋神父盲目崇拜,這些父名便彷彿是曾經影響或還在影響著台灣的文化的符號,在多方文化的淪肌浹髓作用下,花鼠仔焉能不異常,而他最終卻選擇彌勒信仰為依歸,這又是一大諷刺,在文中「宋」帶有貶意地描繪鄉人對一貫道的信仰現象:

> 原來打牛湳村的村子裏許多人都暗中信了一貫道,這教原是白蓮教的一支,崇拜一個彌勒佛,原也是佛裡的一個尊者,但這教剽竊基督教最後審判的教理,便稱世界末日即要來到,若要得解救便只有堅信一貫道,那彌勒佛早釋迦牟尼五百年出生,凡釋迦沒度盡的眾生都由他負責度去,若執一個敬拜的心,便是災劫到了都不畏它,只會上天堂去。打牛湳一聽都信了它。

於是花鼠仔依附了鄉人所崇敬的宗教,實則骨子裡還是可憐又可鄙的,而且他的立志尚未終了,這也意味著文化的抉擇所帶來的痛苦似乎無有底日。

四、異教的喧囂

〈救世主在骨城〉在形式上,分章加上小標題頗類章回小說,故事場景在台灣中部名叫骨城的小鎮,時間是七八年中美斷交後,「關係正常化」和「五項公職選舉」進行之際,政治上的詭譎氣氛藉由庶民的宗教信仰加以嘲諷戲謔,節奏輕快,在章節的銜接上,基本是採取基督教/民間宗教,輪旋的對話方式,可說是各宗教的八音齊奏,喧鬧活鮮,其中各宗教的神職執事幾乎無不唐突滑稽。

在基督教方面,牧師倪大身裁矮胖是神學院早期畢業生,曾幹過醬油店、餐館伙計及屠夫,有志未伸就放下屠刀入神學院,畢業後在異鄉流浪,終而回到小鎮牧會,是個靈性全無的神職人員。由於中美關係正常化騷動了骨城中的信徒,這些信徒的形象多為社會裡,中上階層的分子,這種角色的安排與設定,基本上是作者預設基督教在普遍大眾心理中的印象,包括醫師林雄、農會總幹事陳水雷、木材廠兼小戲院老闆顏朝明、郵政局長許彪、高中教員詹儒。因為政局看似將有一番動盪,所以在倪大的妻子作出預言

後展開在教堂辦移民講座的鬧劇，還將其比附為出埃及往迦南地，而主持講座的竟是個開旅行社因過度縱樂而罹患肝病重症的患者林寶，在移民的號召下吸引了一些人上教堂，這註定會是一齣鬧劇。倪大的老師王教授是一位精通中古世紀神學、宗教學、靈魂學的神職人員（其實揶揄成份居多），在教派中地位頗高，自稱已得道且將成為使徒之一，他極力宣揚新而獨特的國家觀，即借助美國進行台灣獨立運動，最後卻飽受輿論批評，教會人士不得已只好加以指斥一番，至於他的助手則一律革職，於是倪大又只好失業而幹起醬油店老闆，但倪大反而自以為得到解脫。

在民間信仰方面，主要是王爺信仰（朱府王爺）及一貫道等，其中王爺廟的香火形成，就如同描繪台灣一般民鄉信仰的來歷。首先由朱姓居民偶然間拾獲枯骨，於是民眾囂然驚恐之餘，蓋了小廟加以奉祀，最後迎了他地的王爺神靈且索性冠以朱姓而血祭。王爺廟裡的法師兼乩童叫李灶，是個學建築的專科畢業生，受其父影響喜愛法術，失神遭車禍，但在醫院中卻能通鬼神，其父李頹是唐山師父嫡傳的符仔仙，在家設鸞壇，懂堪輿、畫符，但李灶頗不齒其父以法術詐財，尤其李頹與一貫教點傳師蛤蟆教主合謀，預言末日將至，鎮民信仰中心朱府王爺出走，於是要信眾前往北部迎回王爺，借機要信徒每人捐款五千，李頹則向點傳師協議分紅兩成。小說在這些地方都安排李灶出場，由李灶的神通來批評社會的不義，他能見到王爺廟中群魔亂舞，看到鬼怪的世界依然如同人世間的勢利，最值得注意的是對一貫教有直接的批評，如：「幹！連鬼的影子都看不到，便創起教派來了，四書五經都弄不通，便講起什麼道。」還描寫一貫教蛤蟆教主一天要吃二十個鴨蛋，信道的年輕人不嫁不娶等，這些都是早期一貫教派予人的印象❽。至於技法上，最引人入戲的還是描寫李灶施法、鬥法的奇幻場景，揉合魔幻與真實，可以說這個人物的形象在「宋」的五指搬弄下，充分達到淋漓酣暢的諧謔效果，而在敘述部分作者正面加以嘲弄的情節如：迎神進香團的隊伍以載運豬隻的貨車作神駕，又控訴關公、李靖這些民間信仰中的神祇，凡此呵佛罵祖說盡人神間的荒唐。

〈救〉篇在結構上有我們先前所說的二分，基督教／民間宗教，我們似乎也從中窺出「宋」對此二者有明顯的本質上的區劃，雖然他一反嚴肅的筆調而改採輕鬆謔笑的方法，且議筆不多，故事進行相當流暢，微能指瑕的是，結尾部分作者的自述寫作源由，又故作輕鬆地悲憫地方父老為鬼神所惑，這種直接現身，雖亦滑稽，不過與全文略感不諧。

---

❽ 有關一貫道的教義及傳教上由查禁到解禁的政治過程可參考林本炫著《台灣的政教衝突》一書中第二、三章，及瞿海源著《台灣宗教變遷的社會政治分析》第十一章。不過宋在禪修上也肯定一貫道的某些作法，見《拯救佛陀》頁八一。

五、鄉譚中的宗教風情

　　相對於《打牛湳村系列》及《等待燈籠花開時》,「宋」以為《蓬萊誌異》是其最有意經營刻劃的系列,主要在於役畢後對世事有了較深的體察,還從中了然人在現實中的有限與宿命。在這些短篇中,與宗教主題有關的可有四篇。

　　〈許願〉中的粘三多是一位小生意人,他對關聖帝君的信仰純是功利的角度,不論是擲筊或祝禱全以己意強釋神旨,十足反映逐利小民的荒唐信仰心態,寓批評於嬉笑中。

　　〈小祠堂〉中敘述主角下鄉尋友李然君,李為民俗學研究者,回鄉作家廟及宗廟祭祀的田野調查,於鄉間偶然發現萬應公祠,祠主赫然是失蹤者李獨,李獨是村長李丁山的傭工,由於村長父親死前曾允諾將土地之半給予李獨,所以世人以為李獨實為村長父親的私生子。李獨勤力耕種,但終不敵農村經濟的凋敝,村長在不得已之餘賣地往北求發展,李獨隨而失蹤,二年後,人們發現他以身殉地,但猜不透何以能隱密地自埋於賣出之地中。全篇結尾略帶鄉野奇談,但主要還是在訴說農村經濟的不堪。

　　〈創痕〉記敘一群知識青年赴北港朝拜媽祖觀看進香信眾的陣頭民藝及武乩童的儀式,其中有人對這種自殘形軀的宗教儀式頗不以為然,譏笑其缺乏高深的宗教內涵與反省[9],由此引出許君追憶其父執輩年輕時,因太平洋戰爭遠赴南洋作戰時,身體留下的創痕及戰火炮烙下的印記,全篇迷漫對庶民信仰及父執輩的事蹟,寄以懷舊的情愫及認同。

　　〈婚嫁〉中的林芙蓉是古鎮上的大家族之後,由於迭經土地變革,門祚已衰,佳期又一再延誤,這多歸咎於她大戶禮教的風雅與已然衰頹的家勢間的不諧調,於是滿懷怨懟下嫁蓬門,遠徙都市,輾轉中加入教會,憑藉教友人脈經商販賣藝品而致富,終於宿願——「沒有成功的一天,我當然是不會回來的。」得償。回鄉後在教會中為女兒舉行盛大的基督教儀式的婚禮(這一部分的描寫頗為詳細),將女兒下嫁日本人田中先生。林芙蓉回鄉後細數從前,雖不無感懷,但成功的喜悅又填補了對過往的遺憾,甚而是父喪不臨的遺憾。婚禮後,面對送女前往異國時,林芙蓉無疑希望女兒能有如自己從前一般決絕割捨的意志,只是女兒說出心中有「被迫、被賣的感覺啊!」或許這篇小說的意涵在於成功地以基督教(非本土文化)、日本(田中先生所代表,在本篇中是一個無形象、聲音的符號運用)與古鎮(傳統文化)三者間的交揉,點出在服從傳統抑或努力自主而掙扎於不同文化、宗教間的心理過程,林芙蓉之女的吶喊揭出人在異文化中不得不然的被動接受的

---

❾　乩的簡單探討可參宋光宇著〈從正宗書畫社這個案例談乩是什麼〉,收入《儀式、廟會與社區——道教、民間信仰與民間文化》,李豐楙、朱榮貴主編。

無奈。

這些小說議筆不多，「宋」以其所謂「自然主義」的寫法，著墨人在環境中的有限，而環境對人的凌虐與殘酷是人只能坐而無能或改的。

六、淨土／廢墟

《廢墟台灣》是一部以未來的觀點刻劃現今台灣的「擬紀實」，所謂「擬紀實」是指在全文結構上，以一份曾生存在廢墟島上的人物李信夫所撰的筆記作為徵信的證據，至於「未來的觀點」則意味著它的預言性質及虛構的屬性，本來，「虛構」（fiction）一詞就是「小說」的語源，至於作者的苦心則由此書在發表後不久便爆發蘇俄的車諾比事件，為書中陳述作出符讖成真的印證，所以後來在介紹此書時便以「台灣末日啓示錄」作為聳動的宣傳，但是綜觀全文我們發現其中筆調其實非常和緩，並沒有太多的激情、不安或驚悸，它彷彿是在陳述一件已經歷史化的事件，這種「距離」使得敘述者可以帶著一份事不關己的從容優雅，只是這種態度卻惹起我們輕微的不滿，因為被陳述的對象，廢墟中的人們正是自己，而我們卻如此無能為力，尤其是，雖說本書是預警性質，但無疑的，它流露著宿命的情調，它指出一種歷史的必然，雖然這種斷言在哲學上是背謬，毋寧是出於道德情感上的苦心，可是我們只要一讀此書前面的六段有關史賓格勒、芥川龍之介及藍波的話，就知道這些引言原來是作者預作張本或寫作時的備忘錄，如藍波〈文字的鍊金術〉中的摘錄：

> 我變成一齣荒誕的歌劇：我看見所有生命都有命中註定的幸福；行動並非生活，而是揮霍體力的一種方式，一種萎靡。道德是腦力的衰弱。我的健康遭受威脅，恐怖降臨，我沈入一連數天的睡眠，醒來後，繼續做最憂鬱的夢。我駕輕就熟應付死亡，沿著危險路途，我的衰弱引領我走向世界邊緣，那是陰暗與旋風的國度。

相對於這種負擔沈重的虛無態度的是誠如傳大為所說：「對思想上無論是複雜、混亂或單純的讀者而言，《廢墟》所呈現的西元二〇一〇年的「未來台灣世界」，有一點很令人驚訝：無論天空中充滿了多少浮塵、廢墟風暴，無論地上充滿了多少輻射與殺人噪音渦流，這個未來世界的心靈世界卻是異常坦白、赤裸、直來直往而乾脆。❿」而宗教心靈的社會機制更是簡明單一，起因是各項「宗教管束法」的壓制，政治力可以輕易決定宗教生態。在宗教中，最主要的是基督教，此外，佛教在2000年的抑教後曾試圖振

---

❿ 〈從廢墟世界來的挑戰與鄉愁——談《廢墟台灣》的一種讀法〉，原文收在《知識與權力的空間》，已轉載於《廢墟台灣》書前。

興而由「涅槃和尚」創立「無教產、無寺院、無集會」的「涅槃教」，鼓勵信眾遵行素樸原則及「提早圓寂」，最後，執政者發現這項宗旨無異是倡行自殺，便隨即加以抑制而終歸沈寂，此處「涅槃教」特色其實可以看成是基督教無教會主義及佛教個人禪修的結合。最重要的基督教可分為三個教派：一九九五年基督教由半官方的李約翰發起，吸納各小教派，李約翰猝死後由李聖智指揮統一運動，親執政的超越自由黨，更名為「太陽教會」，其實是政教合一的型態，不過是御用的團體，由政府遂行護教。其二是「迦南教會」，由溫和開明的知識份子組成的半公開團體，否認政府宣傳的「新社會即天堂觀」，這是個小心善盡言論監督的組合，其實寓含譏諷知識份子的蒼白軟弱和基督教有中產階級化的現象。其三是「幽谷教會」，由激進的改革份子組成，成員多屬下層社會，同時與「涅槃教」的殘餘份子互通聲氣，較具改革動力，但在島嶼遭受核射線外洩後，此派教友為避免二度傷害，選擇入山避禍，但這無疑是宣示對新社會的挑戰，旋即受到武力制止，主事者李灼被控叛亂而遭處死。在比較諧趣的部份是位神經質的女人辛太太向牧師求解，她見到異象，夢見自己是〈啓示錄〉十二章中的婦人，這婦人在原經文中是誕育神國選民的象徵，戾龍（撒旦的象徵）雖欲傷她，但終不敵神的大能，可是在辛太太的夢中，婦人卻被龍所噬，類似這種神經質的女教友的典型，另外一例出現在〈救世主在骨城〉中的倪大牧師的妻子。

七、先知的罪與罰

　　九五年總統大選前張大春以魔幻寫實及虛構新聞的手法發表《撒謊的信徒》，此一應景的作品有大選的氛圍為它贏得更多閱讀消費者的青睞，書甫發表即刻攀昇為當時的暢銷小說。其實以李登輝的宗教信仰為題，切入論說台灣當前的政治生態及其環結的作品，「宋」在九四年三月所發表的〈變成鹽柱的作家〉是一篇很有深度的作品⓫，這是一篇為台灣人心靈進行除偶像儀式的佳構，全文寫作與理解架構都放在基督教教義的背景下。故事由主角因罪（不馴服上帝異象的指示與教導）受罰變成鹽柱而展開，共分五章，結構份量上並不均等，除第五章為結語外，前三章極短，第四章最長為故事主體，敘述主要採第三人稱（見證會復臨報主編）對事件加以評論，還包括主角的心理過程的全知。主角是T市教育局的員工，身兼作家同時也是議長的女婿，（事實上主角的性格與特質明顯有「宋」自己的身影在）他原本是不信上帝的人，但市長本身是五旬節教派的信徒，在經不起市長一再邀約，參加了某次五旬節教會的聚會，在這個以靈療為特色的新教派聚會中，

⓫　見《自立晚報》一九九四年三月二十六日至四月七日的連載。

當台上講員闡述「耶穌的神蹟異能」時，主角突然被聖靈澆灌，從此具有醫病的恩賜，也就在當場還治癒了一位身罹腫瘤惡疾的婦人，此外他也能輕易說出預言，雖然這也使他與教友間的關係益形緊張，因為他總能無誤地指出其他教友在某些行為上的敗壞，不過最嚴重的對立衝突在於選舉將屆時市長與議長的人情包圍，這兩位均有恩於他，市長是他的婚姻介紹人，而議長是他的丈人，（這本非一椿良緣，毋寧是一場詭詐，議長之女曾離婚又育有一女，性格貪容粗鄙，殊不愜主角之意，不過在市長引用聖經多處經節訓導：人獨居不合神旨時，終於誘主角入彀）由於選舉將屆，市長尋求連任，但主角卻清楚見到市長賄選的異象，基於宗教上的良心，他必須揭發，但卻受到市長及議長的多重壓力，其實他們均憚於他的預言能力，於是市長為動搖主角心意，便稱主角之異象乃魔鬼作工，且自許得到神的應許將連任，又玩弄詭局明示主角：如果你說異象指出我將賄選，但如果我不賄選，那麼你將落得冒耶穌之名作假見證云云。不過最厲害的是市長得到李登輝的背書，這已是國民黨打總統牌的選戰模式，但在此「宋」特別指出李登輝作為領袖及基督徒身份的結合，（基督徒對有相同信仰的人作為領袖，尤其在身處異教之間，更會相信或珍惜這份神的應許，從而或許會有太高舉其人的弊病）主角終究沒能揭示自己所得的異象，（甚而某些異象也指出總統的選舉模式其實也相彷彿）終於難逃與上帝對賭的下場，變成鹽柱。主角自述：

> 上帝給我的懲罰我很清楚，就像蛾摩拉被燬時回頭過去瞧看蛾摩拉的那個女人一樣，有許多的經文家對那女人被變成鹽柱的看法不一，但我一向總把它解釋成或是那女人對罪惡的眷戀比對神的話語的信任要多一些。

市長曾諧謔又嚴重的對主角說：「你要相信李登輝還是你那狗屁的異象呢？」作為一名教徒，市長這問題可謂極其荒謬，但卻可作為一嚴厲自我批判的設問。「宋」以基督教義批判所謂「李登輝情結」，除了「宋」本人的宗教體驗與認識，剛好針對李的宗教信仰。此外，當主角在五句節教會中獲得異能時，他表示「這是一種最快速的進入基督徒奧義的方法」，這裡顯然有「宋」的宗教經驗之自況，而故事中的主角離奇死後，印證「上帝為了責罰他的懦弱以及他對世俗偶像的喜愛，終於把它變成鹽柱。」主角的死，讓原先所得的恩賜有了更深刻的涵義，即：白白得恩卻又在罪中死去，這一嚴肅的主題，宋的除偶像企圖雖然還有所保留而不甚顯豁，但至少已清楚意識到贖罪的代價，同時也是對民眾政治心態及社會現象的深刻反省。

八、惡的形上學

九六年五月出版《血色蝙蝠降臨的城市》（以下簡稱《血蝙蝠》）是「宋」的新作，關

於書名中「蝙蝠」的意象在其小說中是有淵源可考的。可以說,蝙蝠的蘊義在他的小說中往往是背反傳統庶民的福氣形象,反而較接近鬼魅出場的背景氣氛,在八〇年出版的《黃巢殺人八百萬》中收有〈危機鹿城詩——以這首詩來繫念抗日詩人周定山〉(寫於七六年),其中有詩句如:

> 蝙蝠狂顛的舞姿暴漲拉長是橫行俯沖的巨靈
>
> 晚間他們飛臨在蓬頭垢髮的城市頂頭去築巢
>
> 吃去整個智慧的生機以及在更鼓中你顫顫的死訊交感在他們隱形的音波間

蝙蝠的舞姿帶出妖氛凝重,所描繪的是日據時期鹿港的社會氣候。而後繼《廢墟台灣》持續強烈現實批判色彩的是《弱小民族》,集中收有〈抗暴的打貓市〉(先以台語寫就再譯成北京話,八七年),在這篇小說中,「宋」以銳利而尖刻的語言對台奸李順天及兒子李國忠,李國一兄弟進行撻伐,(對台奸的批評另一篇是收在浪漫主義時期《等待燈籠花開時》中的〈麇城之喪〉,用來警醒人們對台奸歷史的輕易淡忘,不過此篇語言較溫和。)「宋」以「虛構的紀實」對台奸的發跡始末進行深刻描繪,尤其是三七年三一〇打貓港大屠殺事件中,李氏扮演告密者向陳儀所代表的政黨靠齊,李氏輕鬆地解決了李國忠情敵簡世雄一家,隨後由於執政者的縱容與扶持,更進而掌握把持打貓市的政經資源,但李氏終究無法免去犯罪的代價,甚而李國一在一次運動會中失神地喊出:「看呀!紅蝙蝠船來了!紅蝙蝠船!」究竟什麼是紅蝙蝠船?

> 那的確是一個神秘的現象,他們兄弟曾對別人說:「紅蝙蝠船是一隻滿身都流著血的船。」是呀,也就是那種血色的記憶、恐怖的夢使他們兄弟陷入枷鎖之中,他們不知道要怎麼去避開那個惡夢的襲擊,那是他們生命中日夜糾纏的血色之船。

「血色蝙蝠」在小說中數次以夜夢的形式出現,代表個人對心理意識的回溯,小說中台奸李國一在夜夢血蝙蝠船後的告白,其實也說明人在罪惡中的軟弱。

我們似乎可以認定「血色蝙蝠」在「宋」的修辭中幾乎是罪惡的象徵,亦即蝙蝠的舞姿是罪惡的蔓延,在神聖或罪惡的領域中我們不斷藉著比喻與象徵來言說我們的經驗及感受,但「宋」如此「固執」於「血色蝙蝠」的意象,又同時清楚意識到它的內涵,似乎這也是「宋」個人宗教經驗中的銘記印象吧!由此「密碼」來解讀《血蝙蝠》將會更清楚「血色蝙蝠」的意涵。

可以說,在〈抗暴的打貓城〉中「血色蝙蝠」反映了李姓台奸「對罪惡的焦慮」,似乎李氏尚未全然泯滅天良,雖然文中宋幾乎是以極嚴峻的字眼來訴說台奸的可恨,而在《血蝙蝠》中,蝙蝠的功力增強了,也就是說,蝙蝠在〈抗暴的打貓城〉中只是一個

「罪惡的符號」，但是在《血蝙蝠》裡，它進化成能傷人、致命的能動物，從而它也是能與「善」相頡抗的勢力，整部小說似乎也來自善惡二元的對立架構，而最終則演成聖靈與撒旦的對抗。

九六年的《血蝙蝠》基本上可以視爲是八七年〈抗暴的打貓城〉的發展，這主要是依從結構上的設計來看，這種技法如「宋」所自述是類似同心圓的報導方式加以敘述⑫，至於內容上，我們可以清楚意識到「宋」在試圖尋求惡的根源性問題。

《血蝙蝠》中的主角彭少雄可以是台灣社會問題的具體象徵：黑道、金錢與政治腐敗共生，全書即以他爲主軸，展開各側面的描述，不過彭這個角色其實並不具有明顯的人格特質，究其實只是一個符號，一個罪惡的印記，（從這一點而言無疑是異於人的）他也許能爲自己的行動實踐作理念上的反省，當然絕大部分是對惡的存在作辯護，至於彭的惡跡包括以暴力圍標、介入選舉暗殺選舉對手、軍火買賣等，幾乎是報紙上社會新聞的匯集，不過最終讀者會發現彭少雄其實是「惡靈」展現其意志的工具，是「惡靈」媚己的鶩狗。

在書中的第二篇「法戰」部分，惡靈藉著彭少雄挑戰了民間信仰，表面上是彭爲了社會聲譽以介入各宗教團體，拉攏壯大自己的社會資源，但卻變成惡靈與各民間宗教人物的鬥法，這些庶民信奉的宗教之執事者包括：世尊公墓的管理員吳厚土、海將軍廟的啓靈師父陳旺水、九天仙女廟的女醫顏天香等，這些人物都具有某些通靈或醫治的能力，但全都不敵彭的法力⑬。而第三篇「貓羅山之行」及第五篇「蝙蝠巢穴」則紀錄了基督教聖靈與血色蝙蝠所象徵的戰爭過程。故事中身繫引入基督教這一部分的人物是唐天養，一位熟諳原始佛教及禪修的人士，同時他也參究中西哲學，在一次機會中他領受了聖靈的澆灌，而後更有醫病的恩賜與見證，其能力甚至可以印有十字徽記的手帕爲國際上的患者治病，（書中在唐天養部分的敘述十分詳細，其中多少是「宋」的自況，這一部分也可參看〈變成鹽柱的作家〉中的主角。）但唐竟不敵血色蝙蝠而身受重創，最後到貓羅山村尋薛以利亞傳道並得醫治，還與其共同探尋惡靈血蝙蝠的巢穴，最後終於尋得並藉銀色醬果的法力將巢穴剿滅。（銀色醬果由十七世紀耶穌會教士唐何多阿塞所傳給羅義耳，羅於1850年出生於英國長老會

---

⑫ 見《血色蝙蝠降臨的城市·序》頁十五。

⑬ 陳文珊在〈談宋澤萊晚近作品中的神秘經驗〉指出：「從價值層級來論，則宋澤萊似乎以爲，基督教的上帝爲最高的存有，其次爲民間神祇，再其次爲撒旦；但若依照靈力的大小來排列，順序又不是如此了，顯然民間信仰略遜於撒旦的權勢。」基本上在本書中還是善惡二元的宇宙架構思考，民間信仰的生活背景與淑世觀在他身上的作用也是使其筆下常有這些神祇出現的原因，人可以在各宗教上獲得神秘的宗教經驗而在靈界合一，是宋的觀點，不過若問民間信仰的神力的根源問題及層級問題，恐宋所未意識到。

家族曾到遠東傳教,年老後重回台灣,一九四七年二二八事件後因同情而接濟上貓羅山避禍的台灣人,同時
將教務移交薛以利亞。)第六篇「市長之死」,藉由一份署名爲彭世傑所撰的 A 市地方誌的
擬紀實報導,追溯彭少雄的死因,表面上死因是在逃避軍警圍捕時致死,但經多方探訪,
赫然發現其實彭早已死亡,前面各篇中所出現的彭少雄不過是邪靈所控制的軀殼罷了。
從寫實與魔幻的角度來看,在寫實的部分無疑是有所本而貼近庶民生活中隨時可見的粗
糙、黑暗的生活紀實;而在魔幻的部分,它的虛構卻展現了「詩質的可能」,而這種朝
向未來的可能,其實也是一種警訊,尤其從彭少雄死後尚能爲惡的角度來看,這其中根
本是一種很深層的悲觀,是對惡的宇宙性結構予以形上的肯定,本來犯罪的重價是死亡,
但如今死後卻仍能招惹更大的惡行,這從而揭露了對「永生」這一觀念的逆轉:你對「
永生」的信念有多大,你就要承受與其相反的可能,在對彭少雄的描寫上,可以看到被
拯救前,人受罪惡擺弄的軟弱。

九、結論—聽預言的人

> 我說:「至高的上主啊,先知預言沒有戰爭,沒有饑荒。他們說,你允許我們在
> 自己的土地上享受太平。」
> 但是上主說:「那些先知假借我的名撒謊。其實,我並沒有差他們,也沒有命令
> 他們,或向他們說過一句話。他們的異象不是我給的;他們的預言只是他們自己
> 的幻想。所以,我——上主這樣告訴你:我要對付那些不是我差派的假先知;他
> 們假借我的名預言這地方不會有戰爭,不會有饑荒。可是我要用戰爭和饑荒消滅
> 他們。那些聽他們說預言的人也要遭遇同樣的結局。」
>
> ——耶利米書十四章13～16(現代中文譯本)

對宗教經驗在文學創作中的重要性加以再三致意的,「宋」可列名其一,雖然宗教經驗
誠如康德在《通靈者之夢》中的兩點闡述,它是:獨斷的(形上的)、歷史的(經驗的),
而這種理性的檢覈在文學依美感原則的指引下,可以消解其責難,相反地,在很多宗教
經驗的描述中,其修辭毋寧更趨近詩質的語言展現。「宋」對宗教的體驗是很深的,而
這種修爲表現在其作品上,可以依從兩方面去加以討論:一、有關宗教主題的修辭(包
括宗教問題的探討及小說經營上的需要)其二,個人的宗教經驗。前一項是宗教知識的研究,
第二項是個人心靈宗教意識的剖析。據「宋」所述其對宗教修爲銳意精進是在八○年後,
也就是《打牛湳村系列》及《變遷的牛眺灣》完成後,彼時其處境如何呢?

　　那時我的自我拯救仍未展開,宗教意識猶未萌芽、歷史的腳步才剛被聽見,我的

心裡仍盤著愛倫坡的幻夢，夜裡呼吸到史特林堡的氣息，白天籠罩著芥川龍之介與莫泊桑的陰魂。

這透露出在〈嬰孩〉到《惡靈》的三篇現代主義小說中，「宋」冷靜回憶挖掘到的躁動焦灼的心靈圖像所給予的折磨，在進行想藉由《打牛湳村系列》的書寫以自我治療的作法上是失敗了，而這兩階段的風格上有很明顯的差異，在〈嬰孩〉等三篇中，獨白與對話大量運用，長篇的論述及哲學沈思的語錄多有，但是在《打牛湳村系列》中則改以敘述、描繪的手法為優先，至於這兩階段的心境與態度，在執定宗教為個人生命重心後有了進一步的結合，一方面現代主義時期的深層心理觀照轉成個人禪修上的內省，而彌補這種方式所帶來的反歷史與社會疏離，則持續關心更多的社會課題，比如《廢墟台灣》的寫作便是因為「大概當時因打坐十分起勁，心靈異於往日的乾淨，不免就有潔癖，對逐漸遭受污染的環境變得不能忍受。（〈血蝙蝠·序〉頁十二）」除了這種環保的公共課題外，宗教的社會課題自然也成了用心的所在，因而《被背叛的佛陀》等書批判大乘佛教的庸俗化，更是個人宗教修養與社會關注的精準結合。

可以說在「宋」清楚認知到宗教對自己的重要以前，這些意識早已萌芽，我們從前面對這兩階段作品中所呈現的一些宗教主題的修辭可以得知，八〇年以後隨著宗教實踐的體悟所得，「宋」有了一些參禪上的開悟及基督聖靈澆灌的珍貴宗教經驗，這些經驗使得他特別重視根本佛教（指西元前530～486，即佛陀在世時期）或原始基督教特別是四福音時期經上的一些記載，或許他覺得組織化、教會化的宗教作為都是因應宣教上需要的社會機制，未免煩瑣，唯有直接契入宗教體悟才能真有所得，所以才會在判教之餘將自己歸位在初始階段，這種態度也反映在對經書文字上，而有像《禪與文學體驗》中「註解註釋未必有用」（頁131～134）的這一則見解，這種觀念順著禪宗的理解脈絡當然可以成說，有趣的是對聖經的理解上，比如在《血蝙蝠》中，描寫唐天養讀到〈創世紀〉第一章一、二節的經文時立刻有靈的感動，此處經文載作：「太初，上帝創造宇宙，大地混沌，沒有秩序。怒濤澎湃的海洋被黑暗籠罩著。上帝的靈運行在水面上。」從經文的理解上應該無誤，只是經節的確切文句，不見於通行的「和合本」、「現代中文譯本」等，似有可能是「宋」加以運用時的修辭，比較不符一般的引文原則，若然，便非常有值得玩味之處。

將個人蒙受靈恩作為一個小說人物介入作品中，「宋」在筆調上還是相當自制而謙虛，不論是〈變成鹽柱的作家〉中的主角或是《血蝙蝠》中的唐天養，因為，持續的社會關注平衡了將內在視為一完整世界或唯一價值標準的浪漫式宗教情懷❶，不過小說中

---

❶　小說中主角的心靈圖像如何在浪漫抒懷與現實上平衡，可參見劉昌元著《盧卡奇及其文哲思想》第三章

人物的對話性格不強，常由某一較強的觀念主導，其他人物在相形之下，顯得太過扁平而單純❺。

　　九六年底，「宋」又出版了《拯救佛陀》一書，此書標爲「根本佛教」的教本，倡行歸還佛陀本來的眞面目，主要闡述禪定的工夫，並示範修行日記，在教本中也可以發現「宋」對「根本佛教」的系統認識，其中倫理觀及社會觀還是他一貫注意的所在，也有部分是其「比較宗教」方面的討論，不管「宋」的宗教態度是折衷主義者、調合主義者甚或是混合的諾斯替主義者(Gnosticism)的論調❻，我們期待藉著他的信仰力量能創出更多警醒人心的作品，也但願他時常流露筆下的悲觀宿命，不是先知爲我們預示休咎的言辭寫定。

　　有關《小說理論》之部分。

❺　前揭註四，施叔指出：「相應於自省和探索的內在要求，在表現上，宋澤萊的小說呈現著濃厚的自我對話色彩，他經常以多視點的敘述方式，由不同角度探尋問題的眞象，或者透過人物及事件的平行、對立關係，逐一把訊息和意念展現出來。」在此處根據巴赫汀的主張將「自我對話」稍作修正，巴赫汀認爲：「獨白是一個由單一意識支配的、統一、完整、封閉的世界觀，是作者的權威意識主導一切的一元世界，各種不同的意識和聲音都成了作者獨白意識的客體對象。」而「對話意識」則是開放、多元、多極、未完成。（見劉康著《對話的喧聲──巴赫汀文化理論述評》頁一九二～一九三）誠然，這是一個兩極的概念分法，不過宋的小說處理手法是比較偏向於「獨白」。與此問題相類似的是在前揭註❼中，高天生對宋「自然主義」時期（此分法與宋的自我分法不同）小說的六點批評，其中第二點較恰當，也適合於其他時期：「人物的心態過份單純化，無法呈露人性的繁複與多樣性。」

❻　以神祕的宗教體驗作爲認識宗教的方法與預設，有其根本上的危險，這種「以身證道」的獨斷方式，未免貶抑「對象」而高舉「自己」，當然，有過宗教經驗的人，會更珍視這種體驗，甚而會對現實採取捨離或輕視現實價值標準。此外，某些宗教中的文化或許也不一定將神祕的宗教經驗作爲其追求的最高價值，比如新約〈哥林多前書〉第十二章中聖靈恩賜有醫病、行異能、作先知等九種恩賜，但「這一切都是這位聖靈所運行、隨己意分給各人的。」今日看來幾乎是比較難信的行異能與醫病的能力在初代教會時期並不少見，「宋」對此點自然也深知，不過聖靈「隨己意分給各人」表示這些能力非如靠參禪的方式可以自救。

引用書目

1. 宋澤萊，《宋澤萊集》，前衛，1995。

——，《紅樓舊事》，聯經，1987。

——，《惡靈》，遠景，1979。

——，《打牛湳村系列》前衛，1994。

——，《等待燈籠花開時》，前衛，1988。

——，《蓬萊誌異》，前衛，1988。

——，《骨城素描》，遠景，1979。

——，《變遷的牛眺灣》，遠景，1979。

——，《黃巢殺人八百萬》，東大，1980。

——，《弱小民族》，前衛，1987。

——，《廢墟台灣》，前衛，1995。　——，〈變成鹽柱的作家〉，自立晚報，1994.3.26～4.7.。

——，《血色蝙蝠降臨的城市》，前衛，1996。

——，《禪與文學體驗》，草根，1996。

——，《拯救佛陀》，派色文化，1996。

2. 葉石濤・彭瑞金編，《一九七八台灣小說選》文華，1979。

3. 劉昌元，《盧卡奇及其文哲思想》，聯經，1991。

4. 劉　康，《對話的喧聲——巴赫汀文化理論述評》，麥田，1995。

5. 林本炫，《台灣的政教衝突》，稻鄉，1994。

6. 瞿海源，《台灣宗教變遷的社會政治分析》，桂冠，1997。

7. 李豐楙・朱榮貴主編，《儀式、廟會與社區——道教、民間信仰與民間文化》，中研院文哲所，1996。

期刊論文

（多篇評論附於「宋」之小說集中，見註釋所引）

1.陳映眞，〈變貌中的農村〉，《夏潮》，五卷四期，1978.10.。

2.康　原，〈拆穿騙局的人──宋澤萊的文學與宗教情懷〉，自立晚報，1991.10.4.。

3.高天生，〈新生代的里程碑〉，自立晚報，1983，7.21～23.。

4.陳文珊，〈談宋澤萊晚近作品中的神祕經驗〉，《曠野》，1997.7～8.。

薩摩藩與漢語
——關於漢日詞典《南山俗語考》——

中筋健吉[*]

前　言

　　《南山俗語考》（5卷附錄1卷）一書是由日本薩摩藩第25代藩主島津重豪（1745－1833）編纂的漢日詞典。薩摩藩是在明治年間以前存在於日本九州島最南端的一個諸侯國，而它自從八百年前以來一直由島津氏統治下來的。後來它面對江戶德川政府崩潰之際，十分發揮了自己的能力，而爲明治維新革命做出了巨大的貢獻，同時建立了近代日本國家的堅固基礎。〈南山〉是重豪的雅號。而這裡所說的〈俗語〉意味著口語漢語。

　　重豪是一個英明君主，自從青年時代富於進取精神。他特別喜歡說漢語，因此，燕居無事之際，常與他的近臣們用漢語來談話。他爲備忘而編了一本漢日詞典，此則該書的前身《南山考講記》（共8卷明和4年1767年稿本）。重豪當年23歲。後來，他使自己的屬下反復校訂此書，四十五年之後（文化9年1812年）作爲藩府的出版事業之一環，將書名改爲《南山俗語考》而付梓了。從此可見薩摩藩當時非常重視漢語。

　　本論文，從該書成立的日本江戶時代"唐話學"（當時日本人稱漢語爲"唐話"）的有些情況而說起，介紹薩摩藩與漢語之間的關係和一些《南山俗語考》本身的特點。

一、日本江戶時代的"唐話學"

　　下面概觀日本江戶時代"唐話學"的情況。

　　它的源流有兩個。第一個是長崎貿易。德川家康（第1代征夷大將軍）稱霸之初，採用了開國政策，之後不久而改變路線，關閉自守，只准許了長崎一港開放。除了荷蘭、清國之外，其他外國都不能入境通商。長崎自然成爲日本唯一外國文化出入的門戶了。因此有志於獲得新知識的學者、文人、醫生、本草家等等都爭先恐後地奔赴

＊　日本 鹿兒島大學

在長崎貿易活動上不可忽視的是"唐通事"的存在。他們主要是明清爭亂之際逃避流亡日本的中國人，或者是他們的後裔。另外同他們有交往的一些日本人也從事過這個工作。唐通事基本上是世襲的，所以他們的子弟從"襁褓不言"的年齡起開始學漢語。到了十五、六歲，就參加工作。清船入港時，他們同上司去迎接客人而辦事。

當時長崎對南京話、漳州話、廣東話各有專門的通事。除此之外，通事掌管的領域還涉到了中國南方各地方言土話。但是他們好像很少說北京話，因爲來航者南方的中國人爲主，所以不需要學習北京話。

江戶"唐話學"的另外一個來源跟黃檗宗的傳來有關。

日本黃檗宗是由明僧隱元所傳來的一支新佛教流派。第4代將軍德川家綱治世的寬文元年（1661），在京都宇治建立了黃檗山萬福寺而開了一宗派。萬福寺住持自隱元至第21代大成（除第14代）世世代代由唐僧任職。寬文10年（1670）萬福寺第2代住持木菴在江戶芝白金臺創建了紫雲山瑞聖寺。對此德川政府也給積極的幫助，是爲避免天主教在日本的復辟。從此以後，日本主要大城市建立起黃檗寺來了。順便說，江戶時代初期，長崎已有三座被稱"唐人寺"的寺院，則興福寺、福濟寺、崇福寺。它們都是住在長崎的中國商人的菩提所，而由南京人、漳州人、福州人等等的同鄉人出款建立的。住持都是來日的唐僧。受到德川家綱的委囑而招來隱元的人就是福州出身崇福寺鼻祖超然。

隨著黃檗宗的傳播和長崎僧俗的東上，唐話學也大流行起來了。比如，日本有名的大漢學家荻生徂徠，因他的主人柳澤吉保長於漢語，所以正迫於唐話學的必要性。吉保是第5代將軍綱吉的"側用人"（秘書），而他受到將軍的信賴行使絕大的權力。他在少年期參過禪而接觸了漢語，後來優待黃檗僧了。吉保每跟唐僧有交流時，都擅長了漢語。另外，四書五經問答之際，讓他的儒臣們使用"唐音"。正好，當時最長於漢語和中國白話小說的岡島冠山與學僧大潮、天產等的人才陸續從長崎到江戶上來了。於是，傳統性濃厚的漢學者跟較被蔑視的俗語文學者携手了。從此而後，唐話學受到學界的矚目了。徂徠以後廢止漢文"訓讀"而採用音讀。

至於岡島冠山，不久搬到京坂（現京都大版），編了衆多漢語入門書❶，或者出版了中國戲曲、白話小說的翻譯書，給中國俗語文學在日本流行很大的貢獻。

關於中國小說、戲曲的流行，日本青木正兒博士曾經如下劃過三個時期而指出❷。則：

第一期：自元祿年間（1688－1703）以前。

---

❶ 岡島冠山有《唐話纂要》《華音唐詩》《唐譯便覽》《唐語便用》《唐音和解》《唐音雅俗語類》等等書。

❷ 參看石崎又造《近世日本に於ける支那俗語文學史》上的青木正兒博士序文。

第二期：自寶永年間至寬政年間（1704－1800）。

第三期：自享和年間（1801－1803）以後。

第一期，則古文小說爲主。第二期，則勃興研究漢語的氣氛，而白話小說與戲曲甚受歡迎。尤其，寶曆寬政之間（1751－1800）就是 "唐話學" 的極盛時代。在日本，俗語小說的流行就是由於學漢語的必要性而起來的。（第三期漢語熱的形勢漸漸衰落了。）岡島冠山活躍的時期正相當這個時期。

二、薩摩藩與漢語

薩摩藩領土自西到南面臨東海，屢次漂到了中國船以及其他外國船。例如，自從17世紀到18世紀初頭的70年間，漂至薩摩的船舶共有50多只。薩摩藩在德川幕府統治之下，負責取締異國船的來航，防備緊迫時。爲此，它平常選擇精通漢語的人材培訓而做爲唐通事（有時候讓他們到長崎去留學），把他們布置在沿岸諸城市、近海島嶼（川內、羽島、串木野、片浦、山川、脇本、坊之津、屋久島、種子島等等）。對此種情況，古賀精里在〈南山俗語考序〉裡如此說：

> 薩國跨有日隅。濱海之地。西南面大洋千餘里，海舶飄到封內，殆無虛處。是以置戍堡，說瞭臺，而候察之。其有勘合，確不係違禁，乃許停泊。爲之補損漏，濟匱之，哺飢，衣凍，藥病。飛報長崎鎮臺通知，竢訊護送之崎港，其誰何撫論，皆待譯言一差，惑惹事端，故最加慎焉。平時擇通敏有幹用者數十名，學清國語，以備其役，實爲薩國一重事。

精里是佐賀藩的儒臣，受到幕府的命令，在昌平黌（官立學校）教書，與林述齋、柴野栗山、尾藤二洲等被稱爲 "寬政之三博士"。

另外，薩摩府城裡則有幾個唐通事頭目家，他們都在家裡進行講習。藩府本身也設置了通事養成所而訓練子弟。那時，薩摩藩發行了《二字話》、《三字話》、《長短話》、《請客人》、《苦惱子》等等教材而用它們教漢語。

關於薩摩藩與漢語之間的關係，我們還需要從貿易上的角度來思考。當時對清國貿易的利益占有藩財政的一大部分。這種情況，德川政府將貿易政策由開放轉向統制了以後，還不變。薩摩藩依舊與清國繼續做走私貿易，或者通過其附庸國的琉球王國做了轉口貿易。對重豪來說，他在退位以後的垂簾聽政之期擴大了貿易規模，而把莫大的收益彌補虧損，以企圖藩財政的恢復。

從此可以說，薩摩藩重視漢語的事基本上是講求現實利益的結果。

三、島津重豪與漢語

　　重豪生於延享2年（1745）。他父親島津重年是加治木島津家的領主，而並非宗家。四年之後寬延2年（1749）藩主島津宗信突然逝世，終年22歲。他沒有嗣子，因此他弟弟重年襲封主位。寶曆5年（1755），重年在江戶藩邸病故，重豪11歲就繼承藩主了。

　　他的開明性在他青年時代培養的。特別在“參勤交代”之來回途中，落腳京都、大坂，以擴大見識而吸收“上方”（關西）的風俗文化。（當時德川幕府令藩主們每隔一年住在江戶，這就是“參勤交代”。）重豪即位的時候，雖然江戶幕府樹立了已經一百多年，薩摩藩却還殘留日本戰國時代粗魯的遺風，風俗文化方面顯然落在其他諸侯國的後邊。因此，他作爲藩主努力開通風氣，提高文明。

　　思考重豪的漢語愛好時，黃檗宗的存在還是不可等閑視之。薩摩藩與黃檗宗之間的關係，離重豪半世紀以前，已經有。依第20代藩主綱貴的關照，薩摩藩裡既有一、兩座黃檗寺。另外，上面所說的紫雲山瑞聖寺在江戶薩摩別業的隔壁鄰居。

　　至於重豪，他明和3年（1766）3月在參勤交代的旅途中，順路參拜京都宇治的萬福寺，受到了茶水和小喫的招待，與中國住持會見談話。翌明和4年（1767）5月，他又一次前往萬福寺拜廟，參加了法會，喫了“桌袱料理”。（桌袱料理是長崎地方的日本化了的中國菜）第2天重豪在京都伏見藩邸款待住持以答禮。

　　明和4年是重豪下令要編纂《南山考講記》（後爲《南山俗語考》）的那一年。重豪的記室（秘書兼御醫）曾槃在其《仰望節錄》中如下文說：

> 明和四年丁亥、薩隅西南海は唐山の商舶、肥前長崎へ來往の鍼路なれば、或は年毎に其瀕海に漂到す。故にいにしへより其沿海の地に譯士を置きて、常に海外清國の音韻を學ばしめ事を判せしむ。<u>公嘗てより長崎の唐山譯士に便して、漳福の俗語をつどひ、其音韻を質し和釋を附して、其書を著さん事を慮り給ふ、ことし其起草を命せらる。</u>

重豪也自己在〈南山俗語考後跋〉（同〈南山考講記後跋〉差不多一樣）中如此說：

> 余好華言，粗通其音。故燕居無事之間，常與侍臣更互談話以華音也。然唐話多端，不暇曲通遍辨而枚舉。惟搜輯所記若幹言以爲卷，名曰《南山俗語考》。非素爲他人，置是座右，以自備遺忘耳。
>
> 　　　　　　　明和丁亥（4年1767年）仲冬日　南山自跋

　　他日常同他近臣用漢語談話。從此可見，雖然是個年僅23歲的青年藩主，他的漢語

卻已經達到了相當高的水平。然則，重豪同萬福寺住持談話之際，用漢語的可能性很大。

三十年之後的寬政8年（1798）年，薩摩藩來了琉球使節團。其中兩個隨行者曾經渡清學過。重豪親自召見他們，問了他們所聞所看的清國 "勝景佳事"。其時他們都用漢語進行問答了。幕府儒官柴野邦彥在〈琉客談記序〉中說到重豪的漢語水平很高。如下：

> 薩老侯隆儒好文。風流遊戲之餘，好作漢語。清濁輕重，宛如清人口氣。……
> （他們）交語皆不因舌人（翻譯），往復如響。

四、《南山俗語考》簡介

《南山俗語考》有三種版本；一則 "特本"；二則 "上本"；三則 "並本"。自第1卷至第5卷，三本內容差不多一樣。但只 "特本" 有源忠道撰《南山俗語考序》、卷頭總目錄、和附錄《長短雜話》，後兩本卻沒有。

《南山俗語考》於文化9年（1812）成書，這事從古賀精里序文上的日期也看得出來。重豪離古稀還有兩年。可是特本上的源忠道〈南山俗語考序〉又曰：

> 薩老侯（重豪）好華音、置譯官、令其藩子弟暇日講習也。此亦學校之設、其官
> 殆不可欠、不以必嗜好之故也。老侯自通其音、因輯錄成語、旁以國字音以下、
> 以國語訳之。凡六卷。其第六卷、日用敘話。所擬彼而自作也。標曰南山俗語考、
> 屬忠道引其端刻以傳同好、乃謹敘老侯之意、引之端云。

文化戊辰（五年1808年）陽月鷩山源忠道撰

如果此序所說的日期是實的話，該書的成立年代也許在1808年，比通說早四年。順便說，日本研究薩摩藩史專家芳即正先生指出序中的 "源忠道" 是姬路藩主酒井忠道，從此他估計這特本是重豪對別的諸侯們獻給用的❸。

該書收錄八千二百七十七語，每語之旁邊，用日語 "假名" 來注音，而語下寫著意思。其項目內容如下：

卷一　天部	卷二　人部下
天文時令類	賓友往來逢迎尋訪類

---

❸　參看芳即正《島津重豪》（吉川弘文館　1980）。

走獸部
　　畜獸鼠類
飛禽部
　　林山水原禽類
草木部
　　樹竹類
　　花卉類
　　菓蓏類
　　種藝類
馬匹鞍轡部
　　馬鞍具毛色類
衣飾部（這部只有項目沒有內容）
　　衣服布帛紡織采色類

　　依在上邊引用的源忠道序文所述，附錄《長短雜話》是重豪親自寫的會話集。

　　此書前身的《南山考講記》就不如此。它第1卷到第4卷三字詞《動賓結構語、動補結構語》為主。另外也有一些二字詞、短句。但內容上還沒有《南山俗語考》那種分類的內部規律。第5卷到第7卷卻按項目分類，可是不太詳細。如下：

　　第5卷：天文、時令、地理、人品、親族、身體、器用
　　第6卷：兵法竝軍器、感動、療用、船件、婚姻竝女工、家居
　　第7卷：菜蔬、魚介、虫、獸、樹竹、菓、馬具竝毛色、飛禽、衣服竝疋頭絲綿
　　　　　　花記、飲食。
　　第8卷：君臣唐話

　　《南山考講記》本來是重豪通過長崎唐通事搜集俗語而成的。後來讓他的記室曾槃負責日譯而加世田石塚崔高校訂了中國音。那是最早在寬政4年（1792）的事。曾槃是歸化明人的子孫，對本草、醫學方面的造詣很深。他同時也受重豪的命編纂了《成形圖說》（100卷，農業生物百科全書，其中第31卷以後，原稿遭到火災未刊而止）。石塚崔高是古賀精里的門人，他的漢語能力很高。除了南京話之外，還精通北京話。每次加世田海岸漂到了中國船，他都到那兒去迎接它。

　　因有此二人，《南山考講記》能變成了在江戶唐話學史上無可倫比的《南山俗語考》。因為它收錄的詞匯豐富，結構很系統，跟其他的唐話辭書，完成劃清界線。至於其動詞

分類特別講究。此書以前的漢語教材裡找不到這種詳細的分類。好多教材對動詞只按字數列舉詞而已。《南山俗語考》的動詞分類可能跟曾槃的本草學有關吧。連岡島冠山所編的種種唐話教材也比不上。

但很可惜的是它完全不顧聲調方面的處理。對外國人來說，要學習漢語或者說漢語時，最不可缺少的因素是聲調。重豪爲什麼忽視這一點呢。對這個問題，本人目前還沒有得到有效的結論，爲了解決這個問題，還需要繼續研究。

結　語

如上所述，重豪在他的一生中，不斷努力使藩風煥然，提高文明。那麼，他的種種出版事業可以說是他要實現那種遠志的一個手段。重豪下令而出版的書，除了此書以外，就有《島津國史》（共32卷）、《成形圖說》、《質問本草》（內編4卷外編4卷附錄1卷）等等。這些書都是他在位時下令編纂而在退位以後才付梓的。一般來說，日本諸侯國的藩主退休以後，按規定還要住在江戶。重豪當時已經成爲第11代將軍德川家齊的岳父，而被以“高輪（江戶薩摩藩邸所在的地方）下馬將軍”的外號稱呼了。這些書當時很可能同他的威勢一起聞名了。對《南山俗語考》一書來說，我們現在在日本岩波書店刊《國書總目錄》上可以看其名，又看得出來日本主要公、私立大學和各種設施的圖書館藏有此書。那麼，此書廣受到江戶時代人的甚大的歡迎。另外，聽說明治初年有一個日本人被他上海朋友委託了買此書❹。然則，《南山俗語考》不只有由江戶時代日本人編的一本地道的漢日詞典的榮譽，而它已經做爲有一點兒國際性的存在了。

其他參考文獻：

武藤長平《西南文運史論》（岡書院1926）。

失放昭文《南山俗語考再探》（《地域研究》第13卷第2號鹿兒島經濟大學地域經濟研究所1984）。

岩本眞理《〈南山俗語考〉のことば》（《鹿兒島經大論集》第30卷第1號1989）。

---

❹　參看中田喜勝《南山俗語考のについて》（《中國文學論集》創刊號　九州大學中國文學會　1970）所指出的岡島篁所《滬吳日記》上的記述。

附鹿兒島大學附屬圖書館《玉里文庫》所藏的《南山俗語考》

南山俗語考 卷一

南山俗言考卷一

天部

天文時令類

到デ 天地 アメツチ　　乾坤 仝上　　到 天河 アマノガハ

到 天陰 クモル　　起霧 キリノカヽル　　起霞 カスミノカヽル

靉靆 クモノタナビク　　日頭 ニチリン　　日蝕 ニッショク

日高 ヒダカイ　　日落 ヒノサガル　　東照

南山俗語考卷一目次

天部　天文時令類

地部　地理類

人部　人品類

人倫類

身體類

性情類

・視聽動作坐立趨走出入去来類

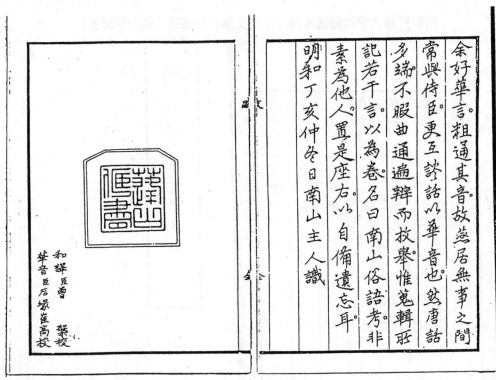

余好華言。粗通其音。故慈居無事之間
常興侍臣更互談話以華音也。然唐話
多端不暇曲通遍辭而扱拳惟蒐輯耶
記若干言以為卷名曰南山俗語考非
素為他人置是座右以自備遺忘耳
明和丁亥仲冬日南山主人識

和譯臣曾　蔡校
華音臣后塲崔高校

長短雜話全一卷

南山俗語考附錄
長短雜話

今日天色好。不知發駕到什麼所在去
這兩天不比日前路上乾了騎馬去
頑頑也好。
得是了天色最好騎馬到什麼所在去
好好偶們已曾說過要到花園去因
正是偶們說

莊子內篇詞語重出之組合釋例
——以緊鄰現象為考察

王仁鈞*

一、現象

1、北冥有魚其名爲鯤鯤之大不知其幾千里也

2、化而爲鳥其名爲鵬鵬之背不知其幾千里也

3、是鳥也海運將徙於南冥南冥者天池也

4、天之蒼蒼其正色邪

5、彼其於世未數數然也

6、彼其於致福者未數數然也

7、子治天下天下既已治也

8、孰弊弊焉以天下爲事

9、宋人資章甫知適諸越越人斷髮文身無所用之

10、世世以洴澼絖爲事

11、我世世爲洴澼絖　　　　　　　　（以上見於逍遙遊）

12、是唯無作作則萬竅怒號

13、而獨不聞之翏翏乎

14、15、而獨不見之調調之刁刁乎

16、17、18、19、大知閑閑小知間間大言炎炎小言詹詹

20、21、小恐惴惴大恐縵縵

22、已乎已乎且暮得此其所由以生乎

23、終身役役而不見其成功

24、是以無有爲有無有爲有雖有神禹且不能知

25、彼出於是是亦因彼

＊　淡江大學

26、27、28、方生方死方死方生方可方不可方不可方可因是因非因非因是

29、因非因是是以聖人不由

30、謂之道樞樞始得其環中

31、32、惡乎然然於然惡乎不然不然於不然

33、為是不用而寓諸庸庸也者用也

34、35、庸也者用也用也者通也通也者得也

36、因是已已而不知其然謂之道

37、有有也者

38、一與言為二二與一為三

39、無謂有謂有謂無謂

40、眾人役役聖人愚芚

41、而愚者自以覺竊竊然知之

42、若勝我我不若勝

43、我勝若若不吾勝

44、栩栩然胡蝶也

45、蘧蘧然周也

46、不知周之夢為胡蝶與胡蝶之夢為周與周與胡蝶則必有分矣　　（以上見於齊物）

47、恢恢乎其於游刃必有餘地矣

48、曰然然則弔焉若此可乎　　　　　（以上見於養生主）

49、輕用民死死者以國量乎澤若蕉

50、51、52、53、夫道不欲雜雜則多多則擾擾則憂憂則不救

54、命之曰菑菑人者人必反菑之

55、惡惡可

56、內直者與天為徒與天為徒者知天子之與己皆天之所子

57、仲尼曰惡惡可

58、唯道集虛虛者心齊也

59、60、聞以有知知者矣未聞以無知知者也

61、吉祥止止

62、63、凡溢之類妄妄則其信之也莫莫則傳言者殃

64、65、不敢以生物與之為其殺之之怒也不以全物與之為其決之之怒也

66、實熟則剝剝則辱

67、鳳兮鳳兮何如德之衰也

68、69、已乎已乎臨人以德殆乎殆乎畫地而趨

70、迷陽迷陽無傷吾行 （以上見於人間世）

71、唯松柏獨也在冬夏青青

72、鑑明則塵垢不止止則不明也

73、遊於羿之彀中中央者中地也

74、彼何賓賓以學子爲

75、闉跂支離無脤說衛靈公靈公說之

76、而視全人其脰肩肩

77、甕瓷大癭齊桓公桓公說之

78、而視全人其脰肩肩

79、四者天鬻也天鬻也者天食也 （以上見於德充符）

80、邴邴乎其似喜乎

81、曰惡惡可

82、83、84、已外生矣而後能朝徹朝徹而後能見獨見獨而後能無古今無古今而後能入於不死不生

85、殺生者不死生生者不生

86、其名爲攖寧攖寧也者攖而後成者也

87、88、89、90、91、92、93、94、聞諸副墨之子副墨之子聞諸洛誦之孫洛誦之孫聞之瞻明瞻明聞之聶許聶許聞之需役需役聞之於謳於謳聞之玄冥玄冥聞之參寥參寥聞之疑始

95、夫造物者將以予爲此拘拘也

96、夫造物者又將以予爲此拘拘也

97、喘喘然將死

98、今大冶鑄金金踊躍曰我且必爲鏌鋣

99、今一犯人之形而曰人耳人耳

100、歌曰嗟來桑戶乎嗟來桑戶乎而已反其眞而我猶爲人猗

101、彼又惡能憒憒然爲世俗之禮以觀衆人之耳目哉

102、天之小人人之君子

103、天之小人人之君子人之君子天之小人

104、意而子見許由許由曰堯何以資汝

105、吾師乎吾師乎

106、行以告蒲衣子蒲衣子曰而乃今知之乎

107、108、其臥徐徐其覺于于

109、肩吾見狂接輿狂接輿曰日中始何以語女

110、泣涕沾襟以告壺子壺子曰鄉吾示之以地文

111、列子入以告壺子壺子曰鄉吾示之以天壤

112、列子入以告壺子壺子曰吾鄉示之以太沖莫勝

113、鯢桓之審爲淵止水之審爲淵流水之審爲淵淵有九名此處三焉　　　（以上見於應帝王）

　　以上依據民國四十九年三月新興書局影印四部備要本《莊子》內七篇中所見詞語重出於緊緊相鄰而唧繫連接者，計133現次。純就視覺的粗略接觸而言，可以在掃描下感到兩種極端爲明顯的不同形式存在；一是重出的部分只有兩字，而前後兩字完全相同；與一般修辭學家規劃出來的「疊字格」很相似。一是重出的部分不只兩字（通常是四字，或更多。）前後的字面本身並不重出，而是藉著相同的排列次序而形成相同的複音詞或語句形態的組面，而以此兩組前後緊貼，造成前後組面的重出；與一般修辭學家規劃爲「疊句格」也很類似。❶

　　這兩種簡單的辨識，是任誰都能覺察得到的，雖然它的現象所引起視覺上的震盪反應不大，不過，總也還產生了某種程度的注意力之駐滯。

二、辨　象

　　儘管像上述那種初步粗淺的視覺接觸，對於僅切相接的重出現象，無論如何也避免不了視感上發現的反應，進而產生了區辨的領會。但它畢竟是粗糙的、簡單的、表象的、模糊的、甚至混淆的；因爲它只是單純平面空間現象感應作用呈現的結果而已。一旦我們試圖在感應的過程中，再添加一些因素進去時，則結果是會隨之產生變化的。

　　首先，我們不妨在純粹的空間排列現象當中，把簡單的時間因子摻進去，驗證一下感應的領會將有何改變。

　　句讀之法，以及標點的運用，便是解決的上好手段。因此我們大可利用民國五十一年十月世界書局出版的《校正莊子集釋》中業經標點的莊文，與前錄的一百一十三條對照一番，便會有下面所舉的新現象出現：

㈠原先兩個單字字面重出七十次，非兩個單字字面重出四十三次的現象，有了新的發展：

　　一百一十三次中，出現了六十九次的重出部分是明顯要被句讀分割開的。（前文所謂類似的「疊字格」「疊句格」形式，均有。）例如前文所舉的首例⑴便成了：

---

❶　一般的修辭學家只把「衍聲複詞」的疊字視爲「疊字格」，並把「疊字」兩字由詞語替代後，叫做「疊字格」其著眼點與範圍，均與本文有別，故曰類似。

△1、北冥有魚，其名爲鯤。鯤之大，不知其幾千里也。

〔餘如2.3.24.29.30.33.36.48.49.54.56.58.73.79.86.104.106.109.110.111. 112.113、共二十三條類此〕

又如前文所舉的第七例〔7〕成了：

△7、子治天下，天下既已治也。

〔餘如9.12.22.25.26.27.28.38.39.42.43.50.51.52.53.62.63.66.72.75.77. 87.88.89.90.91.92.93.94.98.102、共三十二條類此〕

又如前文所舉的第三十一例〔31〕則成了：

△31、惡乎然？然於然。〔餘如32.46.共三條類此〕

又如前文所舉的第五十五例〔55〕又成了：

△55、惡！惡可！〔餘如57.81.100.105、共五條類此〕

又如前文所舉的第三十四、三十五例〔34、35〕更成了：

△34、35、庸也者用也；用也者通也；通也者得也。

〔餘如82.83.84.103共六條類此〕

它們先後爲句點〔。〕，逗點〔，〕，問號〔？〕，嘆號〔！〕，分點〔；〕隔開了原先緊連的重出部分，而這些標點的加入，或者表示著時間插入的長短不同；或者表示著情緒的傾向不同；或者表示著結構組織的狀況不同，總之，已不復僅只是平面空間直感所反應出來的那麼單純素樸了。

另有第九十九例〔99〕：

△99、今一犯人之形，而曰：「人耳人耳」。

以及

△67、鳳兮鳳兮，何德之衰也！

△68、69、已乎已乎，臨人以德；殆乎殆乎，劃地而趨！

這四條雖未有任何標點示意句讀的狀態，可是爲什麼未被標點？答案絕對不是不能插入時間因素於其中。第一、古來不用標點，可並非不注意句讀，語助詞、感嘆詞、連

詞、介詞等虛字的安置，一方面有其語法作用，一方面頓宕意義，這已是常識，勿庸贅說。那麼，試看上面四條裡出現的「耳、兮、乎、乎」性質作用，便可「思過半矣」。第二、68例的「已乎已乎」在同樣的22例，即是已被標點的，唯一兩例不同的，是22例為散文句型，而68例是句式整飭的韻文句型，也許這便是它們「省略」了標點的最主要的理由。這樣，則這四條自當視作「等同標點」，而歸于六十九條為句讀分割之林，使之增成七十三例了。

㈡對於剩下的另外四十條例子，標準的狀況依然和前文所舉的現象無異。縱然經過標點，但卻與詞語重出的部分無關，如前文所舉的第四例〔4〕：

△4、天之蒼蒼，其正色邪？

類此的，另有5.6.8.10.11.13.14.15.16.17.18.19.20.21.23.37.40.41.44.45.47.59.60.61.64.65.70.71.74.76.78.80.85.95.96.97.101.107.108各例。它們詞語重出處的前後字面或前後組面的中間，確實沒有被任何有形的標誌符號加以割裂。不過，他們也並不如我們粗淺視線掠過時所感受到的那麼整齊劃一，假如能稍為仔細點，從其中挑出 37.59.60.64.65.85、六個例子解析一下，便知道了。

△37、有有也者，

△59、60、聞以有知知者矣，未聞以無知知者矣。

△64、65、不敢以生物與之，為其殺之之怒也；不敢以全物與之，為其決之之怒也。

△85、殺生者不死；生生者不生。

在字面的形式上，「有有」「知知」「知知」「之之」「之之」「生生」和前舉的「蒼蒼」一樣，但是「蒼蒼」的重出，是一種原始單純發音節奏為了時間延長以增加其音感而增強其義質的作用所生成的修辭方式；而「有有」等卻是利用此一方式只在有意造成阻礙，喚起修正，激發反省的作用，並無意於增強其義質。像37例，與它相鄰近的句式有「有始也者」，「有無也者」，「有有也者」，它們的前一「有」是規範存有的動詞，隨後的「始、無、有」則是表示存有之對象的名詞。前者擔任這句子的「述語」，後者結合了「也者」擔任著句子的賓語，兩個「有」「有」近在咫尺，卻一天涯一地角，地位性質截然不同，怎可和「蒼蒼」等量齊觀哩！而59、60的例，明眼人一看便知，前一「知」是「有知」「無知」的語素，後一「之」則是知者的詞素，兩「知」之間，雖無時間上的割裂，卻有結構上的割裂；64、65、也清楚可從「殺之」「決之」與「之怒」的不同單元上，了解到語法組織在「之」與「之」中間所有的隔絕效果。至於85、例

《釋文》引崔譔注云：「除其營生爲殺生，常營其生爲生生。」又引李頤注云：「殺，猶亡也，亡生者不死也，矜生者不生也。」分明把「殺生」和「生生」對舉，以「殺」和「生」（兩語的前一詞）視爲動物，「生」和「生」（兩語的後一詞）視爲止詞，它們的關係是語法關係大於字形或字音關係的。

這些例子，證明了文字組織除掉平面的空間關係，以及時間關係之外，還有結構關係，它們無一不影響著組織形象的塑造。

上面的六例，還算在視覺運用時，比較容易發現差異的，至如：

　　△61、吉祥止止。

　　△76、77、其脰肩肩。

若就整句比對著看，在形式上似乎較之於10、11、的「世世爲洴澼洸」更類似更接近「天之蒼蒼」模式。然而「蒼蒼」「世世」都符合增加音感而增強義質的條件，所以「天之蒼蒼」是「天之蒼」的強調說法；「世世爲洴澼洸」是「世爲洴澼洸」的強調說法。但「吉祥止止」，依成玄英《莊子疏》的詮釋：「止在凝靜之心，亦能致吉祥之善應也。」便不能簡化成「吉祥止」來替代❷；換言之，「吉祥止止」絕不是「吉祥止」的強調，而「其脰肩肩」，依劉武《莊子集解內篇補正》的說法：「本句上肩字，項下之膊也；下肩字，任也，負擔也。猶之冠冠履履風風雨雨，曾滌生氏所謂實字虛用也。其脰肩肩者，謂其頸乃肩膊肩負之也。」❸也不能當作「其脰肩」的強調式。那麼不管「吉祥止止」，「其脰肩肩」在形式上如何與「天之蒼蒼」相類相似，畢竟不可以一律相歸屬。這樣推敲的結果，不啻提醒我們，要想突破純平面視覺的誤導，除了使用時間的懸宕來檢驗以外，除了使用語法的關係來覈證以外，還免不了須進一步動用語意關係來考核呢。

㈢經過以上的層層追索，讓我們覺悟到僅是表面的區分並不足以深切了解實象。於是，不憚煩瑣，再重新自重出部分的詞語被句讀分隔的七十三個例案，予以檢察。結果是縱然撇開了句讀長短，聲情詢嘆所造成的不同，仍然發現了若干的差異性出來。下面即爲所拈出的例樣：

　　△1、北冥有魚，其名爲鯤。鯤之大，不知其幾千里也。

　　△22、已乎！已乎！旦暮得此，其所由以生乎？

---

❷　依成疏，「吉祥止止」前一「止」爲述語，後一「止」爲處所補詞任賓語。

❸　「肩肩」，劉武之說可取者爲所舉「冠冠」等例；然謂「上肩字爲膊，下肩字任也。」

　　△25、彼出於是，是亦因彼。

　　△38、一與言爲二，二與一爲三。

　　△46、不知周之夢爲胡蝶與？胡蝶之夢爲周與？周與胡蝶，則必有分矣。

　　這裡暫且借用1例作爲標竿，則「鯤。鯤」和22例的「已乎！已乎」首先是單詞和語句的差別；其次是聲音平淡和激烈的差別；再則是「…鯤。鯤…」分屬前後句之中，而「已乎！已乎」卻本身即是獨立形態的語句。至於25例，固然沒有這些差異，但它的前句首字，後句末字，恰是相同的字句，同時前後的句式相似，頗與1例有別；更重要的，隱匿於這種形式之內的一種回環交錯的勢態，尤非1例所有。再至於38例，已無22、25兩例的問題，但它仍然保留著前後句句式相似的特色；以及重出的部分，分層前後兩句的範圍；（一部份同於25例，一部份同於1例。）但38例的前後兩句，雖不如25例的糾纏繚繞；也不如1例的各自成體，涇渭分明；卻透露著某種程度的牽連和某種程度的放任。牽連處在於前後句不能少掉任何一部份的連袂，否則會令人有意思不完整的感受；放任處在於前後句的表達意念各有自由而又方向有限制，於是常易使人產生這類句組有連環遞進的意味（它的子句越多時，這種意味會越彰顯，試看「夫道，不欲雜，雜則多，多則擾，擾則憂，憂而不救。」）說到46例，表面上好像是1例的單詞重生，換成複詞或詞語重出而已。其實，加上周邊有關的句子，一路閱讀下去，立刻會知道，它的重出部分，前後完全不是一碼子事，原來前一「周與」是懷疑的對象加上表示懷疑的語詞，而後一「周與」更是被腰斬的「周與胡蝶」的殘骸，它們偏偏無巧不巧的湊成重出的現象，其實，只是一個「迷障」。❹

三、顯　象

　　通過前一節層層解析的「辨象」，我們消極的打破了初步對詞語緊鄰重出的浮面印象，比較深切精密的發覺到那些聚集的所謂「疊字」「疊句」的光點，其實蘊含著些許相當異質的色譜。

　　至於進一步，在一百三十七個案例中，從辨象的流程運用下，以具有模式樣貌的做爲範本，把焦點對準那些色譜所呈現的差異狀況，檢視它們各自獨特的形質特徵，以爲認識或區分它們之客觀存有的條件，則是這一節嘗試去做的主要工作。命之曰：顯象。
例(一)

　　△4、天之蒼蒼。

---

❹　此種「迷障」，固適可釋爲「文字」假借的誤會，也可釋爲「有意造成」的重疊。

△5、彼其於世，未數數然也。

△10、世世以洴澼絖爲事。

△70、迷陽迷陽，無傷吾行。

以上四例，可做下列的陳述：

(1)重出的字面或組面互相緊鄰，未有阻隔。

(2)重出的部分以一度爲限。

(3)重出的部分，前後關係衍形衍聲衍義，有增加音感增強義質的作用。

(4)重出的部分，所據地位，或在句首，或在句中，或在句尾，可以不定。

(5)重出的部分，可充作句子結構中的任何成分。

(6)重出的組合，以單詞爲常。

例(二)

△22、已乎！已乎！旦暮得此，其所由以生乎！

△99、今一犯人之形，而曰：「人耳人耳」。

△100、嗟來桑戶乎！嗟來桑戶乎！而已反其眞，而我猶爲人猗！

以上三例，可做下列的陳述：

(1)重出的部分，因有時間或情緒的插入，而被分割。

(2)重出的部分，亦有增加音感，增強義質的作用，而且較例(一)強烈。

(3)重出的部分，與鄰近的句式分離，形成獨立的聚集。

(4)重出的部分，沒有語法結構上的連繫，但有語意上的擴張。

(5)重出的部分，以複詞的組合爲常。

(6)重出的部分，或在鄰近具式之前，或在之後。

例(三)

△1、北冥有魚，其名爲鯤。鯤之大，不知其幾千里也。

△3、是鳥也，海運將徙於南冥。南冥者，天池也。

△24、是以無有爲有。無有爲有，雖有神禹，且不能知。

△109、肩吾見狂接輿，狂接輿曰：「……。」

以上四例，可做下列的陳述：

(1)重出的部分，分隔的狀況明顯，前後單元，分屬不同句式。

(2)重出的部分，前一單元必爲前一句式之賓語；後一單元必爲後一句式之主語。

(3)重出的部分，前後音義一致，無輕重強弱之作用，以一度爲限。

(4)單詞、複詞、語句，均可充作重出之元素。

(5)重出的主要功能，在於緊密栓繫所引進之另一意念表出。

(6)重出相繫的句式，不必整飭。

例(四)

　　△37、有有者也。

　　△61、其脰肩肩。

以上二例，可作下列的陳述：

(1)重出的部分，互相緊鄰，未有分隔。

(2)重出的部分，以一度爲限。

(3)重出的前後單元，有語法結構上的關係。

(4)重出的前後單元，有詞性轉型的情況，故發音亦因而有別。

(5)重出的部分，有造成視覺弔詭的預期作用。故後一單元可謂由前一單元所衍生者。

(6)重出的部分，必有其一爲句中之述語。

例(五)

　　△38、一與言爲二，二與一爲三。

　　△82、83、84、已外生矣，而後能朝徹，朝徹而後能見獨，見獨而後能無古今，
　　　　無古今而後能入於不死不生。

以上二例，可作下列的陳述：

(1)重出的部分，與例(三)的特性相符。

(2)重出的情形，可見異構連續的狀態。

(3)重出單元所據的前後句，有隱約推展或遞進的態勢。此一態勢視出現次數的多寡
　　而明晦。

(4)句式較例(三)整飭。

例(六)

　　△25、彼出於是，是亦因彼。

　　△26、方生方死，方死方生。

　　△27、方可方不可，方不可方可。

以上三例，可作下列的陳述：

(1)重出的部分，與例㈢的特性相符。

(2)重出的部分，可見異構交錯的狀態。

(3)重出的單元所據的前後句，其前句之句首與後句之句尾，又呈重出現象，於是形成前後兩句有迴環返折的態勢。

(4)句式較例㈤整飭，且必為一對子句所構成之複句。

例㈦

　　△9、宋人資章甫知適諸越，越人斷髮文身，無所用之。

　　△30、謂之道樞，樞始得其環中。

　　△46、不知周之夢為胡蝶與？胡蝶之夢為周與？周與胡蝶，則必有分矣。

　　△48、曰：「然。」「然則吊焉若此，可乎？」

　　△55　、惡！惡可！

　　△59、60、聞以有知知者矣，未聞以無知知者矣。

　　△64、65、不敢以生物與之，為其殺之之怒也；不敢以全物與之，為其決之之怒也。

以上九例，可作下列的陳述：

(1)重出的部分，以及所屬之句式部分，在形式上略與例㈢相似，但其實不同。

(2)重出的部分，在特徵上亦與例㈢相似，但其實不同。

(3)不同於例㈢處在於其重出部分之前後單元有極富彈性之變化，不似例㈢確切穩定。

(4)重出部分之前後單元變化，包括有單詞配複詞，複詞配單詞，單詞配語句，句型配語型等，且因之前後單元之質性、意義、內容、範圍等亦隨之發生更動。

(5)(4)之脫律現象，頗顯著意造成錯愕效果之企圖。

四、成　象

　　經過冗長的剖析，由於盡可能對觀察作細微的追索，以及對形象內質和外緣作密切的推演，遂使我們在進行時似乎越來越順著理性的牽引，而遠離了最初的感覺。其實，我們正在貼近那份，或者說根本未曾離開那份，視覺的接觸映象。

　　為了證明這一點，我們試著把例句轉換成一種圖誌的樣式：

　　㈠△天之蒼蒼。

　　　〔○○●●。〕

△彼其於世，未數數然也。

〔○○○○，○●●○○。〕

△世世以洴澼絖爲事。

〔●●○○○○○○。〕

△迷陽迷陽，無傷吾行。

〔●●●●，○○○○。〕

　　從重出部分抽繹出來的例式看，儘管它們在各自的句位中，位置各別，但卻有同樣的形象模式：「……●●……」。

　　以這一模式的視感，配合前述顯象的條件，透過所掌握的概念，便可能成爲一個感覺的經驗。而這概念，便是視這類重出的形象組合方式爲「重疊組合」。

　　㈡△已乎！已乎！但暮得此，其所由以生乎！

　　〔●！●！○○○○，○○○○○○！〕

　　△今一犯人之形，而曰：「人耳人耳」，

　　〔○○○○○○，○○：●！●！，〕

　　△嗟來桑戶乎！嗟來桑戶乎！而已反其眞，而我猶爲人猗！

　　〔●●●●●！●●●●●！○○○○○，○○○○○○！〕

　　在例式中，它們的共同形象是「●！●！」，配合了顯象條件以後，應可把它稍微簡化，則其模式係：「●‧●」。

　　而這類重出的形象組合方式，是可以用「分疊組合」的概念統括的。

　　㈢△北冥有魚，其名爲鯤。鯤之大，不知其幾千里也。

　　〔○○○○，○○○●。●○○，○○○○○○。〕

　　△是鳥也，海運將徙於南冥。南冥者，天池也。

　　〔○○○，○○○○○●●。●●○，○○○。〕

　　△是以無有爲有。無有爲有，雖有神禹，且不能知。

　　〔○○●●●●。●●●●，○○○○，○○○○。〕

　　△肩吾見狂接輿，狂接輿曰：「……。」

　　〔○○○●●●，●●●○○○。〕

　　在例式中，它們的共同形象是「……●‧●……」，和㈠式㈡式都有部分雷同，通過顯象條件以後，實則它的模式宜爲「……●—●……」。而這類重出的形象組合方式，

是可以用「延疊組合」的概念來統括的。

　　㈣△有有者也。
　　　〔●●○○。〕
　　△其脰肩肩。
　　　〔○○●●。〕

　　在例式，它們的共同形象是「…●●」或「●●…」和㈠式極爲相類，但配合顯像條件後，則它的模式應是「…●●　●●…」。

　　這類重出的形象組合方式，是和「繫疊組合」的概念相應的。

　　㈤△一與言爲二，二與一爲三。
　　　〔○○○○●，●○○○○。〕
　　△已外生矣，而後能朝徹，朝徹而後能見獨，見獨而後能無古今，
　　　〔○○○○，○○○●●，●●○○○●，●●○○○●●●，
　　無古今而後能入於不死不生。
　　　〔●●●○○○○○○○○○。〕

　　在例式中，它們的共同形象是「……●，●……」，和㈢式極爲相類，但配合顯像條件後，則它的模式應是「…●
　　　　　　　　　　　　　　　　　　　　　　●…」。

　　這類重出的形象組合方式，是和「摺疊組合」的概念相應的。

　　㈥△彼出於是，是亦因彼。
　　　〔⊕○○●，●○○⊕。〕
　　△方生方死，方死方生。
　　　〔⊕⊕●●，●●○○。〕
　　△方可方不可，方不可方可。
　　　〔⊕⊕●●●，●●●⊕⊕。〕

　　在例式中，它們的共同形象是「……●，●……」，和㈢式，㈤式極爲相類，但配合顯像條件後，則它的模式應是「⊕—●　　或「⊕—●
　　　　　　　　　　　　　　　　　　　⊕—●」　　　●—⊕」

　　這類重出的形象組合方式，是和「翻疊組合」概念相應的。

㈦△宋人資章甫而適諸越，越人斷髮文身，無所用之。

〔○○○○○○○●，◑○○○○，○○○○。〕

△謂之道樞，樞始得其環中。

〔○○◑，●○○○○○。〕

△胡蝶之夢爲周與？周與胡蝶，則必有分矣。

〔○○○○○●◒？●◒○○，○○○○○。〕

△曰：「然。」「然則弔焉若此，可乎？」

〔○●。◑○○○○，○○？〕

△惡！惡可！

〔●◑！〕

△聞以有知知者矣，未聞以無知知者矣。

〔○○◑●○○，○○○◑●○○。〕

△不敢以生物與之，爲其殺之之怒也；不以全物與之，爲其決之之怒也。

〔○○○○○○，○○○●◑○○；○○○○○○，○○○●◑○○。〕

在例式中，不易認定它們的共同形象，放寬鬆來說，稍近㈠式，㈢式，如果透過顯象條件的了解，勉強擬其模式爲「……◑◐……」。

而這類重出的特殊形象組合方式，也只好勉強的以「借疊組合」來做爲概念了。

由一個簡單的語音或字型的重出現象「……●●……」，可以透過時間、情緒、語法、語意以及聯想上的因素之穿插，便可分化出「●，●」，「……●—●……」，

「…●︵●…」，「…● 「⊕—● 「⊕ ⏐ ⏐ ● ⊕—● 或 ⊕」乃至於「……◑◐……」的 ●……」

組合型態出來，豈不是很有趣的一種收成！

國家圖書館出版品預行編目資料

一九九七東亞漢學論文集

／淡江大學中文系主編. --初版. --臺北市：
臺灣學生；1998[民87]
　　面；　公分

ISBN 957-15-0866-7 (精裝)
ISBN 957-15-0867-5 (平裝)

1.漢學 - 論文, 講詞等

030.7　　　　　　　　　　　　　　　　87000891

一九九七東亞漢學論文集（全一冊）

主編者：淡江大學中文系

出版者：臺灣學生書局

發行人：孫善治

發行所：臺灣學生書局

臺北市和平東路一段一九八號
郵政劃撥帳號〇〇〇二四六六八號
電話：二三六三四一五六
傳眞：二三六三六三三四

本書局登記證字號：行政院新聞局局版北市業字第玖捌壹號

印刷所：宏輝彩色印刷公司
地址：中和市永和路三六三巷四二號
電話：二二二六八八五三

西元一九九八年一月初版

定價
精裝新臺幣四二〇元
平裝新臺幣三五〇元

03402